CABO DE GUERRA

CABO DE GUERRA

IVONE BENEDETTI

© desta edição, Boitempo, 2016
© Ivone Benedetti, 2016

Direção editorial Ivana Jinkings
Edição Isabella Marcatti
Coordenação de produção Livia Campos
Assistência editorial Thaisa Burani
Preparação Luciana Lima
Revisão Luzia Santos
Capa Ronaldo Alves
Sobre composição de fotos de
Cecilia Picco (Bald-Head) e
Chris Scott (From-the-Back-1).
Projeto gráfico e diagramação Estúdio Bogari

Equipe de apoio
Allan Jones, Ana Yumi Kajiki, Artur Renzo, Bibiana Leme, Eduardo Marques, Elaine Ramos,
Giselle Porto, Ivam Oliveira, Kim Doria, Leonardo Fabri, Marlene Baptista,
Maurício Barbosa, Renato Soares, Thaís Barros, Tulio Candiotto

CIP-BRASIL. CATALOGAÇÃO-NA-FONTE
SINDICATO NACIONAL DOS EDITORES DE LIVROS, RJ

B395c

Benedetti, Ivone

Cabo de guerra / Ivone Benedetti. - 1. ed. - São Paulo : Boitempo, 2016.

ISBN 978-85-7559-485-8

1. Romance brasileiro. I. Título.

16-31391

CDD: 869.93

CDU: 821.134.3(81)-3

É vedada a reprodução de qualquer parte deste livro sem a expressa autorização da editora.

1ª edição: maio de 2016

BOITEMPO EDITORIAL
Jinkings Editores Associados Ltda.
Rua Pereira Leite, 373
05442-000 São Paulo SP
Tel./fax: (11) 3875-7250 / 3875-7285
editor@boitempoeditorial.com.br
www.boitempoeditorial.com.br | www.blogdaboitempo.com.br
www.facebook.com/boitempo | www.twitter.com/editoraboitempo
www.youtube.com/tvboitempo

*A Joel,
agradecida.*

Bem pensado,
a morte não é outra coisa mais
que uma cessação
da liberdade de viver.

MACHADO DE ASSIS, *Esaú e Jacó*, capítulo CVII

1 DIA

PERCO O CHÃO no primeiro degrau e escorrego até o último. Caído de costas, ainda enxergo o céu noturno, infinito com molduras: paredes imensas, amarelas, rodeando, rodeando. Então o céu negro vai ficando azul, depois azul-claro, depois branco, e as imagens começam a desfilar: Cibele de jeans e blusa vermelha, meu pai dobrado em cima do trapiche, Tomás me dando um cartão de visita, minha irmã falando de estrelas, padre Bento acocorado junto a um muro, a garganta afogada de Samira boiando na Billings, o moço torturado, a jaqueta em frente a um tamborim, o soco no coronel, um sujeito cantando "My Way", Carlos morrendo, as borbulhas da chuva no chão, Jandira erguendo os braços, uma surra, Maria do Carmo mijando no lavatório, Alfredo morto, o Dops, Samira gritando, a mão estendida a Rodolfo, o atropelado, estrelas, estrelas, estrelas, eu descendo na rodoviária de Santos e batendo palmas em frente a um portão.

 Acordo outra vez hoje desse sonho. Como se tivesse nascido dele, morrendo, ele vem se repetindo, sempre o mesmo neste resto de vida que me foi concedido sei lá por quê. Vive em mim com as mesmas imagens, vertical, legível e a um só tempo ilegível, como um código de barras. Mas a mercadoria se deteriora no pacote. Fecho de novo os olhos, a última imagem do sonho persiste nítida, sempre, desde que me entrevei nesta cama: bato palmas em frente a um portão em Santos.

BATO PALMAS NAQUELA noite de janeiro, e de minhas mãos sai um som chocho, engessado no ar parado de verão. Suor e cansaço. Espero um pouco, nada: tudo escuro e fechado. Está aberto o portão de ferro que dá passagem para um jardinzinho ressequido. Entro no jardim e olho a fachada: veneziana de quarto à esquerda, varandinha à direita, porta com postigo, nenhum sinal de luz pelo vidro opaco. Vou até a porta, ainda sem entender aquele ermo inesperado. Bato e espero. Nada. Entro pelo corredor lateral, há um vitrô. É da cozinha e está entreaberto. Meto o olhar por ele, tomo um susto.

A lembrança do susto se confunde com a entrada brusca de minha irmã agora neste quarto. Mas não abro os olhos. Evito sair da realidade dos sonhos que moram comigo neste aposento desde que fui condenado a viver nele.

Portanto, Santos. O susto.

Pelo vitrô vejo uma coisa: uma alma, espécie de imagem esbranquiçada, etérea. Uma santa? Pairava junto à parede do lado de lá da cozinha. O susto quase me fulmina. Não sinto agora a intensidade dele, só sinto a lembrança, que se traduz por leve estremecimento do peito, ao passo que o susto então foi o tremor do corpo inteiro, o choque, a fulminação que sempre me pegou desprevenido nas visões que me acompanharam pela vida. Estremeço de leve agora, e só. Mas ainda estremeço. Naquela noite, abalado, dei as costas ao vitrô, fechei os olhos e desse modo fiquei uns bons segundos. Depois os reabri, com medo, já não mais da visão, e sim da possibilidade de ter sido uma visão – como dizer? –, enfim, irreal. Porque a realidade de uma visão de santa existe, é a dos místicos, sem entrar no mérito do que seja real ou irreal nesse campo. Claro que a mim nunca foi dado ter uma dessas visões místicas, nunca mereci tanto. E isso, justamente, me veio à mente naqueles poucos segundos, de costas para o vitrô. Sendo assim, sobrava apenas a irrealidade da visão, coisa que eu já conhecia, coisa que me acontecia com alguma frequência, antes, bem antes daquela noite de janeiro em Santos, coisa quase esquecida: eu era um sujeito abalável por visões, projeções do cérebro exaltado – dizia meu avô. Devia ser uma delas. Abri os olhos, o jeito era enfrentar a realidade, espiar de novo a cozinha e verificar que, de fato, não havia santa. O que havia, a uns quatro metros de mim, naquele cubículo mirrado e profano, era um pano de pratos pendente de um prego ao lado da geladeira, forma trapezoidal com jeito de Aparecidinha de altar, franja de renda nas bordas. Enfim, uma coisa banal, metamorfoseada.

Era o distúrbio da infância e da adolescência que voltava, sem aviso prévio, sem motivo aparente. Distúrbio nunca muito bem diagnosticado, no máximo medicado. A poder de remédios, os médicos conseguiam apagar por antecipação toda e qualquer imagem irreal que os caprichos dos meus centros corticais superiores (conforme me explicou um deles, poeticamente) resolvessem criar, mas à custa de uma alternância entre zonzeira e euforia. Tudo isso entristecia minha mãe, que não sabia se preferia o filho de verdade vendo coisas de mentira ou o filho de mentira vendo coisas de verdade. Isso ela nunca disse, mas não é difícil imaginar. Sei que ela me profetizava mais um daqueles marmanjões inúteis que toda família tem, homens sem préstimo, derrubados por um mal mental sem nome nem solução. Mas, apesar do pavor, sempre se conformou às prescrições da medicina, com o adjuvante de velas e promessas a Nossa Senhora de Nazaré.

Recorreria a qualquer coisa. E, se não se valeu daquelas duas irmãs que curavam endemoninhados e moravam do outro lado da rua, foi por não ter coragem de desobedecer à proibição de meu avô, sogro provedor, mas calado e seco, que a tratava com a reserva que todo varão de respeito deve a qualquer mulher casada, ainda mais se sua nora. Sogro que ela só desobedecia quando protegida pela certeza de não ser descoberta, mas com toda a reverência devida a um deus que só não é dotado de onisciência. Alvo de curiosidade suspeitosa e envergonhada eram aquelas duas irmãs, por parte de toda a vizinhança, ou quase... de minha parte, sem dúvida. Quantas vezes, pelas frestas da janela, espiei o movimento daquela casa, mas não por tempo demais, achando que as duas mulheres saberiam de minha presença ali, pois quem cura possessos, imaginava eu, tem o poder de saber e ver tudo.

Vira e mexe alguém batia àquela porta, carregando ou arrastando algum endiabrado em busca de alívio, para não dizer exorcismo. Nem sempre aqueles eram mansos. Não demorava muito e alguns vizinhos, fazendo de conta que passavam por acaso, iam chegando daqui e dali – quem sabe podiam ajudar? –, olhos postos corredor adentro. Mas do portão só passavam o paciente e algum parente próximo. Nunca vi ninguém sair. Hoje imagino que era porque demoravam lá dentro, e eu me cansava. Ou então porque saíam mansos, e eu não ouvia. Mas, pouco mais que um menino, eu imaginava outras coisas. Achava que ficavam, simplesmente ficavam lá no porão. Sempre que os treslouca-dos davam folga, as duas irmãs passavam o tempo mais ameno do fim de tarde fumando cigarros de palha num degrau junto ao portão. Duas santas, sempre achei, a não ser pelo cigarro de palha. Não busquei a ajuda delas, portanto, nem nas piores horas... Talvez justamente pela excessiva proximidade.

Meu distúrbio voltava naquela noite em Santos. Com as mesmas características de sempre: de repente, sem motivo nem aviso, algum objeto se transmudava. Com isso quero dizer que o que eu via nunca era um nada, era sempre uma coisa virando outra. O resultado podia ser mais sublime ou mais monstruoso que a coisa original, dependendo...

dependendo… não sei de quê. Só o efeito era sempre o mesmo: um susto, o desequilíbrio. Mas bastava fechar os olhos e abrir de novo: tudo voltava ao normal.

Graças a dois ou três médicos, eu tinha passado o fim da adolescência livre das visões (ou assim imagino), mas mergulhado numa normalidade que, hoje, eu diria sonambúlica. Sei que em casa todos viviam assombrados, com medo de me verem num manicômio. Com dezessete anos tive alta, como dizia minha mãe, apesar de nunca ter estado internado. Ela não sabia, eu nunca disse, que a terapia tinha sido o trauma de ver meu pai morto na mais horrível das imagens que me entraram pelos olhos, imagem real esta, no sentido que se costuma dar à palavra. Minha mãe chegou a perceber a coincidência ("depois que teu pai morreu, você não teve mais visões" – dizia). Eu não respondia. Na verdade, com o uso dos remédios, as visões vinham perdendo frequência e virulência até aquele dia de 1962, quando meu pai morreu. Aí sumiram. De modo que a visão da santa ocorria sete anos depois da presumida cura.

Naquele 10 de janeiro de 1969, a santa na cozinha era o indesejado retorno do exorcizado. Aquela experiência me deu um desalento indescritível. Perigava me desmontar, até porque se somava a um tremendo cano, um abandono, um jantar negado. Mas me aprumei. Precisava resolver uma situação concreta, não tinha por que ficar ali, entregue ao desânimo.

Um trapo, nada de santa! E pronto.

Apliquei o ouvido, na esperança de ouvir alguma presença viva. Nada, só um ronco de geladeira velha e o pinga-pinga de uma torneira.

Voltei ao jardim. Contava encontrar uma festa, muita comida na mesa, roda alegre de amigos, copos e copos de cerveja gelada, e precisava encarar que estava sozinho, do lado de fora de uma casa trancada, com pouco dinheiro no bolso, perdido numa cidade estranha, amargando um buraco no estômago e, agora, também um sobressalto no coração.

ABRO OS OLHOS, circundo com o olhar um quarto que me abriga há anos nesta casa do Bixiga. Na minha frente, uma mesinha com tevê. À esquerda dela, uma cadeira de rodas e outra comum; à esquerda desta, a porta por onde entram as poucas visitas que me fazem o favor de interromper de vez em quando o compacto amontoado de ficções que se ergue diante de mim todos os dias, com o nome de memória. Por ela também entra várias vezes por dia minha irmã, a doce-amarga cuidadora deste que aqui está, em sua cama, defronte à tevê, agora desligada. Na parede da esquerda, um guarda-roupa e, logo depois dele, um janelão que me mostra se o céu está claro ou escuro. Por ali também fico sabendo se é feriado ou dia útil, caso estejam abertas ou fechadas as janelas do prédio comercial do outro lado da rua. É só o que vejo daqui.

Quero fechar os olhos de novo e recuperar a nesga de imagem que me leva de volta àquela noite de Santos. Porque foi lá que começou tudo o que desemboca aqui.

Sei que passava das onze.

VOLTO AO TERRAÇO e me acocoro atrás da mureta. A intenção é ficar lá um tempo, descansando, pensando no que fazer, quem sabe decidindo se preferia ali na cozinha uma santa ou um trapo, achando decerto que em algum momento haveria de chegar alguém. A rua é uma fileira de casas, lugar afastado do centro e da praia, quase sem movimento em noite já entrada. De vez em quando o motor de um carro, passos de gente, conversas poucas de algum grupo, no transcurso dos dez metros da testada. Vivos mesmo os pernilongos, em nuvem barulhenta, aguda, em torno de mim. Olho o céu: estrelas, estrelas, estrelas... tela esburacada, penso em palcos iluminados, mulheres distraídas pisando astros, tenciono cantarolar, mas a queimação da orelha esquerda, atingida por picada certeira, me chama de volta ao aqui-agora. Enfio a cabeça entre os joelhos, cruzo os braços e estico ao máximo os punhos da camisa. Preciso resolver se continuo lá, na expectativa de um jantar cada vez menos provável, ou se vou indo... andando... andando porque o dinheiro é curto e preciso escolher entre um lanche e um ônibus. Os pernilongos me obrigam a decidir: cansado de estapear o ar, resolvo ir embora. Com muita raiva e vários palavrões, enfio a mão no bolso: contar trocados.

É então que se dá um grito de mulher, um cai-fora, uma batida de porta, um trecho de dramalhão amoroso entremetido no abre-e-fecha da boca de uma sala qualquer, um bocejo de alcova a alguns metros dali. Saio da cisma, levanto a cabeça, esperando mais gritaria. Não vem. Afora o ruído de uns passos que parecem vir chegando, tudo quieto. Mas a calma dura pouco, pois logo um bicho motorizado desemboca de alguma esquina invisível para mim, carimbando meus tímpanos com um canto de pneus e um trovão crescente e breve que se transmuda em freada, acompanhada de um baque, um gemido e outro baque. Terminado o guincho dos pneus deslizando no asfalto, o silêncio. O carro está parado em frente ao portão, meio atravessado na rua, motor silencioso agora. Um homem abre a porta do carro, eu instintivamente me agacho, ele desce e volta a pé para a direção do atropelamento. Sim, nesse momento eu já desconfio do que aconteceu. Então me levanto, mas de onde estou não consigo enxergar muito, o muro da direita é alto. Só vejo o carro parado. Dele, forçando a vista, a placa: 14 13 12. Quanto esse sujeito pagou por essa placa? – penso. Mais uns minutos, o sujeito volta. Não se meta em encrenca alheia, é a voz eterna de meu avô soando nos meus ouvidos. Eu me agacho de novo, o motor é religado, ronca distância afora, cala. De novo o silêncio.

Atravesso o jardim e paro no portão: a uns cinco metros dele, um corpo caído se estende do meio da rua ao meio-fio da calçada onde estou. Olho em volta, ninguém, me inclino para observar de perto. Um moço. Parece congelado no momento do estrebucho final, com o braço esquerdo retorcido, a cabeça totalmente virada para o lado direito, as pernas atiradas de qualquer jeito, como se nunca tivessem servido para nada. Uma poça de sangue se transfunde do corpo para o asfalto. Morto mesmo? Duvidando, ponho a mão no pedaço de pescoço disponível: sinal nenhum de vida debaixo da pele ainda não fria. Olho de novo em volta. Ninguém. Melhor dar o fora. Ou melhor, com o cadáver há de se encontrar alguma carteira com uns trocados. E, se o dinheiro for muito, só vou tirar uma parte, o necessário, uma mixaria. Chego a apalpar um dos bolsos da calça (o rapaz está em mangas de camisa), mas um estalo me põe de pé (alguma porta se abrindo?) e me faz sair de lá como quem foge do escuro, com peso de asas de abutre nas costas. Já escolhi: o ônibus.

SE O MORTO estivesse de olhos fechados, um estalido de nada talvez não me assustasse. Que ele não enxergava mais coisa nenhuma, disso eu sabia. Mas o que aquelas pupilas refletiam não era a acusação da minha consciência, era o horror do vácuo. Quando um morto está de olhos fechados, sempre resta a leve ilusão do adormecimento. Nesse caso, se a aparência não engana, pelo menos não assusta. Mas olho esbugalhado e parado é um tratamento de choque que a realidade impõe, e a gente sabe que negar a morte num caso desses é bobagem. Olho de morto é globo de trevas, e o que apavora é a transparência desse escuro.

Para a morte sempre dei as costas por pura covardia. Não me amedronta a morte como ideia ou acontecimento futuro, inexistente como o tempo que não chegou, e sim a morte chegada. Também não a morte de quem já está no caixão, com os dedos entrelaçados na linha da cintura, e sim a da hora em que alguém sai da categoria dos vivos. Nessa hora fica impresso no corpo o trauma da expulsão; na fisionomia, o espanto do nada. Depois a cara se petrifica, paralisa, amansa, perde a expressão, vira estátua neutra. E, se não vira, dá-se um jeito. Só então o morto é exibido, olhos fechados num caixão, para que os visitantes piedosos possam consolar os parentes dizendo que ele parece estar dormindo. Com o que sempre concordam viúvas e órfãos. Se o morto continuasse com a cara da morte, os velórios seriam desertos.

Nem meu avô escapou à destruição da visão concreta da morte, ele que foi uma das poucas criaturas sem medos que conheci. Digo medos no plural para me referir aos pequenos medos bestas que nos atazanam a vida o tempo todo que passamos por aqui: medo da miséria, do desemprego, da doença, da própria morte... Destes últimos ele não tinha. Talvez tivesse aquele medaço de todo teólogo (ex-padre que era), o medo do inferno. Também, se tinha, nunca confessou. Sempre se mostrou cheio de certezas, até sucumbir à culpa. Aliás, nunca o ouvi falar do inferno. Quando conversava sobre as coisas do além, falava do céu, recompensa dos bons. Falava com conhecimento de causa, de quem tivesse feito estágio por lá. Sempre peremptório.

Contava-se que, na juventude, tinha largado a batina sem muita delonga, para se casar com aquela que viria a ser minha avó. Consta que lutou muito para se despadrar oficialmente, até que conseguiu. Fiquei sabendo de suas lutas exteriores da época; das íntimas nunca, pois delas só ele podia falar, e não falou. Hoje dou por certo que elas devem ter existido. Enquanto convivia com ele, essas coisas não me ocorriam, o que é pena, pois essa lacuna me permitiu esculpir a imagem dele à semelhança de um herói. Vovô sempre esteve presente na minha vida. Quando digo presente, não é de modo figurado. Várias vezes tive a impressão de sentir a mão dele pousada sobre mim, no ombro, na cintura, na cabeça.

Portanto, meu avô falava do céu. Não era homem manso, mas era avô ameno. Não falaria do inferno comigo, porque sei que me amava. Muito menos com Mariquinha, minha irmã, que ao avô puxou a vocação para o celestial. A tal ponto que transferia para o chão o que esperava alcançar um dia: era mestra em pular macaco, em driblar a casca de banana e chegar a um céu de meia-lua pintado no chão com giz amarelo. Amarelinha, aliás, se chama o jogo por aqui.

Céu, este, sem estrelas.

Interessante é ter eu, tão incrédulo, recebido como destino a convivência com padres, ex-padres e candidatos à santidade. Santidade: coisa que sempre me despertou suspeitas. De fraude. A palavra, não a coisa, fiquei conhecendo no tempo do catecismo, pronunciada por um padre moço, de rosto inquieto e vermelho, nariz adunco e púrpura... não lembro o nome dele. Não tratava da santidade, o tal padre, como quintessência da bondade. Dos santos mesmo ele não falava muito. Só distribuía santinhos. Parecia ter mais fé no poder da imagem para aquela plateia de semianalfabetos. Era um publicitário nato. Portanto, os santos dele não eram seres idos de nós e redivivos no céu. Seres, afinal, mesmo que etéreos. Também não eram santos de pau, pedra ou barro, daqueles que enfeitam as igrejas com corpos impossíveis, perdendo em realismo o que ganham em tridimensionalidade. O forte daquele padre eram os santos impressos, coloridos, de faces coradas, quase como as suas. Os bolsos de sua batina estavam sempre cheios deles, santos de todos os naipes, figuras de um baralho que ele distribuía como espelhos, para que a criançada se mirasse. Mirávamos como se mira fotografia de antepassados, roupagens de outra época. Durante todo o catecismo, aliás, acreditei que eram fotos, feitas por alguma técnica milagrosamente anacrônica. Depois da mirada, os santos viravam figuras jacentes nas nossas gavetas, entre outras figurinhas cromadas, duplicadas, de álbuns nunca preenchidos, e algumas fotos reais. O que sabíamos sobre eles? Que eram vencedores de tentações invencíveis, heróis de provas inimagináveis nos diazinhos de Nazaré das Farinhas, onde passei a infância. Mitos.

NAQUELA NOITE de Santos, fazendo o caminho de volta em busca de condução, pensei muito em meu avô. Quando cheguei à avenida mais próxima, tudo continuava deserto. Fiquei longos minutos encostado ao poste do ponto de ônibus, esperando e, nessa espera, tentava aplacar minha ansiedade, a insegurança que sempre sentia quando a melhor voz da minha infância se fazia ouvir acusadora: eu tinha pensado em violar um cadáver. Perdi esse sentimento faz tempo, mas na época ele ainda vigia como lei. Então, ali parado no ponto, um caso que meu avô tinha me contado se destacou do enxame das lembranças.

Consta que, sendo eu criança de colo ainda, num vilarejo perto de Ilhéus um matador de aluguel, na falta de padre – que meu avô já não era –, lhe pediu confissão. Sem mais nem menos, no meio da rua, se achegou com cara assombrada, dizendo que precisava falar e que era urgente. Meu avô, conforme dizia, logo percebeu nele um homem desorientado, um sofredor. Dizia também que a conversa tinha sido longa, e que a certa altura, cansados os dois, não se encontrando por lá nem um toco onde descansar o corpo, acocoraram-se numa esquina. De modo que o caso, quando me vem à lembrança, nunca chega desacompanhado da imagem de dois homens agachados numa esquina. Detalhe supérfluo, que meu avô poderia ter omitido, mas não sei por que incluiu. Enfim, o mais importante é o homem ter contado que um mês antes tinha sido contratado para matar o desafeto de alguém, incumbência que cumpriu nos conformes. Ocorre que, do corpo do desafeto a desabar já falecido, saltou uma alma cheia de ódio e vida que se agarrou à garganta daquele que ali se confessava. E este atestava não só a realidade do abantesma como a do seu apertão. Tudo não tinha durado mais que um instante, mas não lhe saía da memória. Não havia conhecido o sossego desde então, pedia penitência para esconjurar o demo. Não sei se meu avô lhe receitou alguma penitência, esse detalhe ele não mencionou. Só disse que o homem foi visto por lá durante mais um mês, monologando desarvorado, até que apareceu morto, picado de tiros. Vovô me contou a história para que me servisse de moral: nunca se deve fazer o mal, pois a consciência não nos larga. Segundo ele, aquele homem tinha sido asfixiado pela consciência. E eu acabei sem saber se acreditava em almas, consciências ou alucinações.

VOLTO A SANTOS. Era lá que eu estava, num ponto de ônibus.

O ônibus não vinha, fiquei ali, percorrendo lembranças como quem pula macaquinho, mas, quando ia chegando ao céu, tropeçava no morto. Arrependido, sim estava, de ter ido, de ter insistido em ir, de ter contrariado Jandira, que me convidava a largar mão de cumprir compromisso com amigo que ela nem conhecia, Jandira que me aliciava a ficar em São Paulo. Poderíamos jantar na casa dela ou fora, ir a um cinema ou não, transar até cansar ou, na mais pobre das hipóteses, ficar deitados os dois de frente para uma tevê, assistindo a um programa de calouros, daqueles previsíveis que ela nunca perdia às sextas-feiras. Ficou muito zangada quando eu disse que ia, sim, que ia para Santos, que não haveria de dar cano. Tinha até trazido da minha viagem a Salvador, feita em dezembro, uma correntinha do Bonfim para a Carmen, dona da casa, irmã do Rodolfo, que ofereceria o jantar. Estava no bolso da calça o presente, e eu já me arrependia da ingratidão de ter comprado aquela correntinha, idêntica à que eu tinha dado à Jandira.

Então quero ir também, dizia Jandira. Não, Jandira não combinava com aquela gente que deveria estar lá e não estava, nem sei se alguma vez estivera ou estaria. Jandira, como sempre, tinha razão...

Até atropelamento fui obrigado a ver, pensava, e o ônibus não vinha. Pensava também no atropelante, decerto dirigindo pela cidade com a consciência agarrada à garganta.

Até que do outro lado da rua vi um carro virando para a esquerda, pisca-pisca ligado... Era o Rodolfo!

Grito o nome, ele olha para mim fazendo a curva e estaciona dez metros adiante. Vou correndo até o carro, esperando a acolhida calorosa de sempre, mas o Rodolfo me olha como quem vê o indesejado. Chegando, relanceio ao lado dele um homem, cara virada para o lado oposto. Dele só me resta visível o cabelo preto, brilhantinado. Tenho a impressão de que é mais velho que nós dois, e é mesmo, pelo que pude constatar mais tarde. Rodolfo parece espantado de me ver ali, o que por sua vez muito me surpreende, mas tudo não passa de impressão sem palavras. A cara dele é a tradução da surpresa: testa franzida, boca aberta como que para dizer: você aqui?!... Mas deve ter lembrado logo do encontro marcado porque, antes de emitir palavra, muda de cara e desce do carro. Pedir desculpas não pede, mas explica, e explica que não conseguiu me avisar do descombinado. Como o Arnesto do Adoniran Barbosa, penso em dizer: podia pelo menos ter ponhado um recado na porta. Mas o clima não está para brincadeira. Rodolfo fala baixo, acho exagero, a rua está deserta. Pergunta para onde eu estava indo, respondo que para a rodoviária, que esperei muito, desisti, estou morrendo de fome...

Um chio comprido de freada me interrompe a fala, o ônibus chega ao ponto, a porta se abre de supetão, do seu retângulo iluminado, ainda em movimento, se despeja um sujeito que põe um pé na calçada e já dá três passos corridos, eu olho, não sei se vou ou se fico, resolvo, dou três passos vacilantes, mas sou interrompido pelo ronco do motor no engate da marcha: o primeiro ônibus daquele tempo todo mal para e já vai embora, deixando para trás o poste do ponto e um sujeito que começa a atravessar a rua. É o último do dia. Rodolfo estende o braço num gesto impaciente, depois pensa um pouco, enfia a cabeça pela janela do carro, conversa alguma coisa com o acompanhante, tira a cabeça de volta, enfia de novo, conversa mais, começo a me achar de sobra, ele tira outra vez a cabeça e me diz que posso entrar.

Entro, o carro sai me carregando acabrunhado, afundado ali atrás, pensando no que dizer, talvez pedir desculpas pelo incômodo (mas que incômodo, se sou eu o prejudicado, o convidado de uma festa desmarcada?), talvez pedir para descer, seguir dignamente meu caminho a pé, não sem antes avisar do atropelamento, coisa para a qual abro a boca e me inclino à frente... o carro já virou a esquina. Um ajuntamento está formado, o Rodolfo bate o olho nele, breca, diz um palavrão e, perguntando que merda é aquela, sem esperar resposta, começa a manobrar para voltar. Informo:

– Atropelaram um cara.

O homem se vira para trás e me olha como quem olha um verme. É quando noto, por trás dos óculos, as pálpebras caídas, que em certas pessoas servem de cortina para olhos miúdos.

– E só agora você diz isso? – resmunga o Rodolfo, manobrando.

Quando vira à esquerda, cruza com o primeiro carro de polícia que está chegando ao local.

Fico bem ressabiado com tudo aquilo. O olhar do homem me acachapou, eu não entendo por que voltamos.

Rodolfo era o cara que me passava panfletos, falava de coisas para mim tão inimagináveis quanto a santidade, mas que ficavam no outro extremo, ou pelo menos eu achava: luta armada, guerrilha, propriedade comum dos bens, destruição do capitalismo etc. Foi ele que me enturmou depois do primeiro ano de quase solidão nesta cidade que consegue ser gelada e sufocante ao mesmo tempo. Comecei a participar de passeatas, aquecido finalmente naquele terrível inverno de 68 não tanto pela roupa quanto pela convivência. Segundo ele ensinava, estávamos na iminência de uma explosão das massas, reação a anos de repressão e descontentamento, embrião de futuras ações armadas, único meio de implantar uma nova sociedade; seus autores, membros de um grupo consciente, a vanguarda da revolução. Nós.

Eu ouvia. Tinha tempo, estava desempregado, e interesse, pois andava de olho na Maria do Carmo, garota bonita que, aliás, me apresentou ao Rodolfo. Pouco tempo antes, eu tinha sido despedido de um restaurante por reivindicação de aumento de salário. Portanto, era garçom desempregado. Perambulando certa noite pela Maria Antônia, parei junto a um carrinho de pipocas e lá conheci Maria do Carmo... Eu, sujeito sem convicções, acabei me vendo de repente enredado num bando de arrebatados amigos, mimetizado. O pedido de aumento e a demissão tinham servido de passaporte: eu era visto como operário com potencial para a luta, em vias de tomar consciência de classe. Mas nada havia sido como as aparências enganavam. Na história do restaurante, eu tinha entrado de gaiato. Estavam todos descontentes, muita hora extra sem pagamento, alguém precisava ir falar com o dono: fui incumbido disso (nunca soube por quê). Era botar o chocalho no pescoço do gato. Representante do corpo de garçons, minha eficiência foi nula, prova é que o aumento não veio e eu acabei na rua. Para mim, impossível melhor atestado de incompetência. Mas o Rodolfo tinha outra lógica e me levava a reuniões da sua organização de esquerda, a Polop, que ele chamava reverentemente apenas de Organização. Também me levava a festas. Verdadeiras confraternizações. Eu gostava. Aquela de Santos, gorada, que seria em casa de uma irmã dele, tinha por pretexto o aniversário da anfitriã. Tarde demais entendi o motivo do furo. A coisa era simples. Eu tinha sido convidado mais de um mês antes para a comemoração que seria no dia 10 de janeiro. Durante todo o mês de dezembro não me encontrei com o Rodolfo, pois viajei para Salvador, onde passei o fim de ano. Só voltei no começo de janeiro, depois de baixado o AI5. O clima tinha mudado. Percebi a mudança, só não senti o grau. Rodolfo mesmo estava diferente. No retrovisor, testa enrugada. Amuado, parecia não saber para onde ir depois de desistir de entrar na casa da irmã porque a rua estava tomada por curiosos e infestada de polícia. Tudo atrapalhava, eu principalmente.

NESTA MANHÃ DE 2009 caio na real: essa história já tem quarenta anos. É passado. Ou deveria ser. Porque o passado não vivido não passa, fica atormentando, querendo ser chamado de presente, ocupando armários, cadeiras, sempre aí, sempre aqui. Então, tentando apagar essa presença deslocada, a gente revive tudo lembrando, mas quem revive não é a gente, e sim o passado, de modo que a gente passa o tempo realimentando o tempo, e isso não acaba nunca. Assim, quando minha irmã, perene presença, entra e passa no meio dos fantasmas que atravancam este espaço, é tanta a força deles que quem se torna invisível é ela.

Tenho uma santa irmã, de quem muito tempo andei esquecido. Maria de Nazaré é o nome dela. Mariquinha foi o nome com que ficou. Nome que traz em si a marca de uma cunhagem, que nunca se apagou. Diminuta, voz minúscula, olhar sem alvo por obra de certo grau de vesguice, Mariquinha não era levada em conta por mim. Nunca lhe pediria opinião, que ela não tem; tem crença. Se não lhe deixassem o último pedaço de bolo de aipim, ela não reclamaria. Sua roupa nova não era feita de uma peça de tecido, mas de um retalho. A existência de Mariquinha sempre foi pouco mais que uma certidão de nascimento, uma matrícula na escola; era até menos que as figurinhas do padre rubicundo, pois sua efígie nunca frequentou os bolsos dos meninos. Nunca se casou. Nunca se soube de algum amor de Mariquinha. Meu pai se preocupava: Mariquinha é santa? Mariquinha é uma santa, dizia meu avô. Mas à igreja só ia o suficiente. Porque lhe bastava o oratório de sucupira encerada lá de casa: um crucifixo, duas taças de cristal sempre abastecidas de flores, uma de cada lado do crucificado, um evangelho no meio, uma toalha de renda debaixo de tudo, cobrindo mesa estreita e rústica, com genuflexório. A lamparina tinha posição variável, mas estava invariavelmente acesa. Era diante daquele oratório que ela se recolhia, se encolhia às seis da manhã e às seis da tarde para rezar por pelo menos uma hora. E, quando o grosso de suas amizades começou a trocar padre por pastor, Mariquinha continuou a ajoelhar-se diante do mesmo oratório, como quem comparece a encontro sempre diretamente remarcado com o mesmo Eterno.

Vim para São Paulo, Mariquinha ficou em Nazaré. Não me lembro de ter perguntado por ela em nenhuma de minhas cartas. Das poucas vezes que voltei lá e reencontrei Mariquinha, sua imagem me impressionou menos que a da ramalhada de mangueiras que eu avistava da janela, o som da sua voz não pôde competir com a do rádio transistor que minha mãe me deu no aniversário, a atenção que eu lhe dispensava era a da obrigatoriedade. Depois que nossa mãe morreu, nunca mais me preocupei em voltar a Nazaré, nunca mais vi Mariquinha. Meu avô e meu pai também já tinham partido. Quando minha sorte virou, Mariquinha me reapareceu.

O CARRO TRAFEGA PELA ORLA do Gonzaga, o mar perdido num imenso oco escuro, de onde emana finalmente uma brisa bisonha. O mar. Invisível. O mar, mandando a voz do fundo da escuridão, é das coisas mais fascinantes. Quantas noites em Ilhéus, menino eu, deitado na praia, senti funda a perturbação de conviver com um gigante invisível, que bramia oferecendo a carícia e ameaçando com o rapto... Quando a maré estava subindo, eu me deitava na areia e ficava esperando a água vir bater nos meus pés. Batendo, eu recuava uns palmos e ficava esperando novo avanço, imaginando que escapava centímetro a centímetro da goela de um monstro. Longe do mar de Ilhéus, os mares todos que conheci depois nunca tiveram a mesma sedução. Aquele mar ali, que me aliciava pela janela do carro, eu não conhecia ainda, àquelas areias nunca tinha me confiado.

O carro para, descemos, entramos no jardim duma casa mais modesta e velha que a primeira, mas com dálias iluminadas pela luz de um poste bem em frente. Rodolfo bate à porta várias vezes, com cuidado para não exagerar no barulho, uma mulher estremunhada aparece no postigo. Não diz nada, fecha o postigo e abre a porta. Rodolfo diz que está precisando de pouso para um companheiro e pergunta por Carmen. A mulher informa que ela está dormindo. Enquanto fala, olha para mim e para o homem, decerto procurando adivinhar quem é o companheiro. Pouco depois que entramos, aparece Carmen, a irmã.

Essa, que eu já tinha conhecido em São Paulo, me cumprimenta de olhos arregalados na penumbra. Percebo que não me entende ali, tão inesperado que impossível. Penso até na correntinha disparatada no fundo do bolso enquanto as duas se sentam num sofá forrado com um estampado barato: dálias também, dálias vermelhas em fundo azul. Eu me ajeito numa cadeira, o homem numa poltrona de canto, e Rodolfo fica em pé, encostado à soleira de uma porta. Na conversa de minutos que presencio sem abrir a boca, fico sabendo que Carmen está hospedada naquela casa de tia, para deixar a sua à disposição do irmão e do companheiro (agora a tia sabe quem é). E Carmen fica sabendo que sua rua foi palco de um atropelamento, que é o motivo de os dois estarem ali, e não acolá. E eu, por que estou? Rodolfo explica, as duas mulheres tentam conjecturar quem pode ser o atropelado, mas Rodolfo atalha: precisamos dormir. Naquele tempo todo, fico vacilando entre informar e não informar que vi o número da placa do atropelante. Acabo por não dizer nada, achando que daria uma informação de descabida desimportância para aquelas pessoas, naquela hora. O modo como aquele homem me olhou no carro teve o poder de me emudecer. As coisas são arranjadas com rapidez e eficiência: as duas mulheres vão dormir num dos quartos; Rodolfo, o homem e eu, no outro. Para eles, as duas camas; para mim, um acolchoado no chão. Pedem desculpas, não é confortável. A opção é dormir no sofá da sala, mas às cinco e pouco o marido da tia, guarda noturno, vai voltar do serviço, me acordar... Prefiro ficar no quarto mesmo, imaginando que dormir no chão duro é melhor que ser acordado às cinco num sofá de dálias por um sujeito que não me conhece. Guarda, ainda por cima. As mulheres perguntam se queremos comer, há bolo, comemoraram ali o aniversário de Carmen, deduzo. Rodolfo responde que não. Pior: repete não três vezes, porque já jantamos, diz, que elas não se incomodem, precisam dormir... Deito no acolchoado, ao pé das outras duas camas, num quarto pintado de azul. Sinto (sinto ainda?) muita raiva, enquanto as luzes se apagam.

Os três nãos de Rodolfo naquele momento tinham um peso destrutivo que demorou para se atenuar. Na verdade, o Rodolfo se lixava para apreço ou desapreço de quem quer que fosse, quanto mais do meu. Era daqueles caras que não conhecem o desgosto da rejeição. Que se bastam. Que parecem fechados em algum mundo que só tem passagem de dentro para fora. Eu pensava nisso tudo virado de costas para as duas camas. Eu havia dito que estava com fome, ele mesmo sabia que tinha me convidado para uma festa gorada, as mulheres queriam me dar comida. Que custava demorar mais uns minutos? Uma fatia de bolo e um copo de guaraná, pronto, eu teria ficado contente, não estaria ali, mandando tudo à puta que pariu. Lembrava tintim por tintim palavras e gestos do Rodolfo naquela noite e sempre, como se aquele ódio tivesse origem na madrugada dos tempos. Lembrava vendo, porque, se de nariz e ouvido nunca fui exímio, de vista sempre fui um gênio, sempre percebi com precisão movimentos executados ou abdicados. Sempre tive dificuldade para distinguir timbres de voz ou cantar uma melodia inteira sem desvarios, mas o que me entrava pelos olhos nunca entrava pela metade, vinha inteiro, com membros e feições. E quanto às alucinações, embora pareça contradição, tenho certeza de que nelas eu era traído pela visão, mas não pelos olhos. Meus olhos nunca me traíram. Naquela noite, pelos olhos me entrava na alma a alma do Rodolfo impregnada nos seus gestos. Naquele acolchoado, eu vivia uma crise de rejeição: já não servia a quem tinha considerado amigo, de futuro recruta eu tinha passado a estorvo, agora, que ele precisava acoitar cabeças postas a prêmio.

Aquele estado de espírito me traz de volta a falsa Aparecidinha. E, com ela, a lembrança angustiante da primeira alucinação. Impossível dormir.

A primeira alucinação. Tenho sete anos. Pouco depois nos mudamos para Nazaré das Farinhas. Minha mãe me deixa sozinho na sala com um amigo de família e se enfia por um corredor comprido, tubo escuro infinito; vai atender alguma panela. Demora, acho, e entro num pânico paralisante. Sentado defronte ao (para mim) desconhecido, fico imóvel, cabisbaixo e arrolhado. Ele insiste em puxar conversa, eu insisto em não responder. A certa altura, pergunta se o gato comeu minha língua. Como é a primeira vez que ouço esse disparate, ergo os olhos para ele e dou com um quadro medonho: um rosto untuoso, intumescido, massa de carne disforme que funde os traços num todo indiferenciado e monstruoso, deixando à mostra um olho só, o direito, que é pequeno e baço. Saio gritando aterrorizado corredor adentro, corredor mais infinito que nunca naquela desabalada de horror. Vou dar nos braços de minha mãe. É que ela já vem vindo, assustada, acudindo ao berro da cria. E perguntando "o que foi?". Mas não respondo por falta de fôlego. Ela quer voltar à sala, eu, só querendo não ir, me agarro à saia dela. Acabo na sala, carregado ou sei lá como. Chego ainda de olhos fechados e berrando. Ela e o homem falam, tentam me acalmar, parece, eu não quero... Até que ouço a voz de meu avô. Abro os olhos, ele vem entrando: a porta atrás do homem, o homem à frente do meu avô, um rosto normal, uma pessoa inofensiva.

Com um pulo, me vejo sentado. Não há como dormir atrouxado no chão duro, com o estômago roncando e o coração explodindo. Sento e olho para as duas camas. Rodolfo ronca na dele. A penumbra me permite ver que a outra está vazia, acho que o homem se levantou para ir ao banheiro. Resolvo levantar e ver se acho alguma coisa para comer, nem que seja uma lasca de pão. Na porta da cozinha, acendo a luz e dou de cara com o homem, sentado à mesa, agora sem brilhantina, cabelos lisos na testa, a mão direita na frente dos olhos, para se proteger daquele facho repentino. Apago a luz, pedindo desculpas. O homem pergunta se estou com fome. Respondo que sim, e então ele me informa que na geladeira há uma travessa de carne assada, e que posso acender a luz. Abro a geladeira, tiro a tal travessa, vejo pão em cima da mesa, aquilo me parece bastante. Ele me ajuda a achar uma faca. Sento-me de frente para ele, pego um pedaço de carne, que enfio num pão francês cortado pela metade e começo a engolir o sanduíche gelado. Um banquete! O homem pega um pedaço de pão e o mergulha no molho. Estende a mão para mim e diz:

— Experimente esse molho. Está ótimo.

Pego o pão da mão do homem, engulo o que tenho na boca e experimento o naco impregnado. O molho me escorre pelos dedos. Está ótimo mesmo. Enquanto vou comendo, conversamos um pouco. Ele quer saber algumas coisas, de onde venho, o que vou fazer no dia seguinte. Conto do convite para a festa que não houve, ele escuta interessado. Não quer saber meu nome, eu não me lembro de perguntar o dele, ou melhor, talvez tenha desconfiado que ele não diria. Quando percebo que a fome acabou e o assunto está esgotado, guardo a bandeja na geladeira, limpo as migalhas da mesa e peço licença. Saindo, pergunto se quer que apague a luz. Ele diz que sim. Apago, e no escuro ouço a voz dele querendo saber se preciso de dinheiro. Respondo que não, agradeço e o deixo ali, não sem antes observar seu rosto iluminado pelo clarão que entra do vitrô, olhos imersos em si. É a última imagem que fica, a que está aqui até agora.

NAZARÉ... Lá passei a infância. Nazaré cheirava a fumo de corda e rapé. No campo, mel de cana e rapadura, seriguela, manga e jaca. Duas coisas me acalentavam o tédio em Nazaré: o trem sem fôlego e a fábrica onde eu procurava almas que não via. Nesta nunca me foi dado um vitrô baixo para espionar. Trem! Trem de uma preguiça tropical, só subia a rampa depois de duas, três tentativas. Era manhã, ou quem sabe começo de tarde, passava a máquina ofegante ladeira acima, meia subida depois perdia o alento, voltava, tentava outra vez... alguma hora ia.

Ou terei sonhado?

Vim de Nazaré para estudar. Tinha em São Paulo um sempre decantado primo pioneiro, remediado na vida pelas virtudes da cidade grande. Pedreiro. Primo que me recebeu de braços abertos, abraço caloroso de bíceps previamente fortalecidos pelos elogios com que minha mãe sempre anunciava sua criatura, mãos amaciadas pela prometida mesada; única incumbência: abrigar-me em casa com desvelo não muito inferior ao dela. A casa era um sobrado bem rebocado e pintado, um primor no meio de todo um casario precário, apinhado, empilhado, sem data marcada para o acabamento. Hospedado, comecei a explorar a vizinhança, desconfiado de algum logro. Quando perguntei a que distância ficávamos do centro, disseram que pouco, cinco minutos a pé. Do centro de Guarulhos, conforme fiquei sabendo depois de alguma confusão: eu tinha mesmo sido engrolado. Não tinha vindo de tão longe para ficar nas franjas da metrópole. Escrevi à minha mãe, queixoso, dizendo que o primo era mentiroso, que Nazaré era muito melhor, que eu estava infeliz. Ela se convenceu de que o primo era o responsável pela minha infelicidade e, atendendo o meu pedido, começou a mandar o dinheiro diretamente para mim, sem a intermediação dele. Dois meses depois eu comunicava ao primo que, com permissão de minha mãe, me mudaria para local mais próximo do centro de São Paulo: aquilo me facilitaria a ida para uma boa escola, disse eu, não sei se ele acreditou. Dei um nó na trouxa, peguei um ônibus em Guarulhos e, depois de algumas baldeações, apeei na Vila Mariana, onde era esperado pelo amigo de um amigo da filha do meu primo, que conhecia uma pensão ajeitada. Muito cara. Depois de fazer algumas somas apressadas, saí em busca de lugar mais modesto para me instalar.

Andei o dia inteiro, descobrindo tarde demais meu grave erro de aritmética. O jeito foi voltar a Guarulhos e escrever a Nazaré, pedindo aumento.

Com uns quebrados adicionais, outubro de 1966, fui me alojar na pensão da Sofia, viúva ucraniana, segundo andar de um prédio da Duque de Caxias, quase esquina da São João para quem vem do Arouche, onde dividia um quarto com um ou outro estudante de não sei que curso noturno, ou com algum auxiliar de escritório, ou às vezes com empregados fazendo estágio na capital, gente sempre de passagem, contatos esporádicos, superficiais. Estava já com vinte e um anos, ainda por terminar o colegial. Fiz matrícula num curso de madureza. À noite, escola. Dia aberto, segundo constava em cartas, muito estudo para entrar logo numa faculdade.

Mas não durou. Minha mãe percebeu que as contas não fechavam. Antes do fim daquele ano, numa das cartas, o veredicto: eu precisava trabalhar. Foi então que virei garçom, aproveitando a onda de aumento de ofertas de vagas de fim de ano. Era o único emprego condizente com as habilidades de quem tinha pinçado os quesitos da profissão em fins de semana, prestando serviço a um primo (outro), dono de restaurante em Salvador. Ocorre que o trabalho me comia as melhores horas do dia e da noite, fins de semana e feriados. Mas tudo tem compensações. Se me faltavam horas de recreio, havia um motivo dignificante para fugir da escola.

Quando conheci o Rodolfo, madureza já se chamava supletivo, mas ainda tinha o dom de somar o status de estudante secundarista ao de garçom desempregado. E foi com os dois rótulos que ele começou a me apresentar na Maria Antônia. Nas reuniões de estudo de marxismo, semanais, eu passava a maior parte do tempo calado, porque o silêncio nessas horas confere o benefício da dúvida. Como era de se esperar que um dia eu abrisse a boca, comecei a ler. Ler talvez não seja o termo exato. Folhear me parece insuficiente. Digo então que entrelia Erich Fromm, Sartre, Caio Prado Júnior, Celso Furtado, Freud, *Revista Civilização Brasileira*, Politzer... Neto de ex-padre, o terreno tinha uma camadazinha superficial de húmus para a semeadura de certa erudição. Assimilei a terminologia e, até certo ponto, os esquemas de pensamento. Com o tempo comecei a dar uns palpites. Raros, não muito comprometedores. Precisei de quase um ano para chegar a esse ponto. Foi quando me convidaram para a festa, naquela noite em Santos.

VOLTO DE SANTOS manhãzinha seguinte, sábado, na contramão dos veranistas. Não adianta querer ficar, eu não tenho dinheiro. A tia de Rodolfo me convida para o almoço, mas é pura cortesia. Não aceito, sinto vontade de acolhida sincera, de Jandira, e até saudade do apartamento sujinho da ucraniana, onde, primeira porta à direita do corredor, mora minha cama. Saio, Rodolfo e o homem ainda dormem. Tomo agradecido um café com leite e pego, finalmente, o ônibus para a rodoviária. Com a tia deixo a correntinha comprada no Bonfim. Carmen também ainda dorme.

O trajeto é todo uma matutação complicada, de quem ainda vive o já acontecido, sem condições de passar a atentar para o que está em andamento. A falseta do Rodolfo não provoca raiva, mas um ressentimento fundo, uma frustração sempre lá, que me faz passar o tempo todo com um vago sentimento de inferioridade. Quanto ao homem, não sei dizer quando foi mais verdadeiro: ao me olhar no carro ou ao me estender o bocado de pão umedecido em molho, na cozinha. Ao longo do percurso, meus estados de ânimo variam da onipotência à humilhação: cada parada do ônibus me encontra diferente. Numa delas, em frente a uma delegacia, sinto vontade de descer. Afinal, sou dono de dois segredos, dádivas do acaso: o número da chapa do carro que atropelou e matou um sujeito que não conheço e o endereço de um aparelho. Posso entregar os dois de bandeja. Ou talvez só um, o número da chapa, que não me pesará na consciência. Se bem que um não tem muito cabimento sem o outro. Decerto a polícia vai me perguntar o que eu estava fazendo àquela hora naquele lugar, tendo vindo de outra cidade. E aí vou ser obrigado a entregar o aparelho, porque outra saída não hei de achar. Uma denúncia me vinga do Rodolfo. Vingança nem tão anônima, só de mim ele haveria de desconfiar. E muitos outros também desconfiariam: Carmen, a tia, o tio que eu nem conheci, o homem dos olhos miúdos, o único que se preocupou com a minha fome, com a minha penúria, o único que me olhou como quem olha um verme. Olhar que, não há dúvida, me imbui de minha vermicidade. Rememoro, revivo com tanta intensidade o julgamento daquele olhar, que, na parada seguinte, estou anulado. Melhor mesmo me conformar à pequenez, continuar sendo o anônimo que não se enreda. Coisa que meu avô sempre praticou.

Numa banca da rodoviária, passeio os olhos pelas primeiras páginas dos jornais expostos, que não posso comprar. Ameaço folhear um, o dono da banca olha feio. De qualquer modo, dá para perceber que o atropelamento não é manchete. Na certa é uma das desgraças anônimas e diárias de famílias pobres. Antes de comprar a passagem para São Paulo, ainda tenho dúvidas. Talvez faça bem em procurar a polícia e dizer que vi a placa do carro, uma família humilde pode ser indenizada. Se me perguntarem o que estava fazendo na rua do acidente, digo que estava de passagem, perdido, descido em ponto errado. Mas vai ser a minha palavra contra a do dono do carro, carrão, aliás, dos grandes e luzentes. Eu, um zé-ninguém. Aí entra em cena a perícia, e ela descobre que aquele carro, sim, atropelou alguém, coisa que já vi em filme americano. Minha honra estará salva, minha missão estará cumprida, o poderoso estará na cadeia. Não, não estará porque poderoso. E, sendo ele poderoso, minha pele estará em risco. Todas essas coisas eu já tinha aprendido.

Entro na pensão antes da hora do almoço e resolvo comer lá mesmo, pois às quartas e aos sábados a Sofia oferece almoço a uns poucos frequentadores, coisa simples por preço módico. Naquele dia, é uma daquelas carnes de panela com cor de esturricado e cheiro de esfregão, em que a Sofia sempre se esmera. Prevejo que o Parreira vai aparecer para almoçar, e ele não falha. Não se senta à minha mesa; apesar de não serem muitas as mesas, não temos tanta intimidade. Lá está também o professor Cruz, já almoçado, na poltrona com Sofia. Parreira se senta perto da janela. Sofia, logo que vê o hóspede entrar, levanta-se devagar, dividida entre o dever de servir o freguês e o prazer da conversa com o professor. É sempre assim aos sábados. Consta que namoram, não sei dizer, nem sei quando namorariam. Conversam muito, e muito sobre a guerra: Sofia contando o vivido, o professor falando do lido. Naquele dia ela termina uma velha história passada sempre presente, da prima colaboracionista esfaqueada e esquartejada diante de seus olhos quando o exército nazista se retirou da Ucrânia, prima que tinha virado quinta coluna depois de se apaixonar por um soldado alemão. Ouço pela milésima vez aquela história, mas atento ao Parreira. Fico cortando a goiabada devagarinho, esperando que ele olhe para o meu lado. Parreira, unha e carne com uns investigadores de polícia, de repente pode me dar umas ideias.

Parreira, profissão marreteiro. Quem passasse pelas ruas Aurora, Vitória e Conselheiro Nébias, das 8 às 11 da manhã todos os dias, encontraria Parreira sempre alerta: mirava o carro que queria, estendia o braço, com um, dois, três dedos esticados, gritava o preço. Quando alguém parava, ele corria até o automóvel, se debruçava na janela do motorista e dava início à negociação. A conversa era rápida, e nela o preço caía para a metade do antes ofertado em gestos. Se aceito, fechava-se o negócio. Uns dias depois, o Parreira passava o carro adiante, ganhando nele bem mais do que tinha dado a entender na oferta gesticulada.

À tarde não se sabia o que era do Parreira. Sumia do quadrilátero. Aos sábados aparecia na pensão para almoçar.

Quando Parreira olha para mim, aproveito a deixa e me achego à sua mesa, dizendo que quero fazer uma perguntinha. Conto a história. Ele diz:

— Tenho uns conhecimentos na polícia.

A informação, dada entre duas garfadas da carne de panela, é seguida de reflexões:

— A notícia não saiu nos jornais de São Paulo... nos que eu leio, pelo menos. Se fosse gente graúda, saía. Ah, saía. Deve ser povinho.

Mete mais uma garfada na boca e diz, antes de engolir, como quem faz uma descoberta:

— Bom, no caso de ser graúdo, pode ter sido abafado.

Depois, meio desanimado:

— Se bem que, pelo lugar onde você diz que aconteceu a coisa, deve ser ralé.

E para de falar do assunto, desinteressado.

Quando está na sobremesa, volto a insistir, dizendo que seria bom de qualquer modo achar o endereço: uma família humilde pode precisar de indenização. Então ele promete investigar.

Na quarta-feira, reaparece na pensão:

— Olha só, você é um sujeito de sorte. O meu palpite estava certo: umas linhas num jornal de Santos no sábado de manhã, você não viu, não podia comprar jornal, não tinha dinheiro! (Ri.) Foi abafada, rapaz, foi abafada. O pai do atropelado é empresário graúdo, conseguiu abafar, conchavou até a censura. Não queria ninguém sabendo que o filho morreu bêbado, na frente da casa de uma puta (diz a palavra mais baixo, para Sofia não ouvir). Miúdo é o do carro, do carrão, como você diz! Carrão! Um Chevrolet 58!... Vale uma bobagem. Um turco dono de lojinha de sapatos. Sujeito remediado, mas não rico! Já o pai do atropelado... são outros quinhentos, mansão no Morumbi, coisa e tal. Você prefere ir falar com quem, hem?

Eu digo que estava pensando só em falar com a polícia.

— Para fazer justiça?! Botar o turco na cadeia? — pergunta o Parreira, gargalhando na minha cara. A casa do ricaço é no Morumbi.

E me expõe um plano. O trambique proposto me deixa alarmado, mas ele tem certeza do sucesso e vai comandar a parada. Combinamos para o dia seguinte a ida ao Morumbi.

Depois de muita insistência nossa, o guarda concorda em avisar o dono da casa. Dá as costas e é tragado por numa espécie de alameda, do outro lado do portão de ferro, alto, de arabescos. Os muros teriam uns três metros de altura. Ficamos os dois abobados, olhando de fora, enquanto o guarda some na curva arborizada. Para lá do arvoredo, visível só um pedaço do telhado da casa.

– Esse terreno tem no mínimo de dez a quinze mil metros quadrados – o Parreira avalia, testa encostada à grade, cogitando as dimensões do proprietário.

Enquanto isso, eu me sento numa mureta de pedra, perto do portão. Foi preciso andar bem uns dois quilômetros do ponto de ônibus até lá, o que incluía duas subidas inclementes. O marreteiro de carros andava a pé, não dirigia por medo. Aflição de trânsito – dizia. Pela má vontade do guarda, é de se prever boa demora.

Quando volta, vem acompanhado por outro:

– O patrão concorda em falar só com a testemunha. Identidade, faz favor.

Aquilo não estava previsto. Eu não entraria sozinho nem a pau. O Parreira sabe muito bem que seria um furo n'água deixar um bocó como eu tratar sozinho daquele assunto. Então se revolta:

– Ah, não. Sem mim ele não entra. Eu sou padrinho dele, o moço chegou faz pouco tempo da Bahia, a mãe confia em mim... Não vou deixar ele entrar sozinho. De jeito nenhum. Olha aqui, se for assim, a gente vai embora. Vamos, vamos... Paciência. O seu patrão fica sem a informação. (E me empurra.)

Os dois guardas se olham, um deles faz menção de deixar tudo como está, mas o outro resolve conversar um pouco. A lábia do Parreira é irresistível. Tem início um papo que não promete fim. Entra, não entra, viu, não viu, afinal os homens concordam em levar lá para dentro as identidades dos dois e falar de novo com o patrão.

– Tudo bem, é ilegal reter documento, eu conheço lei…, mas podem levar – diz o Parreira.

Os homens se afastam, volto a me sentar na mureta. O Parreira se senta ao meu lado, comentando em voz baixa:

– O cara está morrendo de vontade de achar o matador do filho e fica fazendo toda essa onda. Não vai negar a entrada, pode ficar sossegado.

Meia hora no mínimo se passa. Parreira conta casos, sempre fértil em casos, o Parreira. Até que se cansa:

– Porra! A gente agora está aqui preso por uma carteira de identidade. Não pode nem desistir… O filho da puta na certa está ligando pra Deus e todo o mundo, querendo saber se a gente tem ficha na polícia, se não vai assaltar essa bosta de mansão.

Levanta-se e vai tocar a campainha. Nada. Agora calados, tentamos ouvir algum ruído de passos. Mais uns dez minutos, os homens voltam. Chegando perto, um deles saca o revólver e manda levantar as mãos. Levantamos. O outro abre o portão, avisando:

– Vão ser revistados.

– Os nossos documentos? – pergunta o Parreira.

– Agora só lá dentro.

ABRO OS OLHOS assustado. Minha irmã entra no quarto. De uns tempos para cá deu de entrar sem cuidado. Sem avisar sempre entrou, mas antes abria a porta devagar e entrava mansa. Agora chega barulhenta, senta na beira da cama, abre o Novo Testamento em página aleatória e começa a ler. Espera que eu seja atento e devotado, mas me tem desatento e revoltado, embora inerte. Deve achar que preciso preparar minha alma para aquele encontro final com o Eterno que ninguém sabe quando se dará ao certo, mas que todos devem dar por certo. Sei muito bem que em algum momento vou olhar pelo janelão, e o céu não vai estar lá, ela tem razão, mas isso não tem muito a ver com essa mania de ler para mim.

Talvez eu devesse relevar. Mas os tacões, esses me irritam. Sinto saudade dos tempos em que Mariquinha ia nas pontas dos pés até o oratório e lá ficava horas esquecida de tudo. Agora que não me esquece, parece querer marcar sua caridade com os saltos do sapato. Anda com os calcanhares, qual senhora do mundo, mãe de Jesus. O atual andar de Mariquinha é a antítese de suas intenções declaradas. Maior raiva, porém, me dá a inflexão dela lendo a glorificação do perdão e da humildade. Nosso avô não entoava assim o Eterno. Nem padre Bento, seu sucessor de saudosa memória.

Nunca reconheci nela a irmã mais velha porque ela não aceitou esse papel e não me permitiu aprender a odiar, portanto a amar. Passamos uma parte da vida como duas paralelas até que fomos forçados ao encontro.

Fecho os olhos no momento em que ela sai, e quem ocupa seu lugar neste quarto, agora, é Samira.

DESDE O PRIMEIRO ENCONTRO não consegui enquadrar Samira. Primeiro, ela não se encaixou na ideia que eu tinha de mulher da alta sociedade. Com o tempo, vi que ela era como o jatobá, fruta terrível que conheci em São Paulo: aparência grosseira, casca resistente, caroço duro, gosto inesperado e polpa seca de engolir. Era a mulher do ricaço que nos recebeu na mansão do Morumbi. Mas não a conheci lá, e sim no dia seguinte. Deve ter ficado espreitando atrás de alguma porta; aliás, confessou que ficou. Disse o Parreira que a viu de relance enquanto voltávamos pelo corredor. Eu não vi. Não imagino como, mas ela ouviu tudo o que o marido nos disse. Em suma, no dia seguinte ligou para o Parreira dizendo que queria conversar, marcar encontro. Não ligou para mim, porque eu não tinha telefone, ou melhor, tinha, o da pensão, mas ela não sabia, nem podia saber. O do Parreira ela sabia porque ele, escolado como ninguém, quando fazíamos de volta o caminho do jardim depois de enxotados pelo dono da mansão do Morumbi, sem se mostrar nem um tiquinho intimidado, puxou do bolso de fora da jaqueta um cartão de visitas e o estendeu ao guarda mais antipático, dizendo:

— Compro e vendo automóveis. Se precisar de qualquer coisa, estou às ordens.

Lembro que o guarda pegou o cartão e, mal olhando, o enfiou no bolso da calça. De lá ao lixo o caminho é mais curto, pensei eu. Errado.

A casa, para mim, tinha sido uma revelação: pela primeira vez eu via o luxo de perto. O caminho de entrada pelo jardim, por exemplo, eu achei um espanto. Aquela gente não tinha os animais domésticos que todos têm, quero dizer, cachorros, gatos e coisa assim; tinha faisões. Faisão eu ainda não conhecia, foi o Parreira quem disse o nome do bicho. Achei que os tivessem para comer. Se fossem de comer, estariam em outro lugar, não no jardim, explicou também o meu amigo. Tinha sua lógica. Enfim, eram muito bonitos os bichos, quase como os pavões, que por lá também havia e eu conhecia. Por ter visto tudo aquilo ali junto e pela primeira vez, associei riqueza e faisão, achando daí por diante que todo rico criasse faisões no jardim. Puro engano. Nunca mais vi faisão em jardim nenhum. Toda revelação chega com o estereótipo da verdade.

Lá dentro, marcante era o cheiro, madeira de lei, um suave almiscarado de origem indefinida. Também a ordem. Visíveis, só objetos nobres. E, se não fossem nobres, eram nobilitados pelo entorno. Onde estariam enfurnados os ignóbeis? Esses não eram visíveis. Impossível que não existissem, acreditava eu então e acredito ainda. Porque sempre há de haver objetos ignóbeis na morada humana, como era ignóbil a incontornável privada de Nazaré, com um vaso encardido onde precisávamos entornar a água de um balde, na tentativa de mandar abaixo as imundícies. Bobagem, porque aquilo tudo ficava remansando, remansando, ensaiando descer, só ensaiando. Enquanto isso, o cheiro subia e ofendia as narinas, de nada adiantando jogar mais água, porque a sujeirama, renitente, em vez de descer subia, subia, pondo o apressado em pânico: mais um pouco se rojava nos seus pés. Na mansão, ao contrário, não havia indício de privadas. Para cada coisa cabia um espaço e um só. Nada se empilhava, tudo se estendia lindamente, com largueza, seguindo alguma estratégia estética que me entrava pelos olhos, mas me fugia ao entendimento. Nada da displicência indolente de todas as minhas casas da infância e da adolescência. Nada do caos do meu quarto de pensão. Nada da limpeza encardida, do cheiro frio da sala de Sofia. O sofá de dálias da tia do Rodolfo, o sofá de dálias estampado na minha retina interna como um protótipo, diante da anormalidade surpreendente de um sofá de couro branco, imaculado, exibido de cara na sala onde entramos, aquele normalíssimo sofá de dálias agora era indesculpável. O branco deste outro era a soma e a exclusão de todas as cores. Porque a partir de então tudo o que ali não estava passou a estar fora do meu conceito de beleza. Senti vergonha pelas dálias.

Mas não é no sofá branco que nos sentamos. Aliás, o dono da casa nem sequer nos convida a sentar. Ficamos um tempo ali de pé; atrás, os guardas. Parreira, atrevido, não demora muito, se senta numa das cadeiras postas diante da mesa onde o ricaço se acomodava quando entramos. Senta-se, e pronto. Eu fico em pé, com vontade de sair correndo, até que o Parreira me faz sinal para sentar também. O dono da casa não move um dedo, parecendo que nem nota. Obedeço ao Parreira, mas me sento numa perna só, pronto para dar um pulo, caso alguém assim ordene. O que ouço do grã-fino é exatamente o que a Samira reproduz no nosso primeiro encontro, prova de que tinha espionado.

Disse ela que ele disse, e era verdade, que não tinha o menor interesse em ouvir o que íamos contar porque só podíamos ser uns aproveitadores; se não fôssemos, teríamos ido à polícia, e não lá; só nos tinha atendido para deixar bem claro que deveríamos desistir de tentar arrancar dinheiro dele em troca de informações falsas, e que não cedia a chantagistas. O que mais doía para Samira foi ter ele dito (quando o Parreira interrompeu, protestando: ofensa também não, doutor!) que não estava nem um pouco interessado em saber quem lhe tinha feito o favor de atropelar aquele sujeito; aliás, não se lembrava de ter filho com aquele nome. Isso doeu tanto, tanto, que Samira desatou a chorar quando lembrou. E essas foram as exatas palavras daquele homem. A única diferença estava no sotaque, que o dele era de estrangeiro.

Depois disso, o dono da casa se levanta e faz sinal aos guardas. O Parreira ainda tenta argumentar, mas ele ameaça chamar a polícia. Convencido, meu acompanhante cala o bico.

Saímos. Envergonhado, atravesso de volta um corredor cheio de folhagens e esculturas. No fim dele, os guardas nos devolvem os documentos, e só depois disso, quando já estamos no meio do jardim, entre faisões, é que o Parreira saca o cartão de visitas.

Por todos esses motivos, foi uma surpresa o Parreira ligar na manhã seguinte para a pensão dizendo:

– A mulher do ricaço quer conversar com você. E tem de ser hoje mesmo. O nome dela é Samira.

O ENCONTRO, PORTANTO, é exatamente uma semana depois que rumei para Santos, na esperança de um jantar. A madame (assim Parreira se refere sempre a Samira) estará aguardando em Moema, bairro que não conheço.

O encontro será só comigo: Parreira estará fora, ela exige a presença só da testemunha ocular, e essa concordância com o marido não nos parece um bom presságio. Parreira ficará esperando no outro quarteirão. Contrariado, mas ficará. Talvez por se tratar de mulher ou, quem sabe, por estar viva a lembrança das manobras infelizes do dia anterior, ele não insiste em ir. Em compensação, pelo caminho, me faz prometer mil vezes que tudo o que eu arrancar dela será dividido com ele, que merece *royalties* pela autoria das ideias. Eu digo que sim e sou sincero. Não sabemos bem o que ela vai dizer, mas um ponto é indiscutível: eu não devo vender a informação por pouca coisa.

O ônibus desliza manso por ruas chiques, que quero ir olhando, mas Parreira não me dá folga. Vai cutucando, instruindo, repetindo o que devo e não devo fazer e dizer. No entanto, mais preocupado vou eu com a etiqueta. Não tenho noção clara de como devo me comportar numa mesa de casa de chá, diante de uma dama da alta: coisa de meter medo em qualquer moço, quanto mais num pacóvio como eu. No ônibus, uma bobagem começa a me arranhar a autoconfiança. Faz uns meses, o professor Cruz apareceu na pensão com uma coleção de

Balzac, arrebanhada, em casa de um amigo que estava na pior, por não sei quantos tostões. Uns vinte volumes caindo aos pedaços. Gabou, mostrou para a Sofia, que fingia interesse, comentou algumas coisas; eu estava por perto, folheei, ele me estendeu um dos livros e insistiu: eu devia ler *Ilusões perdidas*, o melhor romance da coleção, dizia. Mas que não me esquecesse de devolver – juntava ele. E, lendo, que depois dissesse o que tinha achado, principalmente daquele sujeito chamado Luciano – ainda teve tempo de dizer enquanto eu abria a porta do meu quarto. Não me esqueci de devolver, até porque nem acabei de ler. Início parado, miolo um pouquinho só mais interessante, divagações intragáveis. Prestei atenção ao tal Luciano, como ele pedia, preocupado em dizer depois o que tinha achado. Não disse: desconversei e fiz que esqueci. Devolvi o livro um mês depois a caminho da porta de saída, dizendo que mais tarde a gente conversava. Mais tarde não houve. O personagem me angustiava. E dava raiva. O professor Cruz – eu estava convencido e ainda estou – devia achar que ele se parecia comigo. Se não, por que a insistência?

Naquela tarde, no ônibus, eu, que já esqueci o livro, de repente me lembro. Num dos silêncios do Parreira, numa parada do ônibus, eu olho para fora e é quando me emerge da memória o tal Luciano num teatro de Paris ao lado de uma madame. Memória vexada. Olho para mim com os olhos de dentro e me vejo Luciano. Odeio o professor Cruz. Sou Luciano na mensagem muda que minha figura transmite. Estou metido num terno herdado de meu pai (o mesmo terno, aliás, que tinha usado para ir à mansão dos faisões), traje dos idos da década de 1950, votado a casamentos, festas de domingo e fotografias em datas especiais, estas feitas em estúdio de profissional: pai e mãe, com cenário pintado no fundo. A gravata comprei dois dias antes, especialmente para a ocasião da visita à mansão. Bem na hora – pensava eu, atando o nó naquela tarde de sexta. Numa mesma semana ela estava sendo usada duas vezes por quem nunca usava gravatas, a não ser a borboleta, profissionalíssima. Bem menos obediente que a seda da gravata foi o cabelo. Indomável. Na última hora, depois de muita hesitação, abri um pote de brilhantina do meu companheiro de quarto e surrupiei uma dedada. Afinal, brilhantina era coisa que já quase mais ninguém usava na época, com poucas exceções, como o dono daquele pote e o homem acoitado pelo Rodolfo. Mas nos dois se justificava, por serem pessoas de outra geração, cabeças habitadas por modas perenes; natural neles, não em mim, tenho consciência naquele momento, mas não tenho a solução. Aquele era o único recurso que eu conhecia para esticar um cabelo encaracolado demais, outra herança, recebida esta como parte do pacote ibero-africano que há de constituir meu biótipo até a morte. Tinha um cabelo tão armado e indômito que, se tentasse deixá-lo crescer até os ombros, como usava o Rodolfo, por exemplo, pareceria que carregava na cabeça uma copa de cajueiro. Naquela sexta, eu estava, justamente, pensando em dar uma esticada até o barbeiro quando Parreira telefonou.

Enfim, já no ônibus, a consciência da minha figura não me dá ocasião de esfriar a brasa da expectativa. Sei que não estou arrumado como gostaria para um encontro com mulher, mas não há como ser outro.

Quando vejo Samira fico mais tranquilo. Somos duas figuras do mesmo naipe. Essa primeira impressão, definitiva, nunca se desmentiria. Por isso, num primeiro momento, bate a dúvida, e eu pergunto se é dona Samira, para confirmar.

Ela está fumando e assim continua. Com um sinal, responde que sim, enquanto indica uma cadeira e já vai perguntando:

– Quem matou meu filho?

Portanto, é ela mesma, mulher do empresário, mãe do atropelado. Quem diria? É que a imagem dela e o requinte da mansão não se casam. Mais fácil seria imaginar Samira encostada numa pia, depenando faisões, do que a contemplá-los no jardim. Os cabelos aloirados a poder de tintura são quase tão indomáveis quanto os meus, mas a superioridade dela está em dispensar brilhantina ou qualquer congênere da cosmética feminina. A pele é de um moreno avermelhado, de mulher branca curtida ao sol. Em piscina, provavelmente. Os olhos marcam mais que tudo. Não só por serem verdes e imensos, mas principalmente por parecerem prontos ao choro. Emoção pela morte do filho? É o que penso logo de cara. Mas não é. Ou não é só, como me mostraria depois a convivência. A impressão do choro iminente é reforçada pela fala entrecortada com que faz aquela pergunta de chofre. Tudo isso cria um ar geral de desamparo, insegurança, abandono e nervosismo, de tal modo que da riqueza ela não ostenta as costumeiras marcas de autoconfiança e soberba, pelo menos as que sempre imaginei. Ostenta as joias, numerosas e reais: anéis e correntes enlaçam dedos e pescoço numa verdadeira orgia. Em cada orelha, um coração de ouro.

– Quem matou meu filho? – pergunta, portanto.

Os olhões verdes me olham úmidos, os lábios tremem um pouco, entreabertos. Respondo que não sei, que só sei o número da chapa do carro. Ela diz:

– Quero o número. Mando averiguar, sei que descubro se foi mesmo o carro que atropelou meu filho. Tenho bons contatos na polícia.

Pergunto então o que ganho em troca. Ela responde:

– Nada, por enquanto. Preciso antes descobrir se você está dizendo a verdade. Se estiver, vai ser recompensado. Se não, te esqueço e pronto, não te encano, não se preocupe.

O Parreira me alertou para essa jogada e me muniu de resposta:

– Eu quero que a senhora saiba que só estou fazendo isso por absoluta necessidade. Sou estudante, estou desempregado, preciso me sustentar, minha família é pobre. Eu só queria uma garantia para os meus estudos.

Ela me olha atenta e solta desaforada:

– Você não tem cara de estudante.

Não tinha mesmo. Como o Parreira podia ter deixado escapar um detalhe tão importante? Era aquela situação falsa que eu tinha intuído no ônibus. Se tivesse me caracterizado para representar um vigarista, estaria perfeito.

Justifico:

– É que eu me arrumei melhor para vir me encontrar com a senhora, afinal, uma dama merece um traje mais formal.

Ela sorri. É desprezo puro.

– Se é verdade o que está dizendo, um emprego serve. Posso lhe arranjar um.

Fico calado, olhando para ela com cara de bobo. Uma garçonete começa a pôr xícaras e pratinhos na mesa, me dando tempo de pensar. Não sei o que dizer. Por um lado, ainda não aprendi a me lixar para a aparência de canalhice, por outro, penso no Parreira, a um quarteirão dali, esperando sua parte no butim; não quero me apresentar de mãos abanando e passar vergonha. A garçonete termina o serviço, eu começo a falar, mas dando outro rumo à conversa.

– O seu marido não pareceu nada preocupado em descobrir a verdade.

– É um doente, que não tem amor a ninguém. Dizer uma coisa daquelas...

Os meus bons santos me socorrem: toquei em ferida aberta.

E ela passa um tempão reproduzindo as palavras que ele disse durante a nossa visita à mansão. Quase todas, porque, não contendo o choro, esmaga o cigarro no cinzeiro, puxa um lenço e fica com ele na mão, apertando o nariz até a emoção maior passar, aquela viúva de seu filho. Aí diz ainda chorosa:

– Quero a chapa do carro, quero me vingar, me vingar daquele motorista e do meu marido. Já estou cansada de ser espezinhada, só porque vim de baixo.

E chora outra vez. Apesar do dramalhão da mensagem, o tom é discreto e a voz é baixa, fazendo-me o favor de não chamar a atenção de ninguém.

Parado o choro, passa a tomar chá. Tremem os dedos, tremem os lábios. Samira é um corpo vibrátil, massa orgânica eletrizada, aglomerado de células em choque ininterrupto, contínuo membranoso úmido e cálido... aquilo me excita, desejo aquela mulher de lábios molhados de chá de jasmim pela primeira vez naquela tarde.

Ela deposita a xícara e me diz com uma voz que meu desejo aveluda:

— Se me disser o número da chapa eu lhe dou o que você quiser. O que você quiser, entendeu?

Lembro-me do Parreira.

— Duzentos mil.

Ela chama a garçonete. Fico esperando, besta, sem adivinhar o óbvio. A moça chegando, Samira pedindo a conta:

— Termina aqui o nosso encontro.

Abre a bolsa, pega umas notas e as põe na mesa.

Pagava a conta e ia embora.

Eu não esperava tanta firmeza numa mulher de voz trêmula.

Fosse igual a minha solidez, teria dado um tempo, esperado que ela voltasse atrás, se não na hora talvez no dia seguinte, dois dias, um mês depois. Aí a gente negociava, os números sempre são elásticos... Mas não. Com medo de sair de lá sem recompensa alguma para todo o sempre, não suportando o julgamento depreciativo de uma fêmea, puxo um guardanapo, peço uma caneta e escrevo: 14 13 12.

O tempo que ela demorou para achar a caneta na bolsa eu não aproveitei para pôr meus miolos em funcionamento. Fiquei ali esperando, cabeça vazia, guardanapo debaixo da mão esquerda, mão direita estendida. Tempo suficiente para mudar de ideia. Mas isso não estava escrito no meu papel de macho.

Ela pega o guardanapo, olha rapidamente, mete-o na bolsa e diz:

— Quando tiver alguma posição, te ligo.

Coisa de que eu nem desconfiava, no dia do encontro na casa de chá, é que Samira não tinha dinheiro. Só vim a saber depois. O marido controlava tudo, só lhe dava mísera mesada. Para além da miudeza, tudo devia partir dele. Joias, roupas, cabeleireiro, tudo saía do seu bolso ou de cheque de seu punho. Por isso, Samira, naquela casa de chá, empregou as armas que tinha: sensualidade e sentimentalismo. Parreira também não sabia desses detalhes, que só o tempo me foi revelando. Por isso, se descabelou. Me xingou de burro, otário e daí para baixo. Fiquei abestado, vendo o Parreira puxar os cabelos em plena praça do Pombo. No ônibus de volta, quem se sentou à janela foi ele. Virou a cara para a rua e não disse mais palavra. Me fazia sentir vergonha por ter dado um trunfo de bandeja. Naquela casa de chá eu me sentira jogador precisando descartar em fim de partida. Não havia mais o que fazer com a carta, eu não podia me levantar e levá-la embora, transgredindo as regras do jogo. E eu, achando que jogava a negra final, descartei. Foi uma analogia besta, porque na verdade não havia jogo. Ou, quem sabe, o jogo era outro.

Depois de enfiar o papel na bolsa, Samira paga e se levanta. Eu, que ainda não toquei nas iguarias, miro dois docinhos de massa folhada e os escorrego para dentro do bolso do paletó antes de sair. Só me lembro deles de novo quando o ônibus entra na Nove de Julho. Então ponho a mão no bolso, fisgo um e o estendo ao Parreira. Ele nem olha e grunhe:

– Vai se foder!

Devoro o doce dando graças a Deus por ter me lembrado de anotar debaixo do número da chapa do carro o número do telefone da pensão.

TELEFONE QUE TOCOU para mim uns vinte dias depois, no mínimo, quando já tinha perdido as esperanças. Mas eu não estava. A Sofia me deu o recado assim que entrei na pensão: ligação de mulher. Perguntei se era Jandira. Não, Jandira ela conhece, não é. Fiquei aperreado. Podia ser Samira. Fui para o quarto e passei o resto da manhã tentando me concentrar na execução de um plano antigo: recortar anúncios de emprego, já que parecia tão difícil arranjar a vida de um jeito mais manso. Tinha me ausentado justamente para comprar jornal. Não saí mais, contrariando todas as boas intenções da manhãzinha. Bateu meio-dia no relógio da sala, o telefone tinha tocado três vezes, nenhuma para mim. Perdida a manhã, resolvi perder a tarde também, período em que não se aconselha a busca de trabalho.

Fui dormir às onze, nenhum telefonema.

Oito do dia seguinte, Sofia bate à porta do quarto. Telefone. É Samira. Não reconheço a voz, já disse que sou ruim de ouvido. Adivinho pelo assunto:

– Olha, a gente precisa conversar. A informação que você deu parece que é quente...

E por aí vai. Marca outro encontro no mesmo lugar. Eu já não precisava do Parreira: tinha aprendido a ir de ônibus.

Samira, não tendo dinheiro, me recompensou com um emprego numa pequena indústria química dirigida por um amigo dela, militar reformado por causa das sequelas de um acidente (puxava a perna direita e de vez em quando sofria de dores lombares). Era pernambucano. Mas não estava definida e pronta nenhuma incumbência para a minha pessoa na data da estreia. Só um dia depois as coisas ficaram claras: fui encarregado de cuidar das contas do haras do presidente, para desassoberbar – verbo usado por ele mesmo – uma mulherzinha nanica e roliça que por lá se desdobrava com o qualificativo de secretária. Já no primeiro dia lhe impingi secretamente um apelido com que sempre a chamei no recôndito de minha alma indignada pelo seu desprezo: Barrica. Tenho certeza de que Barrica nunca me perdoou a intromissão na sua trincheira, e tanto ódio destilou contra mim que acabou afogada no próprio fel.

Samira me apresentou ao coronel numa tarde chuvosa. Ou mais sinceramente: eu me apresentei atrasado no escritório do coronel, onde Samira me esperava, porque chovia e o trânsito estava infernal. Pegou mal o atraso, acho, pelo menos a isso atribuí a má vontade dele e a olhada ostensiva ao relógio assim que entrei. Portanto, não foi simpático o nosso primeiro contato. Precisei de tempo para desfazer a má impressão inicial. Fui apresentado assim:

– O moço que presenciou o atropelamento.

Não, eu não tinha presenciado atropelamento nenhum nem gostava de ser chamado de moço por mulher como ela. Não tinha visto o corpo do filho dela ser arrojado ao céu e depois ao inferno, não tinha assistido aos estertores de morte, ao estremecimento final dos membros. Só tinha presenciado um carro, um número de placa e um defunto...

– Sente-se. Dona Samira está muito reconhecida.

Dona Samira me olha com os olhões verdes arregalados e os lábios entreabertos, sombreados aqueles, vermelhos estes como sempre. Não tão trêmulos quanto da outra vez, mas vibráteis, com todos os capilares pulsantes, como se insuficientes para o sangue que o coração esguicha a cada segundo. O coronel também me olha. Com um olhar diferente: olhar duro.

O que me deixou meio acabrunhado nessa primeira entrevista foi não entender que tipo de relação havia entre Samira e meu futuro chefe. Sempre fui muito competente para caçar indícios no ar. Em dois minutos de conversa arpoei um caso entre os dois e me azedei. Para não deixar patente a fúria de macho alijado, no pouco tempo que ficamos sozinhos, ela e eu na sala, fixei o olhar na chuva que escorria pela vidraça e não lhe dirigi nenhuma palavra. Por isso me lembro bem do clima. Mas eu estava errado. A relação entre os dois era de outra natureza. Como dizia meu avô, águia não caça moscas. Ou qualquer coisa por aí.

Dedução certa foi a de que o coronel Venturoso tinha ficado incumbido de descobrir a verdade dos fatos na história do atropelamento. Dessa incumbência meu empreguinho era derivação suficiente e necessária. Digo empreguinho porque o salário era ridículo, aliás, compatível com minhas funções. Período até houve em que me faltou o que fazer, periclitei, comecei a sentir o cheiro da rua. Mas, graças a Samira, fiquei.

Durante algum tempo fui pouco mais que um mandalete, conforme dizia Parreira, executando tarefas bem humilhantes, como sair pelas lojas da Consolação à procura de cinzeiros para a decoração do escritório novo, ou pegar uma fita métrica e medir todas as salas do referido, para montar um esboço de planta, pouco depois desqualificada escrachativamente pelo arquiteto, motivo de sumo vexame para mim.

COMEÇO NA SEGUNDA-FEIRA seguinte à apresentação. Chego, ninguém sabe dizer qual é minha mesa, meu posto. Na verdade, ninguém nem sabe que sou o novo contratado ali. Sim, o coronel se esqueceu de comunicar minha admissão aos empregados e ainda não chegou. Da sala de espera, ouço o som do batuque da máquina de escrever de Barrica em sua trincheira: o coronel está bem atrasado. Lá pelas nove e meia começo a ouvir a voz dele, entrado não sei por onde. Acho que vai me chamar lá dentro, mas não chama. Em vez disso, Barrica começa a ir e vir pressurosa, e assim se passa quase uma hora. Numa das vindas aparece guiando uma dupla de operários que carrega certa mesa em direção ao seu posto. De onde estou, enxergo uma nesga do seu reduto, não é possível saber o que acontece lá entre os três, só dá para ouvir as duas vozes masculinas e a dela, num falatório entrecortado por marteladas, arrasto de móveis, cochichos, explicações, mal-entendidos, desentendimentos. Senta aqui... não, eu aí... troca, troca, melhor assim... (sumiço das vozes) eu, hem... puxa isto pra cá... Retalhos que vou manjando, já desconfiado de que aquela mesa se destina a mim, e o espaço é objeto de disputa. Na mosca. Que a mesa de Barrica foi encostada à parede da direita, abrindo-se assim um espaço à esquerda para a outra mesa, é mudança que intuo assim que sou levado aos fundos por um rapaz do departamento pessoal, finalmente aparecido lá pelas onze para pegar meus dados e me dar boas-vindas, enquanto

Barrica me dá as costas. Eu ganhava então uma mesa, uma cadeira e uma inimiga. Tudo numa área de nove metros quadrados. Não me cabia máquina de escrever, que eu não sabia comandar, e isso tinha ficado claro na primeira entrevista.

Sento ali e ali fico o que resta do dia, logo depois de um almoço engolido em pé num restaurante popular das imediações. Não faço absolutamente nada o tempo todo. Fosse eu a cadela de meu avô, teria ficado caçando moscas. Na falta delas, suporto o tédio indo de meia em meia hora ao banheiro, num trajeto que me obriga a passar pela sala da telefonista. É assim que, naquele dia, se inicia uma amizade duradoura. Numa dessas passagens lhe peço papel, volto à mesa, puxo a caneta e começo a rabiscar alguns protestos de mim para mim, em parte para desabafar, em parte para parecer que estou fazendo alguma coisa. Juro enquanto isso que não volto ali no dia seguinte.

São cinco e quase meia; reparo que Barrica prepara a bolsa para ir embora depois de laboriosa jornada. É quando ele me chama.

Entro na sala, percebo o clima de fim de expediente. Na frente dele, um copo com uísque e umas pedras de gelo. Depois que me sento, ele apanha um jornal de uma mesinha ao lado e o põe na minha frente. Já vem aberto e dobrado numa das páginas policiais. Pergunta:

– Viu isto?

Meus olhos logo caem sobre a foto: traseira de um Impala 58 com seus dois parênteses invertidos abraçando as lanternas. Igual ao do atropelamento, mas a placa não está legível. A foto é ruim, o ambiente é noturno. Ao lado do carro, no chão, um cadáver, fotografado em ângulo inusitado: os pés em primeiro plano, de modo que dele é possível ver muito bem as solas dos sapatos, com as pontas para baixo, afastadas, calcanhares juntos, formando uma cabana com o jornal que (aos poucos fui reparando) cobre o corpo. A legenda explica que o dono do veículo foi encontrado naquela madrugada em Cubatão, morto por espancamento. A polícia suspeita de vingança por dívida de jogo. Fico ali aboleimado, sem capacidade nem coragem de expressar meus pensamentos.

Ele pergunta:

— Reconhece o carro?

— O do atropelamento…

— Exato.

Toma um gole do uísque, pousa o copo na mesa.

Pergunto:

— O homem?

— É o dono.

— Vingança?

— Pois é.

— Não por jogo…

— Depende.

— Mas também não precisavam matar! – sentencio arrebatado, com voz, suponho, irreconhecível.

Ele desata a rir, e ri tanto que se engasga com o uísque. Chama Barrica num acesso de tosse, ela já foi embora, me levanto, contorno a mesa e dou uns tapas nas costas dele. Ele para de rir, mas ainda tossindo aponta uma palavra no texto ao lado da foto: é o nome do cadáver:

— Simão Mattar.

SAIO DE LÁ meio alto. Era bom o uísque. O coronel, para remediar a piada de mau gosto, tinha sacado um copo da porta de baixo de um armário, cavado uma fôrma de gelo de um frigobar escondido nos mesmos recessos e entornado pessoalmente os cubos no meu copo, deixando até que se espalhassem alguns pela mesa, que eu recolhi antes que derretessem. Cheguei a dizer que não bebia em serviço, ele respondeu que ali ninguém estava trabalhando. O primeiro gole tinha sido ressabiado, o segundo vexado, o terceiro quase resignado. No copo seguinte estava saturada a minha capacidade de metabolizar o álcool, naquele estágio em que a fala cambaleante se nega a obedecer ao raciocínio, que parece tão rijo e penetrante. Mastigando umas amêndoas (fiquei fã delas, entre outras coisas que aprendi a apreciar na época), tinha acompanhado com acuidade (achava eu) todas as sutilezas da exposição do coronel: o turco não era flor que se cheirasse; o negócio de sapatos era fachada; o dinheiro vinha mesmo era do jogo do bicho, ele tinha uma banca na cidade. Esse foi o preâmbulo que preparou o espírito para a condenação final: a vida do turco não valia grande coisa.

Tudo ia bem – prosseguia o coronel – até que ele resolveu dedar (– Olha só que burrice, querer vencer concorrente nessa base!) o cassino clandestino de alguém que por qualquer motivo tinha pisado no calo dele. A polícia baixou lá, desmontou a baiuca (– No ano passado, junho, julho, você viu essa notícia? Não?); ele achava que tudo ia ficar por isso mesmo (– Anonimato é coisa que não existe nesse meio e em nenhum outro..., aprenda essa, você que é jovem), achava que ninguém ia imaginar que ele fosse tão burro a ponto de desencadear uma guerra de rivais, ele que era mais fraco, mas ele era burro, sim, as coisas não correram como ele pensava, logo foi descoberta toda aquela armação, os concorrentes quiseram lhe dar uma lição, é normal, é natural nesse mundo da contravenção. Conclusão:

– Mas devem ter exagerado na dose. Prova disso é a *causa mortis*, hemorragia interna causada por contusão, não há sinal de disparo. Um exagero no corretivo, e o elemento bate o prego. É preciso discernimento para esse tipo de coisa. Serviço de amador, a verdade é essa.

Tinha sido esse em resumo o núcleo do que meu novo chefe dissera naquela noite. Resto houve, mas foi frivolidade que se esquece. O coronel parecia mais caloroso que no dia da apresentação, acolhedor até, amigo quase.

Saio de lá com a noite já instalada, o pico do trânsito amainado. Paro no ponto de ônibus, bate um vento grosso, alguns trovões começam a falar alto, conseguem até abafar de vez em quando a troada de carros e ônibus que já passam com certa folga. Fecho os olhos, na minha retina a imagem do homem emborcado no chão molhado vence a zonzeira e vem para o primeiro plano: duas pontas de sapatos fincadas no asfalto distante. O cadáver já teria sido removido desde várias horas, mas em mim ele persiste. Alguém tinha pisado em seu calo, ele tinha se vingado e recebido um corretivo exagerado. No entanto, aquele era o autor do atropelamento, eu tinha fornecido a chapa dele, e ele estava morto. Qual das duas sequências seria a mais provável como encadeamento de causa e efeito? Não sei dizer, só sei que acho melhor acreditar na versão do coronel.

Mas por que não tinham virado o infeliz de barriga para cima? A boca estaria aberta, língua grudada à imundície do chão, olho arregalado, globo feito bola de gude no leito viário? Que torturas teria sofrido? Socos, chutes, porradas descarregadas por dois, três, quatro brutamontes, golpe sobre golpe, sem tempo de um grito, um gemido,

68 Cabo de guerra

um suspiro, até que os ossos furassem pulmões e tripas... Como seria morrer daquele jeito?

Desconfio que o ônibus vai demorar, olho o relógio novinho em folha, presente da Jandira, e então me lembro dela. Ando esquecido de Jandira, preciso de um relógio para relembrar. Mesmo assim, nem sempre consigo. Dois dias antes, nosso mais recente encontro, ela se materializara de um nenhures onde minhas lembranças a tinham largado, retornando ao mesmo não lugar depois das despedidas, como se chupada por uma esponja, por um mata-borrão. Quando essas coisas acontecem não é amor o que se sente. Só mais tarde, com Cibele... Enfim, naquele ponto de ônibus se amontoam e enrolam na vertigem os motivos para a minha aperreação: a morte a mim devida de um bicheiro desconhecido, a espera de um ônibus sempre adiado, as chicotadas de um vento carrasco e, agora, a consciência da ingratidão a Jandira. Logo, logo, os céus começam a mandar em bátegas quase horizontais uma chuva que desacata qualquer abrigo. Olho em volta, encolhido.

– Se abrigue aqui, meu filho.

Uma mulata cinquentona me oferece participação em seu guarda-chuva. Recuso educado e fico ali, belo, forte, impávido, colossalmente entontecido por três gigantescos copos de uísque. Uns cinco minutos aguento: na frente a chuva, atrás a mulher se perguntando decerto, debaixo de seu guarda-chuva, por qual razão eu não aceito oferta tão razoável. Mas com a chegada do ônibus – o meu, não o dela – o impasse acaba.

Sento aliviado assim que entro. A mulher solidária é deixada no ponto, com os pensamentos escondidos debaixo de um octógono de seda preta. Vidro embaçado, não há como me distrair olhando pela janela.

Encosto a cabeça no metal frio. Do fundo da memória puxo Jandira nua diante do espelho da penteadeira, congelo a imagem, brinco de lembrar detalhes. A moldura do espelho da penteadeira de Jandira tem forma de coração. Jandira desfila pelo quarto, eu olho Jandira-Jandira e Jandira-Imagem, aqui e ali, cá e lá, até que a moldura do espelho se converte nos lábios vibráteis de Samira, e eles sugam os corpos de Jandira. Aquilo me excita. Olho o relógio, volta a imagem do coitado do Mattar. Desisto. Fecho de novo os olhos, desta vez no vazio do sono, e eles só se abrem no largo do Arouche.

Nessa noite, depois de engolir a sopa morna de Sofia, recuso um dedo de prosa com o professor Cruz, que pouco antes discutia com a anfitriã o pacto germânico-soviético. Que ele me desculpe, mas preciso pular cedo da cama no dia seguinte para meu segundo dia de trabalho: o coronel tinha me incumbido das contas de seu haras em Itu. Não sei onde fica Itu. Minha única preocupação nesse momento é saber o que exatamente me caberá saber para fazer aquilo que nunca fiz. Antes de dormir me passa pela cabeça comprar um jornal na manhã seguinte, a caminho do ponto de ônibus, para buscar notícias sobre a *causa mortis* do tal Mattar. Porque os cadáveres não costumam aparecer na beira do asfalto com laudo necrológico no bolso.

Tarefa que nunca tive tempo de executar.

SAMIRA ERA DE LONGAS FALAS, quando falava. Samira ou silenciava ou falava comprido. Mas falava baixo em geral. Para ser mais exato, muitas vezes era desbocada nos termos e discreta no tom, como quem canta paródias pornográficas em surdina. Quando decidia desarrazoar, desembestava, perdia o freio como caminhão descendo ladeira na banguela. Bobagem querer atalhar: ela continuava no mesmo andamento, atropelando sem tropeçar. Parar, só desacelerando aos poucos, como se o embalo acabasse por falta de gravidade. Depois disso, em geral se fechava, olhava para a gente com atenção flácida, até talvez aparecer outra ladeira por onde disparar de novo. Em suma, Samira era daquelas pessoas que têm duas bocas e um ouvido.

Marco encontro com ela na mesma casa de chá da primeira vez. Faz um mês e meio que estou trabalhando para o coronel. Pretexto do encontro: agradecer o emprego e pedir uns conselhos sobre a melhor maneira de me comportar no trabalho. Minha imaginação não tinha me ofertado desculpa melhor, receei que mulher experiente como ela não acreditaria. Como de fato não deve ter acreditado, mas concordar com um encontro marcado por motivo tão besta já é bom começo. Eu tinha ligado apostando na dificuldade da persuasão e vi que estava enganado.

Naquele dia, por ser estreia, ouço com algum interesse um palavrório destampado. Ela teoriza sobre a relação homem-mulher. Diz que mulher quando casa perde as vontades, mas é natural, que as coisas hão de ser sempre assim, pois a mãe tinha razão: para o homem vontade de mulher conta menos que grão de areia. Mas – emenda – para homem que se preze. Porque assim são as coisas, assim é a natureza. E, se é da natureza, por que lutar contra? Ela não luta. E até gosta. E conta casos e casos para exemplificar sua teoria. Diz que faz parte da natureza masculina o domínio e da feminina a submissão. Coisa ruim para a mulher, boa para o homem, mas ruim só para mulher besta. Acho até graça nesse desarrazoado primeiro, que não dura muito, aliás. Porque, sem perceber o paradoxo, começa a se queixar do marido: me inferniza, desfaz de mim, diz que sou uma merda, que vim de baixo, que nunca vou ser uma dama, que se arrependeu de me dar papel passado... Choraminga um bom tempo, dizendo coisas que ainda me dirá mil vezes na vida. Mas essa é a primeira vez, portanto ouço. Enquanto ela fala, não perco (ao contrário da outra vez) a oportunidade de comer camafeus, quindins, papos de anjo, tortinhas. Samira prossegue ocupada no palavrório, agora mais recomposta:

– Murro em ponta de faca? Eu? Não sou louca! Ele não sabe que eu escapo, mas escapo, faço o que quero, e ele pensa que estou fazendo o que ele quer, o jogo é esse. Ciúme é um veneno, arranjou babá para o menino, que era para eu estar disponível, eu não devia ficar com o menino o tempo todo, para evitar apego demais, dizia que filho homem precisa aprender a se virar desde pequeno. O menino, crescendo, descambou, culpa dele, culpa dele...

Etc.

Aproveito uma freada e pergunto o que o rapaz estava fazendo em Santos naquela noite. Ela explica que ele estava em casa de uma amante desclassificada, aventura recente, mulher bêbada, viciada não só em bebida, brigando, viviam brigando, os gritos de mulher que você ouviu, era isso mesmo, era desse jeito o tempo todo, ela botava meu filho para fora quando queria receber outro. Era uma... prostituta... não, não, puta, puta mesmo.

Etc...

Faz breve pausa para um gole de refresco, meto a pergunta que mais me interessa:

– Soube da morte do turco?

A resposta vem, ou não vem, na forma de mais falação desconchavada:

– ... não sei, não, se aquele turco não era galho dela também, vai ver tinha ido lá para algum *rendez-vous* (essa palavra aprendo com ela nessa tarde), viu meu filho na rua e passou por cima dele de propósito, não estou delirando, não, não diga que estou delirando porque eu fico muito azeda com isso, o que aquele maldito sofreu foi merecido, aliás, merecia pior, os moços foram bonzinhos, até...

– Então você sabe...

– ... quando penso naquele idiota dentro daquele carro passando por cima do meu menino, tenho vontade de matar meu marido, porque ele renegou de vez o filho depois que desandou, deserdou, você acredita, com quem o menino podia contar, comigo, a quem podia pedir dinheiro, a mim, e eu tenho, não, não tenho, meu marido me dá casa, comida, conforto e só, me dava até menos dinheiro que agora, sabendo que eu não negava nada ao meu filho, de onde eu tirava o que ele precisava nas horas de necessidade, tirava de quem tem mãos largas, bolsos fundos, de quem gosta de mim...

– Quem?

– ... qualquer um, o que estiver à mão, escapo pela tangente, escapo mesmo, e desde o desastre não temos mais vida de marido e mulher.

Depois dessa confissão não ouço mais nada. O que deve pensar um homem quando uma mulher lhe diz coisa assim? Saímos de lá no fim da tarde, eu já desconfiado de que não vamos nos despedir na porta. De fato, ela não se incomoda com a minha companhia até o carro. Entra, perguntando se quero carona. Claro, digo que sim. Lá dentro, janelas fechadas, consigo ouvir a respiração ofegante daquele corpo em que nada é inerte. Acho até que, não fosse o zunzum do trânsito lá fora, daria para ouvir o fervilhar das células daquele corpo. Aquele arquejo me cega.

Quando dou por mim nos beijamos, ela agarrada ao meu paletó como quem tem medo de naufragar. Ali mesmo começo a apalpar aquele corpo, fico um pouco surpreso com a temperatura dos seios, mais frios do que imaginava, pontas geladas, mas essa sensação, captada num único instante rodeado por minutos de exaltação, fica como ilha minúscula num mar de bonança e só volta à minha memória no dia seguinte.

Por que eram frios os mamilos de Samira?

Mas não é isso o que lhe pergunto. Pergunto para onde podemos ir. Não me responde. Liga o carro e rodamos muito tempo em silêncio. Atravessamos todo o trânsito do fim de tarde, Samira, na sua paisagem interna, finalmente trafegando por uma reta amena, sem ladeiras, sem palavras.

Também em silêncio entramos na garagem de um prédio da rua Major Sertório, subimos de elevador para um apartamento do quinto andar. A chave ela tira da bolsa, em silêncio. As perguntas todas que tenho na garganta lá ficam.

Dentro, poucos preâmbulos. Samira se entrega ao ato com uma ofegação que me deixa – não diria retraído – um tanto surpreso. Há pressa, quase afobação. Sinto esse estado vagamente, não chego ao julgamento. O racional está barrado.

Meu orgasmo é rápido e direto, desafogo de desejo armazenado por uns dez dias, nada mais. Não me preocupo com o gozo dela, não há tempo, não há como. Caio de lado e, a exemplo do que me acontecia com Jandira, conto com um pós-gozo tranquilo.

Mas Samira continua arfante, agarrada a mim, bulindo, bulindo, e assim arfando me provoca o tempo todo, até que se dá o segundo ato, com o que me parece ter chegado a hora de cumprir o dever de dar prazer a uma fêmea. Não é o que acontece. A coisa se prolonga, até que perco o controle, chego a um ponto de não retorno e ejaculo. Me sinto na berlinda. Depois daquela teorização toda sobre homem de verdade, eu não posso me dar ao luxo de falhar.

Até o final do encontro haverá outro ato. A peça periga não acabar. O prazer dela não passa de arfagem, a nau Samira nunca singra plena, as velas enfunadas não passam de jogo de cena. Já vai para mais de dez da noite, o coito é sem graça, quase falido, e apaga de vez o meu desejo.

Pensando no horário de trabalho do dia seguinte, dou um pulo da cama e vou ao banheiro, esvaziar a bexiga, que me incomoda faz algum tempo. Lá dentro me sinto duplamente aliviado. Não volto logo. Fico parado uns minutos diante do vaso sanitário, sem puxar a descarga para não me obrigar a retornar logo depois do ruído. Penso naquela mulher, frustrado por não lhe ter arrancado nenhum gemido sincero de gozo, acabrunhado por me sentir preso numa espécie de teia que sei mais ou menos onde começou, mas nem imagino onde vai terminar.

Na cama, sou esperado por aquela viúva de todos os homens, aquela que se gabava de ser tão mulher, e de ser só isso. Pensando que não pode deixar de ser frígida uma mulher que perdeu o filho em data tão recente, eu a desculpo e puxo a descarga.

Aquele ruído anuncia minha volta ao quarto. Mas, quando abro a porta, levo um susto imenso: em cima da cama, um corpo esfolado, rubro, sangrante. Todos os seus capilares são visíveis, pulsam no ritmo de um coração acelerado, e a cada pulsação um novo esguicho de sangue vem molhar mais a superfície escorchada, encharcada, daquele corpo. Sem fôlego, volto para o banheiro e tranco a porta. Samira jaz descorticada em cima da cama, eu me vejo ligando para a polícia, dizendo que nem imagino como aquilo aconteceu. Talvez seja melhor dar no pé. Demoro uns bons segundos antes de pensar na hipótese de alucinação. Abro de novo a porta: sobre a cama, Samira descansa, pele rosada, respiração tranquila, até que enfim sem arfar.

A LEMBRANÇA DESSA ALUCINAÇÃO agora me põe nervoso. Nada como a perda dos movimentos para inverter o sentido da palavra vida. Se existe em mim uma vontade vegetal que permite a atividade de certos músculos, enquanto outros não me obedecem, o que é vida?

Olho o prédio em frente. A sombra da pequena marquise debaixo da janela do primeiro andar me dá ideia das horas, como se fosse um relógio de sol. Quase meio-dia. Daqui a pouco Mariquinha aparece com o almoço.

Para cá da janela, é meu exercício diário examinar o espaço que me rodeia o corpo. Ponto final das mudanças que fiz desde que em Ilhéus dei a largada para essa corrida sem meta que se chama existência, é como se eu tivesse sido despejado neste endereço por um meio de transporte que deixou de circular. Por esta parada esquecida não haverá de passar mais diabo que me carregue.

Estamos, a casa e eu, no Bixiga. Muito antes de morar aqui houve um tempo em que eu subia a avenida Liberdade a pé nos fins de tarde, a caminho da casa de Jandira. Naquela época, estavam sendo arrancados os trilhos dos bondes. A cada nova tarde, a cada nova subida, havia menos trilhos incrustados no chão e mais trilhos amontoados em algum canto… Soltos – linhas antes paralelas às guias, agora oblíquas ou perpendiculares, na geometria torta do desmanche –, fragmentos que só sabiam encontrar sentido e destino no encarrilhamento. Agora não mais. Os trilhos da Liberdade foram sumariamente arrancados. Aquilo tudo acabou em viadutos, por um dos quais, a alguns metros daqui, atrás do prédio em frente, passa meia São Paulo todo santo dia.

Consta que esta casa foi construída por um italiano em algum ano entre 1920 e 1930. A janela do meu quarto, que chega quase até o chão, é mais alta que um homem em pé, tem como parapeito no terço inferior uma grade de ferro fundido, toda de arabescos. Terá sido forjada por algum mestre serralheiro sabe-se lá em que defunta oficina do bairro, no tempo em que os trilhos ainda luziam. Janela encimada por bandeira com os exatos arabescos do parapeito, em tamanho menor, tal o capricho daqueles tempos. Por sinal, ali há dois vidros rachados que seria bom trocar, se aqui alguém sentisse necessidade de embelezamentos. Mas numa casa dessa idade já nunca moram os que se preocuparam com sua arquitetura ou decoração, os que, com a energia de quem constrói um ninho, a encheram de falas, gestos, idílios, amores, brigas, ódios durante anos a fio. Tudo isso estas paredes devem ter agasalhado, mas suas histórias não são história e, não sendo, corro o risco de inventá-las. Fico só nas paredes.

Estão carcomidas como as canecas de louça dos piores tempos de Ilhéus, antes da bonança de Nazaré. Eram desbeiçadas lá as canecas, não as paredes. Aqui, as pequenas covas abertas no reboco por pontaços, trompaços ou safanões deixam camadas à mostra. Em cada camada, uma preferência, uma moda, uma tinta, atestando os tantos anos da casa, assim como os anéis atestam os de uma árvore. Uma a uma, de baixo para cima, revejo rebordas de cores: branco-amarelado em cima de um azul-guarda-louça e, por baixo deste, parece, um ciclâmen, de tal modo que, percebo, do fundo para a superfície foi-se amortecendo a vivacidade, até que a tantas tintas chego ao bege onipresente destes dias.

Mariquinha vem entrando. Anda duro. Mas só agora me dou conta de que Mariquinha não mudou de andadura, o que mudou foram os chinelos, estes com uns saltos sólidos em extremidade de sola molenga. Uma aberração. Longe vai o tempo do chão com caráter de nossa infância, chão de cimento austero que não amplificava tacões, mal e mal ressoava passadas. As tábuas deste reverberam as pisadas de qualquer vivente, que devem retumbar como trovões para os ratos do porão. O Evangelho já está aberto, ela começa.

"E estava ele expulsando um demônio, o qual era mudo..."

Fecho os olhos. Tento retomar o fio da meada. Pensava nas paredes. Pensava que esta casa do Bixiga é o ponto de encontro não marcado de velhas histórias contadas e silenciadas, minhas e alheias. Tal como na mente do músico se encontram Beethoven e Pixinguinha, na memória desta casa se encontram minhas lembranças e as de algum italiano morto há não sei que antanhos. O sol se anuncia forte, daqui a pouco, por volta das duas, vai começar a penetrar pela bandeira e aos poucos inundar o quarto, rojar-se soalho adentro. Essa será a hora da sauna indesejada de todas as tardes de verão.

Mariquinha nem pensa em entrecerrar as folhas. Sentada entre mim e a janela, lança-me sombra ao rosto. Nos *ss*, escapam-lhe perdigotos:

"... mas alguns deles diziam: Ele expulsa os demônios por Belzebu..."

Quantos *ss* tem essa língua!

Diante de mim, a predileta de meu avô fala com voz compassada e baixa, como quem lê para si. E lê para si. Largando a Igreja, dei a ela uma santa – dizia nosso avô, como se tivesse largado a batina porque precisava cumprir uma profecia.

"... E, se também Satanás está dividido contra si mesmo, como subsistirá o seu reino?..."

Quero retomar o fio da meada. Em verdade, em verdade, meu pensamento estava em Samira, não em trilhos e paredes. A imagem dela esfolada me perseguiu vários dias. Foi o que me reaproximou de Jandira. Precisei sentir em uma o cheio de que a outra era vazia para retornar ao caminho do qual nunca deveria ter saído. Estava empregado: pela primeira vez pensei em casamento. Mas queimo etapas. Esse sol me mata. Sinto uma vontade imensa de acabar com tudo isso. Mariquinha se movimenta, a luz me bate nos olhos. Faço uma careta, ela percebe, vai até a janela e encosta uma das folhas. Até que enfim. Volta a sentar-se.

"... Quando o valente guarda, armado, sua casa, em segurança está tudo quanto tem..."

Vovô e ela passavam longas horas no quintal, debaixo de uma mangueira, decifrando os evangelhos. "Dai a César o que é de César" quer dizer que... Eu pegava retalhos assim de conversa enquanto passava por eles. Nunca ouvia inteira a explicação. Falavam uma vez de certo Mamon, para mim um ser monstruoso, com o rosto da alucinação de Lhéus. Essas conversas se davam sempre nos momentos do cair do sol, eu voltando cansado das corridas pelas campinas, a caminho do banho. Ela, já banhada, sempre tinha os cabelos molhados orelhas abaixo, recendendo a lavanda. Da cozinha vinha o cheiro da carne de sol com aipim. Hoje o banho da tarde tem o mesmo cheiro de lavanda, e Mariquinha, cabelos enxugados a poder de secador, se senta diante do computador comprado a prazo, toda tarde depois de terminado o serviço doméstico e antes da meia hora dedicada (das seis às seis e meia) ao Eterno, personificado por uma imagem: Jesus está parado junto a uma porta sem fechadura. Bate batida sem som. Ninguém abre.

"... Quando o espírito imundo tem saído do homem, anda por lugares secos, buscando repouso; e, não o achando, diz: Tornarei para minha casa, donde saí. E, chegando, acha-a varrida e adornada. Então vai, e leva consigo outros sete espíritos piores do que ele, e, entrando, habitam ali; e o último estado desse homem é pior do que o primeiro..."

Não consigo entender. Volto o rosto para a parede e tento pegar no sono.

SONHO QUE ELES VÊM DE LONGE, metralhando. As rajadas já são audíveis, o volume da metralha aumenta a cada minuto. Meu avô me diz: são a encarnação do mal, está escrito que nas mãos deles pereceremos. São legião, só nos cabe esperar. E, esperando, eu aliso a cabeça de um cachorro perdido de infância, e o cachorro me olha terno. Enquanto a metralha pipoca, minha mão passa entre as orelhas dele, empinadas.

Acordo sobressaltado. São sete e tantas, Sofia bate alguma gororoba no liquidificador, a porta do meu quarto confina com a da cozinha. Dou um pulo, me apronto aturdido e saio desabalado, maldizendo a obrigação de acordar às seis, suplício infernal para um sujeito como eu. A hora e tanto de sono depois do toque do despertador me veda o café e me fada a um jejum forçado por toda a manhã de trabalho, a uma fome de amargar até meio-dia.

Na rua, correndo atrás do ônibus ou, depois, correndo os quarteirões que me separam da firma, o relógio de ponto é minha única meta. E isso ocorre todo santo dia, com pressa ou sem pressa: é a corrida para o relógio, marco estático, pançudo, repousado na ponta de uma fila indiana de empregado atrás de empregado, como soberano em cerimônia de beija-mão. Terno ou jaleco, na frente dele tudo se iguala, na entrada e na saída. Aquela geringonça, que, um a um, todos reverenciam, zera qualquer veleidade de arrogância, pelo menos naqueles minutos. Quem chega até ela executa os mesmos gestos mecânicos: pega o cartão de um nicho do quadro de lata cinzenta dependurado na parede, enfia o cartão na fresta devida, puxa a alavanca e, numa batida seca e decidida, registra para todo o sempre sua pontualidade. Ou impontualidade, e nesse caso é uma autoexecução. Não há misericórdia. Não há ocorrência importante que justifique a batida um minuto depois da hora regulamentar: oito. Só depois disso entra em cena a ascensão: os de terno sobem as escadas de cimento grosso e sem corrimão que levam ao andar de cima, enquanto os de jaleco seguem para a direita, rumo a uma porta verde, e se enfiam por ela para se perderem em entranhas nunca penetradas pelos outros. Quando chego naquele dia, já não há fila, o relógio marca oito e vinte.

Apesar da pressa, ainda me movo sob o efeito da experiência da véspera com Samira. E ela me faz valorizar Jandira, repito. Na afobação daquela manhã, levo a certeza de querer mesmo o calor dos seios de uma mulher honesta. Tenho planos: à tarde vou procurá-la para não deixar dúvidas sobre minhas melhores intenções. Já penso até em alianças, em escrever à minha mãe, em comprar passagens para ela, só de vinda, pela São Geraldo.

Quando chego à minha mesa, Barrica não está na sala: confabula a portas fechadas com o chefe. Pego correndo as fichas de contabilidade do haras, com cinco colunas: data, histórico, débito, crédito, saldo. Dia após dia, nelas empilho os números estampados nas faturas que uma vez por semana o administrador manda para São Paulo e, munido de calculadora, insiro os resultados no fim de cada uma, transporto-os para a ficha seguinte, e assim por diante até o fim do mês. Despesas registradas, receita idem, tudo o que preciso é fazer contas de somar e subtrair, de vez em quando um cálculo de porcentagem, dois ou três telefonemas por dia para pedir feno, alfafa, aveia, este ou aquele remédio, contato com agrônomo, veterinário, administrador e coisas do gênero. Estou até pegando gosto pela coisa. Há também outros formulários. Um deles tem a finalidade de registrar a biografia do bicho: pai, mãe, idade, prêmios etc. etc.

Nem acabei de despejar meia dúzia de números, Barrica sai da sala do chefe e diz sem me olhar que ele quer falar comigo. Se eu usasse chapéu, entraria com ele na mão. Não sei o que pesaria mais para o coronel naquele dia: os minutos passados das oito ou as horas passadas com Samira na noite anterior, pois até imagino que ele tenha informações a respeito. Se sim, saberá da relação entre as duas coisas.

Entro, sento, ele diz que não tem boa notícia. Conta que o administrador do haras sofreu um acidente dois dias antes, fratura exposta que vai deixá-lo de molho pelo menos um mês. O genro do coronel, indo até lá tomar providências e vendo as coisas de perto, flagrou uma série de irregularidades. E o coronel explica: feno apodrecendo, peça de trator enferrujando ao relento ("Lembra aquele trator que ele disse que tinha chamado um cara pra consertar? – pois é, mentira") e – o que é pior – parece que há até desonestidade no caso, como venda de material do haras, desvio de alfafa para um amigo, coisas assim. Enfim, diz que o sujeito vai ser mandado embora ("depois de recuperado, é claro, não quero me expor a demandas trabalhistas"), e que o genro acha melhor assumir tudo aquilo pessoalmente para botar ordem na bagunça, inclusive na burocracia, que vai ser mais eficiente se feita no próprio haras ("Assim se evita muita coisa que anda acontecendo, como ficar pagando juros e mora por causa de faturas enviadas com atraso"). Etc. O coronel gosta da proposta e faz questão de justificar. Parece estar pisando em ovos. Não adianta tanto cuidado: enquanto ele fala, eu me vejo carta fora do baralho. No fim pergunta:

– O que mais você sabe fazer?

– Trabalhei um tempo como garçom.

– Não precisamos de garçom aqui. Você teria algum outro emprego em vista?

– Não, senhor.

No silêncio que se segue só uma coisa me ronda os miolos: meus ridículos planos de noivado, a bobagem de projetar qualquer coisa em cima de um empreguinho daqueles, que acaba de derreter. O coronel fica em silêncio um tempo, fitando um ponto zero do espaço e depois, como se acordasse:

— Vou pensar. Enquanto isso...

E me incumbe de dar uma volta na Consolação, procurar cinzeiros para o novo escritório.

Não procuro. Ou melhor, não procuro muito.

Saio zonzo da firma, passa das onze, depois de entregar as fichas todas e prestar contas do que fiz até a data. Vou atacado por uma espécie de vertigem nascida da fome, do pouco sono e, principalmente, da frustração acumulada. Ontem à noite uma mulher frígida e frenética varreu meus devaneios do último mês. Todo mundo sabe que a troco de uma amante de classe qualquer homem faz certas concessões. Mas por uma questão de contraste gritante tenho certeza agora de que minha opção é Jandira. Todas as minhas emoções me impelem para ela. No entanto, depois de só não ser demitido por motivo de favor, a razão me aconselha a dar um tempo. Um chefe de araque praticamente me dispensou de um emprego fajuto, e isso manda por água abaixo meu único plano honesto dos últimos dias, fruto justamente da lucidez gerada pelo choque de uma noite de coitos ordinários.

Quanto tempo um coronel de meia-tigela vai me pagar por quiquiriqui, só para cumprir promessa feita a uma mulher de vintém?

Nesse estado de espírito saio à procura de... cinzeiros! E eu lá entendo disso?

Passo pela frente de lojas e lojas, nenhum cinzeiro nas vitrines. Decido entrar num bar para engolir um sanduíche e um suco de laranja. Saio de lá mais energizado, se não mais animado, talvez com uma parcela de zanga aplacada, paro na frente de uma loja de decoração, com vários objetos inúteis na vitrine, penso: aqui há de ter. Tomo coragem e entro: ambiente não muito iluminado, pergunto a um sujeito antipático se eles têm cinzeiros. Ele me olha com cara de gozador e estica o dedo sem falar. Demoro um pouco para perceber que o dedo aponta para uma mesa escura bem ao meu lado (para dizer a verdade quase tropecei nela), onde uns dez cinzeiros se exibem debaixo do meu nariz. Me sinto um bestalhão (como no dia em que entrei naquilo que me pareceu uma venda e pedi um rolo de papel higiênico, mas era uma adega): pela mesa se espalham cinzeiros de todos os feitios, cristal, porcelana, metal... bonitos. O preço, um sobressalto. Um deles vale quase um terço do meu salário. Peço orçamento por escrito, o sujeito calado registra os nomes das peças, todas de *design*, com seus devidos preços à direita e me entrega o papel, que no fim da tarde devo levar ao coronel.

É o que farei mais tarde. Ele dará uma olhada e dirá quase gritando: esse preço é piada, não é, não?!

Quando entrego os preços ao coronel, falta pouco para as seis. Às seis bato de novo o cartão de ponto, dessa vez, bem na hora.

MAS NÃO SÃO ESSES os únicos fatos do dia. Antes de voltar para a firma, aliás, ocorrem outros que, esses sim, merecem menção.

Saio da loja e zanzo mais um pouco, fazendo hora para ir me encontrar com Jandira, já que estou na rua. Ela trabalha ali embaixo, em hotel grande da Nove de Julho; sei que a troca de turno é às quatro. Só não sei se nessa semana ela entra ou sai às quatro, perdi as contas, envolvido com Samira, mas é certo que nessa hora uma das duas coisas há de acontecer. Também não sei o que vou dizer, sinto a língua preguiçosa, a garganta oca, alienado de mim, despojado do que nunca tive: cacife para propor compromisso sério a uma mulher. Na falta disso, posso pelo menos receber uns afagos. Tenho mesmo vontade de ir embora, querendo, no entanto, ficar. Nessa tarde sou inteiro o anseio de um lugar nenhum, capim macio por baixo, sombra de jaqueira por cima, canto de pássaros por todos os lados, enfim, um paraíso qualquer em beira de rio. Minha casa. Mas preciso ficar nesta cidade, preciso estar ali, na Augusta, descendo a pé sobre cimento candente, virando a Avanhandava, topando com um mendigo na beira da calçada, cruzando a avenida afogado em trânsito, indo na contracorrente dos desejos, pedir socorro a uma operária que pensei em largar ainda outro dia.

Chego à porta de serviço do hotel, faltam cinco para as quatro. Fico ali esperando, gente entra, gente sai, nada de Jandira. Quase desistindo, aparece uma conhecida, e por ela fico sabendo que Jandira já não entra nem sai às quatro: foi promovida a chefe das camareiras e cumpre horário fixo. Larga agora às sete.

Subo no primeiro ônibus que aparece. Sinto-me agudamente ex--macho-potente-poderoso, perdedor agora no primeiro *round*, mais envergonhado por ter acreditado que seria o que não era e por ter depois, ainda por cima, feito a bobagem de ir buscar colo de fêmea, de ir pedir socorro a uma mulher que eu sempre tinha considerado frágil e, olha aí, frágil uma ova, promovida a chefe, roubando o meu por direito, tendo eu ainda de dar graças a Deus por ela não saber disso. Até quando? Só por ter afundado anteontem, não, foi ontem, parece tanto tempo, só por ter afundado em dois seios frios, eu, bezerro desmamado, saio em busca de tetas quentes e úberes? Não sei viver sem elas? A culpa é desta cidade. Esta cidade desbanca qualquer um, aqui tudo se esfarela, não há estaca que se finque neste asfalto amolecido pelo calor, a febre me dita verdades sufocantes. Desvisto o paletó, desaboto o colarinho: pra que esse aparato todo, peão que sou eu vestido de armadura me acreditando cavaleiro? Puxo a gravata como quem esmurra a própria sombra e esbarro no homem da direita, ele olha feio para mim, peço desculpas e, virado para ele, vejo pela janela que o ônibus sai da Nove de Julho e envereda por umas ruas que desconheço, eu tinha tomado transporte errado, claro, na minha bobeira tinha visto um número por outro. Percepção embotada pela paulada, não sei de mim, perdido, mais uma que esta cidade me apronta, fico atordoado, ali pregado, sem atinar em como voltar, então o ônibus para num ponto, e na calçada, ora, quem vejo? Rodolfo!

O ônibus tinha seguido comigo para o destino que o destino ditava, penso sem palavras, mas pensando levanto correndo, aviso ao motorista "desce!" e apeio apressado.

Não tinha sabido mais nada do Rodolfo. Achava até que podia estar morto. Mas agora via que estava vivo e em pé, ali, numa calçada à luz do sol. Não militava mais? Do que ocorria nas entranhas da esquerda brasileira só os militantes iniciados e a polícia tinham informações. Com uns poucos dados eu tinha sido agraciado no ano anterior.

Depois, esquecimento, desinteresse. Naquele momento, era como se essas coisas nunca tivessem existido. Pelos jornais que eu lia ficava sabendo mais ou menos de notícias de atentados, prisões e mortes. Coisas que me soavam como histórias de fantasmas. E agora que tropeço em Rodolfo vou abordá-lo sem saber quase nada sobre ele, sem saber onde depositar mãos, pés e palavras, como quando se tem pela frente uma aparição de outro mundo.

Abordo Rodolfo de paletó na mão esquerda, já com a gravata enfiada no bolso, estendendo a direita e me sentindo um vendedor de apólices de seguro a um monge tibetano.

Minha relação com Rodolfo sempre foi de simetria. Era como se ele estivesse numa ponta, eu noutra, de uma espécie de linha que eu nunca soube definir. Por exemplo, nunca fui forte em previsões; rever é minha especialidade. Sempre tive a memória comum dos mortais, que recebe as águas manadas do passado. Rodolfo, não. Rodolfo nunca lembrava, antevia, e a memória dele era uma represa que só captava o que interessava ao mar do futuro. Pelo menos assim se mostrava, assim aparecia do lado de fora de si mesmo. No ano anterior tínhamos convivido muito. Em nossas conversas ele costumava falar de táticas de guerrilha, modos de derrubar a ditadura e fazer uma revolução, mas nunca falava do mundo pós-revolução, do mundo mergulhado num universo comunista inimaginável para mim. Um dia confessei minha deficiência, eu não conseguia conceber nada muito diferente do que via, era uma falha minha. Então ele procurou me expor esse mundo com a expressão orgulhosa e confiante do artista que exibe sua obra. Para ele um filme; para mim, um esboço de desenho. Falava, seus olhos brilhavam, felizes. Antevia a extinção da miséria, da luta de classes, da propriedade privada, do capitalismo; enxergava uma sociedade sem a competição cruel pela ascensão social, com distribuição dos bens segundo a necessidade de cada um. O entusiasmo dele me calou. Fiquei ouvindo. Minhas dúvidas talvez fossem ridículas. Ou talvez não precisasse fazer perguntas. Talvez tudo viesse por si quando fossem extintos os modos capitalistas de produção e distribuição dos bens. Depois dessa conversa, passei uns dias tentando enxergar o mundo do jeito dele. Não deu certo, meus sonhos de futuro são invisíveis porque sou cego para ele. Mundo de igualdade, extinção dos conflitos pela justiça social, reino da solidariedade e do amor desinteressado, harmonia entre os povos, ausência de guerras, supressão dos crimes, coisas de que algumas pessoas falam como meu avô falava do céu, nunca me impressionaram a imaginação. E, alucinação por alucinação, as minhas me pareciam mais reais. Rodolfo enxergava essas coisas com a mesma nitidez com que Mariquinha enxerga por trás das parábolas, como eu enxergo o que não existe. São vários modos de sonhar.

Só sei que eu pressentia ou ressentia Rodolfo e outros do grupo como monges sem hábito, teólogos incréus, atores de algum mistério de teatro iluminista. Gente que eu odiava por não poder deixar de admirar, gente que eu rodeava orbitando, sem colisão, sem união, por pura e inexplicável atração.

Estendo a mão. Ele faz menção de se esquivar, sem saber se deve retribuir e, depois de ficar um tempo entre o sim e o não, me oferece uma mão de talvez, frouxa e bamba, já começando a se afastar do local, me obrigando a ir junto. Percebo então, um bocado tarde, que mais uma vez apareci em hora errada: ele estava ali cobrindo um ponto. Por que insisto? É que o encontro, depois de um ônibus errado – sempre fui até certo ponto supersticioso –, é alguma artimanha das estrelas, de Deus, do Diabo, seja lá que nome se dê ao artífice das coincidências. Ou nada disso. O que então? O fato é que desci do ônibus impelido por alguma coisa que não era vontade, mas determinismo, coisa parecida com um ato de robô.

E, andando ao lado dele, não sei o que dizer. Portanto, começo a falar. Falo, não digo. Que perdi todos os contatos depois daquela noite em Santos, que muitas coisas aconteceram, que estou finalmente entendendo melhor a realidade, amadureci, que às vezes a gente precisa de um balde de água fria para tomar consciência, que estou precisando fazer alguma coisa. E repito: estou precisando fazer alguma coisa. Não surte efeito, ele continua em silêncio. Continuo: não dá para ficar parado diante de todas as vergonhas que estão acontecendo no Brasil, sei das prisões, das torturas, coisa de filhos da puta, mas sei pouco, só o que sai nos jornais, infelizmente, a censura é infernal, a censura é fogo. Os adjetivos me faltam, ou talvez sobrem, eu falo, o Rodolfo anda, vira uma esquina, vai para umas bandas que não conheço, acabam-se as palavras, olho o relógio, preocupado com a volta, mas continuo ao lado dele, os dois em silêncio. Aí desisto. Paro. E digo:

— Olha, desculpe ter atrapalhado. Mas é que eu preciso ir andando...

— Está trabalhando onde? — é a primeira coisa que me diz naquele tempo todo.

— Numa indústria química... pequena, pequeno porte.

Ele para.

— Química? Química como?

— Alguns fármacos, umas geleias dietéticas.

Volta a andar, dou dois passos, paro, estendo a mão de novo.

Ele, não.

— Faz o que lá?

— Trabalho no escritório.

Rodolfo me olha de alto a baixo e passa à esculhambação:

— Olha, você precisa aprender de uma vez por todas que a coisa agora não está pra brincadeira. Primeiro, se você encontra alguém na rua e sabe da militância dele, faça de conta que não conhece. É o mínimo. Você sabe que um cara como eu, na rua, não está zanzando, que está em atividade. Segundo: esqueça nomes, esqueça o meu nome. Entendeu? Esqueça. Se tiver o meu nome ou o de algum companheiro ou companheira em alguma agenda, jogue fora. Se quiser entrar para a militância, precisa mudar de atitude. Você não tem a menor ideia de segurança. Aquela noite lá em Santos...

– Desculpe. Desculpe por aquela noite, por hoje também...

– Não adianta ficar pedindo desculpas. Já fez, está feito. Hoje, por exemplo, por tua culpa estou em perigo de furar um ponto...

Ele volta a andar, ando junto, ele agora está voltando...

– Eu pensei que pudesse ajudar.

Andamos uns minutos em silêncio. Aí ele diz:

– Você não tem preparo ideológico para ir muito longe. E agora é bom mesmo a gente se despedir.

Eu já vou dando as costas, parece que ele se arrepende:

– Vou pensar no assunto. Talvez você possa dar alguma ajuda na infra.

– Infra...

– É, coisas simples de apoio, como transmitir recados, fazer panfletagem... Continue trabalhando onde está, é bom ter vida regular para não levantar suspeita. Mora naquela pensão ainda?

– Moro.

– Bom, vou pensar, conversar com o pessoal... Dou um jeito de deixar algum recado lá na pensão.

Não estendo a mão. Aceno e dou meia-volta.

Retorno à Nove de Julho, mas entro em outro quarteirão, quero deixar claro que entendi a lição. Preciso chegar à firma antes das cinco e meia, entregar o orçamento dos cinzeiros, bater o ponto e sair.

Não deixa de ser engraçado que naquele dia Rodolfo e eu, cada um num extremo, girássemos em torno de coisas tão diferentes, que se resumiam a uma mesma palavra: ponto.

ONTEM MARIQUINHA PÔS uma fotografia na minha frente. Dois segundos e virei a cabeça. Nem preciso olhar. Lembro muito bem daquela minha última imagem com os cabelos compridos que sempre me acompanharam na infância. Até o dia seguinte ao da foto. O comprimento dos cabelos era resultado de uma promessa feita a Nossa Senhora de Nazaré por minha mãe em troca de alguma graça que eu nunca soube qual seria. Mariquinha e eu estamos ao lado de vovô debaixo da mangueira: ela e ele, sentados no banco, eu entre os dois, em pé. Vovô me segura pela cintura, sei da mão dele, grande, ossuda, sobre meu estômago. Poderia senti-la agora ainda, não fosse o amortecimento. Estou de calção e camisa. Visto sandálias. No preto-e-branco puxando ao sépia ferrugento que o tempo deposita nas fotografias, todas as roupas são do mesmo pardacento, exceto a calça de meu avô e o bordado da blusa de minha irmã, que aparecem mais escuros. Muitos cachos me caem pela testa; o cabelo vai até abaixo das orelhas, são macios, não têm nada de parecido com a copa de cajueiro em que se transformaram depois: estou com sete anos. Espichada, cada mecha alcança quase o meio das costas.

Naquela tarde, depois do banho, havia sol ainda, apareceu por lá um sujeito que andava pela cidade com uma máquina fotográfica montada para toda a eternidade na ponta de um tripé, bicho pernalta de um olho só que ele carregava nas costas como um lavrador carrega a enxada. Perguntou se queríamos um retrato. Meu avô, que sempre recusava, naquele dia aceitou. Minha mãe não queria ser retratada, não estava vestida de acordo; o sogro insistiu, ela se meteu pela casa parecendo que voltaria arrumada, mas não voltava, o retratista tinha pressa, na chapa ficamos impressos só nós três. Bobagem de mãe, que me privou para sempre de uma lembrança dela, pois as outras fotos todas se perderam nas infinitas mudanças de que minha vida foi feita. Talvez Mariquinha conserve uma ou outra, mas não mostra. Também não sei se depois dessa meu avô tirou mais alguma comigo, acho que sim, mas essa é a última que conheço dele.

Foto marcante, parte daqueles casos familiares para sempre repetidos. No dia seguinte meu pai me leva à estação ferroviária, para esperar não sei qual trem com alguma encomenda, e nos sentamos os dois num banco. Lembro: pela porta da estação entra uma mulher puxando uma menina. Do corpo minúsculo da menina brota um berreiro inimaginável, um som de começo não definido e fim improvável, que vem crescendo desde não sei que confins e vai tomando conta da estação à medida que a dupla se aproxima. Até que a uns dois metros de nós a mulher aponta para mim e consegue dizer mais alto que aquela sirene miúda: olha só aquela menina como é boazinha. É aí que meu pai me faz levantar do banco com brusquidão, na certa querendo que ela me veja de corpo inteiro, sem obstáculos, mas ela não deve ter notado a manobra nem coisa nenhuma, aturdida que estava com o berreiro. Entram no trem e daí a pouco a gritaria começa a decrescer vagão adentro.

Papai volta para casa aperreado, entra falando alto com minha mãe, me dando pela primeira vez a perceber a força dos seus pulmões. Vem um breve diálogo, talvez não tão breve quanto hoje imagino, terminado com esta exclamação de meu pai:

– Nossa Senhora de Nazaré tem coisa mais importante para cuidar. Vai estar interessada em cabelo de menino?

Minha mãe tenta argumentar, mas a conversa termina no imperativo:

– Me traga a tesoura já.

Não há jeito. A tesoura chega, ele começa a cortar. A certa altura minha mãe exige a tesoura de volta e termina o serviço. Ele me puxava os cabelos, ela sabia.

Lembrar todas essas coisas talvez tenha sido um modo de tentar não notar, na foto, a imagem do trapiche, atrás da mangueira, visível só em parte. O mal da imagem fotográfica é a veracidade.

UNS DIAS DEPOIS do meu encontro inesperado com o Rodolfo, apareceu lá na pensão um sujeito que eu conhecia de vista. Não sabia o nome dele e nunca viria a saber porque não devia mesmo saber. Saímos, ele me disse que tinha sido mandado ali porque eu havia dito que estava disposto a colaborar, a trabalhar... Fiquei num mato sem cachorro. Daquela fala improvisada ao Rodolfo eu já estava arrependido quando peguei o ônibus na Nove de Julho, uns minutos mais tarde. Uns dias depois, então, nem me lembrava de ter jamais desejado entrar para uma organização clandestina e arriscar a pele em trabalho revolucionário nenhum. Enquanto descia de elevador com o tal sujeito, pensava numa maneira de recusar, inventando uma desculpa, dizendo que minha mãe estava doente em Salvador, que eu precisava viajar... mas, não, melhor não pôr mãe no meio, vai que ela fica doente mesmo... Ou então, quem sabe, confessando que não tinha jeito para a coisa, o próprio Rodolfo sabia isso... sem tocar no nome, porque não podia ficar dizendo nomes a torto e a direito, o fulano podia conhecer o Rodolfo só pelo nome de guerra, mas eu nem sabia qual era o nome de guerra do Rodolfo.

Descemos em silêncio no elevador, lá embaixo ele se abriu, continuei em silêncio, sem saber o que dizer. Como recuar com franqueza não era digno, eu continuava pensando numa desculpa que não parecesse feia demais. Dizer que estava disposto a enfrentar tortura ou morte para implantar o socialismo no país era bonito. Mas mentira. Nessa vacilação toda, consegui entender que no dia seguinte devia ir me encontrar com alguém, que me passaria uma tarefa. Tarefa simples, mas importante.

Na falta de chegar a um acordo comigo mesmo, disse que aceitava a tarefa, deixando para pensar depois se ia ou furava. Fui. Talvez durante a noite eu tenha concluído que mais vale um grão de valentia que toneladas de bom senso a um homem que se sente por baixo.

Era um domingo de manhã. Num ponto de ônibus recebi um endereço. Devia ir pegar uma encomenda e entregá-la num local que só lá eu saberia qual era.

A MISSA ainda está longe de acabar. O padre, rosto quadrado, queixo saliente, há cinco minutos parece estar chegando ao fecho do sermão, sem chegar. "Deus calça os caminhos pelos quais devemos passar. Mas não pensem que ele aparelha as pedras. Não, as pedras são desiguais, umas mais altas que as outras, as distâncias entre elas variam, para que prestemos atenção aos nossos passos, para que os tropeços nos sirvam de lição: é preciso vigiar."

Meu tédio está no auge, não quero olhar para a porta, mas olho, pois por ela há de entrar, se é que já não entrou, a pessoa a quem devo entregar uma pasta, que agarro com mão firme. E a mão parece queimar.

– *Com minha mãe estarei na santa glória um dia, junto à Virgem Maria no céu triunfarei...* – vozes, femininas na maioria, cantam com timbre arreganhado e cândido palavras de unção...

Sentado no último banco à direita da entrada, vejo por cima das cabeças as idas e vindas do padre na preparação da eucaristia, enquanto minha vizinha se levanta e eu me levanto também, porque a imito em tudo, como fiz durante toda a cerimônia e durante toda a infância na igreja de Nossa Senhora de Nazaré, incapaz que sempre fui de memorizar a sequência de senta-levanta-ajoelha que constitui a missa católica. Mas a vizinha sai do vão entre os bancos, caminha em direção ao altar-mor, vai comungar, eu me sento de novo, mesmo porque, sentado eu, a pasta é menos visível ao meu lado, debaixo do meu braço. O coro continua, roubando de vez aos meus ouvidos uma tal valsa dos patinadores que os martelava fazia mais de uma hora.

Eram oito da manhã, domingo, tinha ido bater, conforme missão recebida, em sobrado geminado de uma rua de Pinheiros. Ali eu precisaria pegar uma encomenda que, conforme fiquei sabendo só no momento da entrega, deveria ser repassada a alguém na igreja do largo do mesmo nome. Atendido, fui convidado a entrar e a sentar num sofá de sala penumbrosa por uma mulher razoavelmente obesa, que em seguida pediu licença e sumiu pela porta da cozinha, de onde chegava ótimo cheiro de molho de macarrão. Só então distingui na meia-luz, no vão debaixo da escada, uma anciã seca em cadeira de rodas, o que me levou a entender o porquê do alto volume da tevê. A velha não se mexia, hipnotizada, parecia, olhinhos minúsculos sem brilho algum, semicerrados pela cortina pendente das pálpebras, mas voltados sem dúvida para a tevê. O olhar dela lembrava o do homem, na cozinha de Santos, pensei até se não seriam os dois parentes, aquela velha e ele, e assim pensando me aquietei ali, diante da televisão onde um grupo de patinadores, conhecido, parece que por todo o mundo, como Holiday on Ice, se esmerava em evoluções e piruetas ao ritmo de uma música que eu conhecia não sabia de onde, enquanto a voz em *off* dizia chamar-se "Valsa dos patinadores", de autoria de certo Strauss, nome que imediatamente associei a Viena. Fui captando essas informações enquanto o pedaço mais substancioso da minha atenção se entregava a outras coisas.

Aquele lar me impressionava pelo inesperado. Não era o clássico aparelho, tudo ali era ordeiro e limpo, tacos recendendo a cera, mamãe preparando molho de macarrão já às oito, vovó cegossurda vendo tevê, porta-retratos com retratos de idosos e crianças sobre uma mesa de canto, quadro de natureza-morta na parede (hortênsias), toalha de renda na mesinha de centro, tapete de sisal verde, um bando de americanos patinando uma valsa vienense em algum palco distantemente próximo... nada ali explicava o que levaria gente daquele tipo a abrigar alguma espécie de ação política clandestina num domingo de manhã, se é que o caráter da ação era conhecido por mamãe e vovó. Esta, petrificada em seu silêncio ressequido, teria ideias?

Na tela, um patinador caía, a dança prosseguia, ele se levantava, quando ouvi passos descendo a escada. Apareceu um rapazinho magrelo, bigode ralo, chegou perto de mim, forte cheiro de cigarro, me deu bom-dia e, estendendo uma pasta, disse em voz baixa (precisou chegar bem perto, a tevê esganiçava) que de lá eu devia ir à igreja do largo de Pinheiros, sentar no último banco à direita da entrada e esperar uma pessoa que me perguntaria da cerimônia de lava-pés, devendo eu responder que cerimônia de lava-pés é em janeiro, sinal para que a pessoa pedisse a encomenda e eu entregasse aquela pasta.

A valsa ainda soava quando saí, por isso a carregava nos ouvidos quando a mulherada começou a cantar *no céu, no céu com minha mãe estarei, no céu, no céu, com minha mãe estarei...*

Por cima das cabeças agora vejo o padre enérgico, sólido, másculo, caminhar com a hóstia na mão. Imagino-me vovó quarenta e tantos anos antes, sentindo e sentindo e vendo vovô, hóstia na mão, executar um misterioso e sedutor balé diante do Senhor, não estando ela, é evidente, no último banco como eu, mas quem sabe no primeiro, para ver de perto e ser vista, fazendo lá isso tantas e tantas vezes, até que ele entregasse os pontos, largasse o hábito, perdesse o chão da família e enfrentasse sozinho uma nebulosa guerra em Nazaré... Imagino Mariquinha, com menos talentos e esperanças que vovó, recebendo de padre Bento uma hóstia desejada, talvez vendo vovô dentro da pele dele... Como, aliás, eu também via.

Um ruído me chama a atenção, olho para trás mais uma vez, não vejo ninguém que possa estar interessado no lava-pés. A pasta não é grande, mas pesa. É uma espécie de valise, de couro, fecho de metal trancado. Só poderá ser aberto com uma chavinha. O destinatário terá a chave ou destruirá o fecho? Ali, intruso disfarçado em culto de devotos, me dou conta do risco que corro, tenho pela décima vez vontade de sair pela porta aberta a alguns passos de distância, atirar a pasta na primeira lata de lixo, subir no primeiro ônibus, desaparecer do pedaço e ir tomar café com chantili no Ibirapuera. Mas fico, sem coragem para esse ato de covardia.

Minha vizinha volta com ar compungido, hóstia no céu da boca, céu na boca do estômago, e se senta. A porta, atrás de mim, manda a claridade da manhã domingueira entrar na igreja, mas ela não entra, barrada que é pelo paravento inquisitorial.

Quase todos agora estão de volta em seus bancos, todos com o mesmo ar contrito da minha vizinha, alma aliviada, evacuada da merda semanal, até a próxima.

– *Mas já que hei ofendido a meu Jesus querido as culpas chorarei... no céu, no céu com minha mãe estarei...*

Uma mulher quer passar, encolho as pernas, abraçando a pasta. Logo depois aparece uma mocinha, cabelo curtíssimo, cara de menino, só sei que é mulher porque dois bicos de seios miúdos se fincam de dentro para fora no pano da camiseta branca, mas ela não passa, senta-se ao meu lado e pergunta quando é a cerimônia do lava-pés. Não respondo. Largo a pasta no colo dela, me levanto e saio, até que enfim.

AQUELA SEMANA não foi fácil. Eu continuava fazendo cera na firma. O coronel tinha viajado, mas Barrica estava sempre ocupada, ativa, sisuda. Pouco falava, a não ser com o telefone, por onde enfiava as ondas de uma voz de gaita: "O coronel viajou, deseja deixar recado?". Com que figura a imaginariam do outro lado da linha, falando em desejos? A proximidade nos tornava absurdamente contrastantes. Ela, telefonando, agendando reuniões, arquivando documentos, datilografando minutas, pedindo passagens aéreas, falando com departamentos de vendas e compras, fazendo acertos com advogados e clientes, levantando, sentando, saindo, voltando, me irritando profundamente, e eu sentado, rascunhando minha raiva. E tudo isso ela fazia como se eu não existisse. Tão inútil me sentia que a telefonista, parece que percebendo, veio me propor organizar o catálogo dela. Pela simpatia que demonstrava por mim, concordei, comecei, cheguei ao L e me percebi fazendo serviço chinfrim demais. Pior: de mulher.

Larguei.

Não me incomodava muito o menosprezo de Barrica, que era feia, afinal. O tanto de incômodo que me causava o comportamento dela se devia ao fato de não ser ela mulher que pudesse se dar ao luxo de desprezar homens, mas me desprezava. Portanto, desprezado por ela, eu me sentia (como não poderia deixar de ser?) um tanto desprezível. Mas me consolava pensando que, se me desprezava, era por estar ciosa do próprio emprego, portanto por uma anomalia que eu não deveria valorizar. Como ela não era desejável, o mal que me causava não chegava a provocar ressentimento, ficava na irritação.

Certa manhã, cheguei pensando na desculpa que daria à telefonista para não continuar fazendo aquele servicinho, o coronel me chamou. Disse que precisava tomar decisões urgentes sobre o orçamento da reforma de umas salas do prédio para instalação do novo escritório, queria que eu traçasse as plantas para uso dele. Nada oficial, só um rascunho, explicou. Tentei dizer que nunca tinha feito plantas, mas ele já estava me estendendo uma régua dobrável (que eu tinha visto nas mãos de Barrica cinco minutos antes) e as chaves das salas. Passei lá o dia inteiro. Medi tudo, tentando lembrar as plantas de casas que já tinha visto na vida, nas mãos do primo pedreiro de Guarulhos, principalmente, que teriam sido as mais recentes. Tivesse prestado mais atenção... Tracei cuidadosamente os quadriláteros dos cômodos, contíguos entre si, anotei a metragem junto a cada traço de parede, posicionei portas e janelas. Saí de lá pouco antes das seis com a folha de papel enrolada na mão esquerda, as chaves na direita, a consciência do dever cumprido e certa dor nas costas, por ter desenhado sobre uma pia de cozinha, empoleirado em banco pernalta sem encosto. Depositei a planta na mesa do chefe e me despedi. Ele me agradeceu, lembro bem.

No dia seguinte, começo de tarde, vai lá o arquiteto e entra na sala do chefe. Uma meia hora depois sou chamado. O coronel me recebe dizendo que aquela planta não serve para nada, que ali está o doutor fulano afirmando que não foi anotada a espessura das paredes, nada está em escala, a posição das portas não é aquela exatamente, não se sabe para que lado elas se abrem, nada de indicação de tomadas, enfim ele vai precisar refazer tudo. Trabalho perdido. E atira a folha, que sai planando pela mesa, ultrapassa o tampo em minha direção e se enrolando vai rodar pelo chão de carpete amarelo-ouro encardido.

— Recolha aí, a coisa até parece viva! Rapá! Vou levar pra o meu neto fazer aviãozinho.

O arquiteto ri, ri alto, não é comprida a risada dele, mas escrachada, muito escrachada. Recolho a folha dizendo que avisei que não sabia fazer essas coisas, mas, quando olho para o lado deles, vejo que já se desinteressam de mim, pois o arquiteto está estendendo um folheto colorido ao coronel, que o pega entretido, enquanto Barrica deposita uma pasta na mesa. Sim, ela está lá. Presenciou tudo. Não me olhando, é claro, fingindo-se alheia, remexendo coisas no armário que fica atrás da cadeira do coronel, mas não me consta que de ouvidos tapados.

Saio vexado, acabrunhado, atazanado, vou ao banheiro. Para piorar a situação, uma vontade imensa de mulher me tortura desde a noite anterior, quando, encontrando Jandira, me neguei a ela, coisa de doido. Desde a notícia da promoção dela eu não havia telefonado nem aparecido, até que ela me procurou. Ligou. Convidava para sua casa, para sua cama, e eu dei um jeito de marcar encontro na rua. Ela não entendeu bem, mas concordou. Apareceu com novo corte de cabelo, maior decote no vestido, perfumada, me abraçando. As mulheres sabem abestar um homem quando querem, mas eu também sei disso e estava decidido a não bancar o trouxa. Fomos para um bar, conversar, conforme eu queria. Mal sentamos, ela contou da promoção, na certa esperando meus parabéns, mas não demonstrei alegria ou espanto, nem podia. Não falou de salário, sei que para não me humilhar, cuidado esse que, percebido, se torna mais humilhante que o descuido de falar. Demorou um pouco, mas a certa altura não conseguiu deixar de perguntar do meu emprego. Respondi que tudo bem, sem entrar em detalhes. E assim ela passou quase o tempo todo falando, eu metade do tempo sem abrir a boca, o que exigia dela certo esforço para achar novos assuntos, coisa que nunca lhe foi motivo de apuro. Até que comunicou ter vontade de ir dançar no fim de semana, mas sem fazer um convite declarado. Banquei o desinteressado e, aproveitando a passagem de duas mulheres, olhei ostensivamente para as respectivas bundas. Aí Jandira se zangou, enciumou, a briga começou... E se arrastou, ela desfiando queixas, eu, recriminações. Sei que, entre outras coisas, me declarei ofendido com aquela sua confissão descarada de que ia dançar no sábado e nem se dignava dizer com quem. Irritada, ela disse quase gritando que não seria sábado, mas sexta, e que só podia ser comigo, com quem mais seria, você ficou lelé? Foi aí que chamou o garçom, já abrindo a bolsa, mas eu não permiti que ela pagasse. O garçom, chegando, me encontrou empunhando uma nota de tamanho devido. Foi o tempo de esperar o troco, ela de queixo apoiado, virada para o outro lado, cara de choro, eu olhando fixo para o lado por onde o garçom tinha desaparecido, cara de macho. A despedida foi chocha, ali perto mesmo, num ponto final de ônibus. Ela subiu, eu me fui sem esperar o ônibus sair, contente por ter contaminado Jandira com o despeito que me mordia. O rebote foi implacável. Depois de noite maldormida, manhã infernal.

No banheiro, me sento no sanitário fechado e fico pensando no que fazer da vida. Antes do almoço tinha até pensado em me aliviar ali mesmo, mas aquela risada do arquiteto me deixava transtornado. Além do mais, as latrinas eram divididas precariamente, o entra-e-sai era grande, e qualquer um podia me reconhecer (o vão debaixo da porta era alto), deduzir pela posição dos pés e pelo tempo transcorrido o jeito como eu matava o ócio na firma enquanto os outros se matavam de trabalhar. Fico lá, matutando, lastimando o modo como o homem é obrigado a ganhar sustento e matar a fome de sexo, duas condenações de Deus para acabar com qualquer ilusão de paraíso e nos obrigar a passar a vida brigando por comida e mulher, permutando suor por pão, secreções por prazer.

Nessas coisas penso ainda quando saio do banheiro, cheio da carga de energia bruta e assassina que só a fusão de raiva e tesão consegue criar, quando vejo de costas, no corredor, Samira se aproximando da mesa de Barrica. Pressentindo minha presença, ela se vira e sorri, está de branco tão branco que a pele se amorena vistosamente, e o verde dos olhos ressalta. Bonita! Sorrindo, me faz um aceno e depois se vira para Barrica, que está dizendo:

– O coronel não pode atender agora, está com o arquiteto. Mas vou avisar que a senhora está aqui.

— Não precisa, eu vim sem avisar mesmo, só estava de passagem. Volto outro dia.

Passa por mim sorrindo e deixando um rastro de perfume.

Vou no rastro.

TANTAS VEZES DUVIDEI e duvido da natureza do que me vem à cabeça, que desisti de pensar a respeito. De anteontem para ontem, por exemplo, tive um sonho, mas talvez tenha sido visão.

No meu quarto sem mobília, com chão de tábuas lavadas, há, no sonho, apenas dois móveis: minha cama encostada a uma parede e no canto oposto uma cadeira velha. Fico intrigado com o sumiço dos outros móveis, mas esse pensamento é um relâmpago que fica sem resposta. Na cama, eu; na cadeira, não sentada, mas empoleirada, uma mulher que me olha muda, seca, encorujada e velha. Quero chamar Mariquinha, não consigo, a mulher que me olha, eu sei, é minha voz.

Acordo gritando mudo, abro os olhos, os móveis todos estão aqui, nos lugares de sempre. As duas cadeiras do meu quarto continuam ao lado da tevê, não existe a cadeira esquálida do sonho. No entanto, tinha vida. Inventariando a mobília, dou com uma novidade, um pequeno cartaz acima da tevê, provavelmente posto na parede na noite anterior, quando eu já dormia. Está lá até agora, para que eu seja obrigado a ler a longa frase, desde que me dê ao trabalho de percorrer todas as palavras. Grafada com caneta hidrográfica e letra caprichada de fôrma, diz:

PORTANTO, VISTO QUE A IMPERFEIÇÃO, DE PER SI, PREJUDICA
O SER, ATÉ MESMO A IMPERFEIÇÃO DOS ANJOS REBELDES,
DOS QUE NÃO ESTÃO UNIDOS A DEUS, EVIDENCIA QUE DEUS

CRIOU O SER DELES TÃO BOM QUE PARA ESSE SER É PREJUÍZO
NÃO ESTAR COM DEUS.

E abaixo:

Santo Agostinho,
CIDADE DE DEUS, LIVRO 12, 1.3.

Mas é melhor deixar de lado o sonho, que sou incapaz de entender. Não menos que as intenções de Mariquinha quando dependurou esse texto de Santo Agostinho. Minha irmã quer provar alguma coisa sobre a minha natureza com essa frase? Que sou um anjo caído? Que sofro o prejuízo de ser um anjo caído? Não, não, digo "caído" por erro. A expressão é "anjos rebeldes". Eu seria um anjo rebelde? Na cabeça desajuizada da minha irmã eu sou um anjo rebelde que sofre as consequências de não estar unido a Deus? Mas por que cargas d'água eu vou ficar aqui tentando desvendar as intenções de Mariquinha?
Volto a Samira.

ÀS VEZES OS CHEIROS impregnam minha memória, mandados não sei por qual ventarola interna, que não depende da minha vontade. Mas tentar despertá-los de propósito é perda de tempo. Estou aqui forçando a memória da fragrância para ver se ela não evapora de vez no nada do tempo, mas esse fim é inevitável. Sei do nome do perfume. Quando, ainda meio zonzo do gozo recente, perguntei que perfume era aquele, os lábios trêmulos de Samira pronunciaram: Chânéu. Do perfume, portanto, ficou na memória a imagem dos lábios dizendo um nome.

Viemos parar no mesmo apartamento da Major Sertório. Samira está menos sôfrega. Sempre vibrátil, mas menos ansiosa, quase entregue. Despejo nela as minhas ânsias secretas, as minhas secreções, agradecido agora à mente divina o ter-nos condenado ao gozo. Não posso jurar que o dela tenha sido intenso, mas quase posso afirmar que existiu.

Depois, aproveito o tempo em que ela está deitada ao meu lado, calma, sem pedir mais do que tinha recebido, para planejar um modo de recorrer aos seus favores mais uma vez. Se ela me arranjou um emprego, quem sabe pode arranjar outro, caso o coronel resolva se desfazer de mim. Mas antes quero fazer a pergunta que ensaio desde o começo: que tipo de relação há entre os dois? Como não tenho coragem de perguntar diretamente, rodeio, jogando o verde:

— Você e o coronel parece que têm uma amizade velha. Dá até a impressão de serem meio parentes.

Samira veste a calcinha, apanha um maço de cigarros do criado-
-mudo, acende, senta-se na cama e demora a dizer:

— Ele tem uma relação de negócios com o Paolo.

— Quem é Paulo?

— Paolo é meu marido.

Paolo, italiano (eu não tinha identificado o sotaque naquele dia).
Ela continua:

— São negócios meio complicados, que nem eu entendo muito bem.
É uma espécie de clube, formado por empresários; tem relação com
política. Já se reuniram lá em casa, por isso eu sei. Combate à subversão, essas coisas, o Paolo e outros entram com dinheiro, o coronel
tem contatos... Enfim, por causa disso a gente começou a conviver,
quero dizer, o coronel e eu. Eles dois têm amizade até certo ponto, a
relação é mais de negócios mesmo, mas o coronel logo percebeu que
meu marido não me trata como eu mereço, então acho que ficou com
pena de mim, e a gente começou a se entender. É uma coisa assim
de amigos. Ele tem muito carinho por mim. Eu sou como uma filha.
Meio velhinha para isso, mas deve ser porque eu tenho uma cabeça
de criança, sempre vou ter. Ele mesmo diz.

— E assim o coronel faz tudo o que você pede...

— Depende. Eu nunca pedi nada que ferisse os princípios dele.

Penso então no homem de Santos. Deviam ser bem sólidos os
princípios do coronel para não terem sido feridos por aquele pedido.

— Então seu marido é do ramo químico?

— Não. Botes infláveis.

— Botes infláveis? Que coisa maluca. Ele fazia isso na Itália?

— Não, nos Estados Unidos.

— Como assim?

— Ele já morou no Brasil. Lá por 1925, mais ou menos. Saiu fugido
daqui.

E assim, o assunto mudou. O "fugido" me ouriçou. Pensei em
conspiração política, disse isso. Ela negou:

– Nada disso. Ele deflorou uma moça, filha de gente bem, do ramo do café, quatrocentóes, sabe como é? Foi jurado de morte, fugiu para a Itália. Não achou emprego na Itália, migrou para os Estados Unidos, lá se casou com a filha do dono de uma fábrica de bolas de basquete e entrou na sociedade do sogro. Quando a guerra começou na Europa, ele chegou para o sogro e disse: "Logo, logo, a América vai entrar também". O sogro não acreditava, ninguém acreditava, mas ele sabia. Tanto falou que o sogro aceitou a ideia de diversificar a linha de produção, porque, se o país entrasse na guerra, quem iria querer bola de basquete? Dito e feito. O velho abriu uma fábrica de botes infláveis e colocou o Paolo para dirigir. A guerra acabou, a coisa ia bem, o sogro quis montar negócio no Brasil, mandou para cá o Paolo, que já falava português, mal, mas falava.

E então Samira desabala a falar. Diz ainda que na juventude ela era *crooner*, cantava na noite. Vida dura, morando com uma prima em quartinho de fundos. Mas era feliz. Até que conheceu Paolo, que se separava da mulher. Não se davam…

Etc.

Levanto, vou até a janela, fico olhando o trânsito lá embaixo, ela fala…

– … ele tinha 51 anos; eu ainda nem tinha 30.

Etc.

– … costumava me mandar poesias escritas.

Etc.

– … mas com uma condição, coisa difícil: parar de cantar.

– Condição para quê?

– Para se casar comigo e aceitar meu filho.

– Então o filho não é dele?

– Não.

– Ah…

Estou debruçado na janela, de cuecas, Samira sentada na cama, de calcinhas, seios nus, falando e fumando.

– E você largou…

– Larguei. Como me arrependo! Até o ciúme já acabou...

Escurece. A voz de Samira se perde dentro do quarto.

Da rua sobe o barulho do trânsito do fim de tarde. O chão lá embaixo brilha por obra de uma chuvinha fina que começa. A temperatura está caindo. Colho a camisa do encosto da cadeira, convencido de que não vou conseguir falar o que quero, que é melhor desistir. Faço sinal, digo que está chovendo, talvez a mudança do tempo desperte algum interesse, mas ela parece que nem ouve. Fuma ainda, talvez outro cigarro. Eu já calço os sapatos, pensando na história daquele italiano sem eira nem beira que vem para o Brasil, deflora uma moça bem-nascida, foge, vai para os Estados Unidos, casa-se com mulher rica, tem uma boa ideia e está de vida feita. De que modo as conjunções se dão para alguns e não para outros? Eu, nascido em país pacífico, filho da terra, daquela mesma em que se plantando dá, não saio do atoleiro, engasgado num marasmo de matar... Tudo isso penso. Minimizo a boa ideia dele, carrego na sorte dele e me sinto um injustiçado.

Pensando em tantas coisas, perco o fio da meada. Então ela se levanta. Está indo para o banheiro, eu a abraço, e ela diz, quase irritada:

– O Paolo me suga, me escorcha...

Faz uma pausa. Depois completa:

– Tem duas filhas. Adora. Mais que a mim.

E se aquieta nos meus braços. Eu digo:

– Acho que vou para o olho da rua.

Só então consigo contar minhas agruras. Ela responde:

– Deixa comigo. Amanhã mesmo eu cuido disso. Não se preocupe.

E enlaça minha cintura. Eu olho a guimba fumegante, deixada no cinzeiro, e só desvio o olhar no átimo do desabraço, quando ela ruma para o banheiro. Olho para o cinzeiro de novo, a fumaça desapareceu. Sumida, naquele parco segundo, me faz duvidar de que a tivesse visto, de que ela tivesse existido, de que a guimba frouxa e fedida fosse o corpo morto daquela alma-fumaça. Duvido então e duvido ainda, anos depois, que tivesse visto Samira escorchada em cima da cama antes daquele dia em que ela proferiu a palavra escorchar. Porque muitas vezes desconfio que o depois é mais determinante do antes que o contrário. Mas, pensando bem, não deveria duvidar, porque o infalível mesmo na minha vida são as coisas que vejo e não existem.

VOLTO PARA A PENSÃO tarde da noite, fico bem uma hora me virando na cama sem conseguir dormir. Luz apagada, o ambiente só é frequentado pelos roncos ritmados do meu companheiro de quarto sobre o fundo sonoro do trânsito lá na avenida. Desaparecido tudo o que em geral serve de apoio ao olhar, as palavras de Samira soam sem respaldo, no vazio... deixa comigo deixa comigo deixa comigo... perdendo força na medida da repetição latejante em minha memória, como perde cor o tecido na lavagem... deixa comigo... ruído turvo no escuro. Nenhuma vontade de mulher poderia ser mais forte que a verdade inconteste de que eu não faço porcaria nenhuma naquela empresa. Estou na rua, preciso começar a procurar emprego amanhã, ou quem sabe hoje mesmo, já deve ter passado da meia-noite. Não posso acender a luz agora, não posso sair pelas ruas perguntando se precisam de garçom, auxiliar de escritório, qualquer coisa. Não seria a primeira vez, não seria uma tragédia, mas eu não tenho vontade, o cheiro do dinheiro me seduziu, um favor me pôs na ponta do dedão do poder, eu quero continuar tentando chegar ao coração. Mas não sei se vou conseguir continuar, não tenho o talento do italiano, o coronel não é besta... o coronel não vai montar uma fábrica de botes infláveis... o coronel já fez muito... fez muito... matou um homem... Então acordo num tropeço, num solavanco, estava quase dormindo, entrando na zona de lucidez escorregadia do sono que começa, e uma

112 Cabo de guerra

chispa de ideia me estimula e me põe sentado na cama, encostado na parede, olhos perdidos na escuridão. Samira pode ser muito mais forte do que imagino. Mas também talvez não. O coronel pode ter só mandado aplicar um corretivo. O sujeito pode de fato ter morrido por exagero dos paus-mandados. Ou por outras mãos. Então não há como avaliar o peso do poder de Samira. E se ela falhasse... se ela falhar... Penso, penso... O trânsito lá embaixo ainda não esmoreceu, não deve ser meia-noite ainda... Se ela falha... Então a noite me entrega um projeto, uma sombra de ação, projeção na parede do escuro. Entro no escritório do coronel e, sentado diante da mesa dele, digo: o senhor mandou matar um sujeito lá em Santos porque ele atropelou o filho de sua amiga Samira. Ou me mantém no emprego, ou vou denunciá-lo. Manter um empreguinho com um trunfo desses? Não, com um trunfo desses eu posso muito mais, eu deito e rolo, eu posso ter mais, eu posso ter sono, eu digo: ou o senhor me arranja uma colocação numa autarquia ou... O coronel me olha indignado, pega o telefone, chama o presidente e diz: ligue para dona Barrica, não, para o ministro...

Não sei em que ponto da trama pego no sono.

Na manhã seguinte, enquanto o ônibus trafega pela avenida Brasil, a luz cintilante do sol devolve as verdadeiras cores ao meu plano imbecil.

Ou – vai saber! – o coronel pode ceder só por temer uma eventual chantagem e, mesmo sabendo que é capaz de me esmagar como a uma barata, talvez não queira sair respingado.

Tudo isso pensava, sem nada concluir.

UNS DIAS DEPOIS, é manhã, dona Barrica é chamada à sala do coronel. Já sei do que se trata, ela não. Uns quinze minutos depois, conforme previsto, ele me chama. Entro e me sento numa das cadeiras que rodeiam uma mesa usada por ele para pequenas reuniões, onde já estão os dois. Fico em silêncio, ouvindo o coronel dizer a ela o que já me disse. Barrica, sentada à minha frente, ouve de olhos baixos o novo esquema de trabalho, que agora vai sendo detalhado em minha presença, como se a ela tivesse sido dada a primazia da informação. Diz ele que ela anda muito ocupada, eu poderia assumir alguns dos seus afazeres. Estão programados vários encontros com um pessoal de uma indústria farmacêutica da Argentina para os acertos preliminares de uma parceria que vai atuar em grande parte da América Latina. Eu participarei das reuniões. Passarei a ser assessor para aqueles assuntos específicos.

Aquele tinha sido o milagre arrancado por Samira. Ou nem tanto. Naquele tempo passado na empresa eu tinha percebido que a organização era meio frouxa. Acima de todas as coisas pairava o coronel, sujeito centralizador e autoritário. Na fábrica, algumas dezenas de operários trabalhavam sob o comando de uma química competente que garantia a produção dentro dos padrões exigidos. Diretamente sob as decisões do coronel estava um pé de boi, dona Barrica. Sobre ela pesavam incumbências descabidas. Isso porque uma volta pelos escritórios logo mostraria que aquilo era um ninho de burocratas preguiçosos. Nele reinava o favoritismo. Parentes, amigos e encostados conviviam na santa paz. Sobre a mesa de dona Barrica frequentemente se amontoavam notas fiscais à espera de alguma espécie de organização, coisa que nunca entendi por que não era feita na contabilidade. Em suma, eu não era um elemento estranho naquele ambiente. Além disso, era perceptível que o coronel tinha passado a simpatizar comigo desde uma conversa sobre minha ascendência.

Um dia, sabendo que eu descendia de espanhóis e cismado com o fato de eu ter nascido no Recôncavo, o coronel me perguntou se eu provinha de algum daqueles guerreiros que tinham ajudado Portugal a afugentar os holandeses ou se dos imigrantes chegados no século dezenove. Respondi que sentia muito, mas descendia de um destes últimos e contei, no tempo que me foi dado, um resumo da saga da família, dona de engenho desde o início do século dezoito, e do ingresso no clã, já no fim do dezenove, de um espanhol recém-imigrado, como marido de alguém que veio a ser minha bisavó e da qual eu sabia migalhas. Disse pouco e omiti muito. Omitir não é muito exato. Talvez não tenha conseguido falar bastante. Que o bisavô espanhol, apesar de industrioso, não conseguiu salvar o engenho, isso de fato omiti. Deixei de falar muitas outras coisas porque o coronel, ouvindo a palavra engenho, já logo desembestou no relato da versão pernambucana da coisa. E se estendeu como o diabo. Cheguei a comentar que minha família era abastada até, justamente, aquela fase de declínio conhecida por Pernambuco também, produção de açúcar nas Antilhas, incapacidade de entrar na era do vapor etc. e tal. Mostrei conhecimento da coisa. Mas ele não se interessava pelas análises econômicas, queria o pitoresco. Consegui dizer que, para seus casamentos, meus ancestrais mandavam buscar mulheres brancas em outros lugares, antes e depois do fim da escravidão. Por isso o escândalo da decisão de meu avô: largar a batina por amor a uma mulata. Esse trecho da história, mais saboroso, fez os olhos do coronel brilharem. Mas escondi que a mulher por quem meu avô dera as costas ao Vaticano era filha de tabaqueiro. Pelo resto da história o coronel não se interessou, preocupado que estava em afiançar que a cabeça chata dos nordestinos tem origem nos holandeses, prova era a família dele, etc. etc., e exibia-se de perfil, perguntando se não era visível pelo formato do crânio a sua ascendência... Faltou--me então oportunidade para desenvolver minha habitual versão do deserdamento de vovô.

Por aí parei.

Naquela tarde o coronel me ofereceu carona até a praça da Bandeira. Estou, portanto, sentado no escritório do coronel. Ele passa as coordenadas. Barrica está de olhos baixos.

Na verdade mesmo, minha única função vai ser anotar as decisões tomadas, para a posterior redação da ata... por quem? Por ela, que sabe fazer aquilo segundo as fórmulas de praxe. Tudo pró-forma, enfatiza o coronel. As decisões me serão ditadas por ele nas reuniões, à medida que lhe pareça necessário. Para terminar, o coronel pergunta à secretária se tem alguma sugestão a mais. Barrica só pode se enfurecer com a asneira de um esquema desse tipo – penso. Mas não. Em vez disso, contesta detalhes com calma. Responde com a voz áspera que Deus lhe deu que, para secretariar, ou melhor, assessorar aquelas reuniões, vai ser preciso saber espanhol ou inglês. Que espanhol ela não sabe, mas inglês, sim, e eu não sei nenhum dos dois. O coronel diz que tenho espanhol fluente, venho de família espanhola. Não é verdade? – a pergunta é dirigida a mim. Faço que sim. Melhor teria sido omitir o fluente. Ele continua:

– O mais importante é escrever depressa, coisa que ele também sabe fazer, como já demonstrou, certo?

Concordo.

Barrica pede licença e sai enfiando os tacões no carpete, que não ressoam então como ressoa hoje em dia o assoalho sob os de Mariquinha. Só agora me ocorre a semelhança entre as duas. Mas isso não importa.

A proposta é um verdadeiro desacato à moça. Sou escolhido para entrar numa sala e cumprir um papel que cabe a ela, para escrevinhar os garranchos que ela fica incumbida de decifrar, coisa a que se poderia dar o nome de divisão irracional do trabalho. Vá lá que anda ocupada, mas o coronel me dá o filé e lhe atira os ossos. O salário foi aumentado, e um mês depois (coisa que não podia adivinhar então), indo-se o genro para Brasília na cauda da esposa promovida numa estatal bem pagante, acabaria eu novamente responsável pelo controle das contas do haras, que passaria a ser dirigido no local por um administrador competente.

Dois meses depois desse dia, confiante na vida, alugo um apartamento na rua Jandaia, em pequeno prédio defronte a um casario que depois foi demolido para dar lugar a um buraco, segundo palavras do Parreira, quando aqui esteve uns dias antes de morrer. Da janela da sala, que era no primeiro andar, eu via o quarto de dormir de uma jovem beldade que não me notava, mas que nem por isso deixava de contribuir para minha maior felicidade. Aliás, só uma vez brindou minha janela com um olhar, quando de propósito ali ostentei Jandira — já reconciliados nós dois —, na certeza de assim me valorizar e deixar a beldade, se não com água na boca (não era tão pretensioso), pelo menos intrigada. Curiosidade que durou segundos, para nunca mais se repetir.

Mas não importava, minha vida ia bem, um bom homeopata tinha me livrado das enxaquecas que vinham me perturbando nos últimos tempos, eu andava revigorado e remoçado... Logo depois dei com os burros n'água, mas essa é outra história. Não deixava de ser verdade que sabia espanhol.

MEU AVÔ, deixando de ser padre, foi deserdado de tudo, menos do idioma. Este lhe tinha sido transmitido com os genes do pai, casado com a herdeira do engenho de açúcar quase falido. A língua herdada meu avô nunca desistiu de repassar ao filho e aos netos como quem transmite uma propriedade. Papai agarrou essa herança como quem apanha uma fruta do pé e depois deixa apodrecer em cima da mesa. Mariquinha a aparou com a palma da mão aberta, recebendo o maná dos céus, para depois lamber. Eu, pondo as mãos moles em concha, deixando o essencial escapulir entre os dedos. Os inícios de noite passados junto à mesa tosca do quarto de viúvo de meu avô, à beira da janela entreaberta, com a brisa mal afagando um calor da peste, peso do jantar no estômago, lampião aceso do lado esquerdo de Mariquinha, sentada à minha esquerda, nós dois lado a lado (tudo arranjado para a sombra da mão não atrapalhar a escrita), luz titubeante, chiado hipnótico, cheiro de querosene, aquilo era um sonífero, minha mente pesava, a cabeça pendia, sumiam do lampião a luz e o ruído, só ficava o sem-sentido da fala de nosso avô, que sempre dava um desconto, eu era menino, tinha brincado o dia todo.

— *Cuando una palabra termina con I, U o cualquier consonante, cuidado, niña, el plural...*

Mariquinha prosseguia acordada, atenta, e depois ajudava a me carregar para a cama.

NA ÉPOCA em que o coronel me içou à categoria de secretário de reuniões, lamentei aquelas lições naufragadas na massa ilógica do meu sono. As aproveitadas não me serviam para a fala ativa, só para o entendimento passivo, e olhe lá.

Assim se passaram uns três meses. Eu "assessorava" reuniões e cuidava do haras, que o genro providencialmente trocara pelo bom clima do Planalto.

A terceira reunião com os argentinos mudou muita coisa.

De início, o assunto foi a versão quase final da minuta do contrato de representação: emperrou-se numa discussão interminável sobre a diferença entre certo percentual avençado e outro registrado, algo que me parecia uma ninharia, mas eles deviam lá ter suas razões, porque certos decimais transformados em pesos, cruzeiros ou dólares podem representar o valor de uma casa, de um apartamento, de coisas assim concretas que os menos aquinhoados usam como padrão quando tentam aquilatar o custo de transações de que eles só têm vaga noção. Enfim, precisei segurar os bocejos até que chegassem a uma conclusão e o coronel ensaiasse ditar uma ata da discussão, o que me fez empunhar o lápis com mais ardor.

Em geral, eu participava daquelas reuniões como quem assiste a uma encenação surrealista. Imaginava muitas vezes o que os meus companheiros de futura e eventual luta armada achariam daquilo.

Naquela época minha vida já era dupla. Esse tipo de posição ambígua pode ser tirado de letra por personalidades aventureiras, mas a minha sensação era de contrariedade, não por ter muitas convicções, e sim pelo contrário. Eu não pertencia de verdade a nenhum daqueles mundos e me entediava nos dois com a mesma paixão.

No restante da reunião, passou-se a vários assuntos de interesse burocrático. A certa altura começaram a discutir a regulamentação do uso de aditivos em alimentos e a uniformização nos países de atuação. Formalidade burocrática, eu bem me lembro, foi expressão usada pelo coronel para qualificar certo formulário que devia ser preenchido, o que, por uma espécie de reflexo condicionado, me fez desqualificar a reunião como um todo, achando que ali só se girava em torno do pouco importante, ao contrário das outras duas, em que haviam sido discutidas coisas mais substanciais. Talvez eu não estivesse muito disposto naquele dia, a conversa me pareceu uma tremenda encheção de linguiça, com uma série de itens relativos à papelada que deveria ser providenciada junto ao Ministério da Saúde. Estava enganado. Tudo era importante, mas, talvez por isso mesmo, desliguei. A certa altura um dos argentinos começou a enumerar uma lista de aditivos que, a um sinal do coronel, eu passei a transcrever. O argentino, para dizer que aqueles produtos eram contraindicados pela FDA, pronunciou as palavras *están proscritos* com perfeita articulação, como tudo o que dizia, mas eu as traduzi como um autômato por "estão prescritos".

Até tenho uma desculpa para essa troca, pois na semana anterior, numa reunião política (o meu outro mundo), havia sido discutida a situação de um dos participantes, e eu tinha ouvido diversas vezes a palavra prescrito: dizia-se que poderia ser prescrito por decurso de prazo um processo que corria na Justiça Militar... etc. Ora, eu não sabia o que significava prescrito em linguagem jurídica, aquilo tinha ficado martelando na minha cabeça, e poucas vezes na vida tinha ouvido a palavra proscrito, se é que tinha. É isso, eu era muito novo, tinha certa leitura, alguma cultura, mas sem lastro. Ou talvez fosse o sono, nada mais. Enfim, troquei proscrito por prescrito. Sem justificativas!

Dona Barrica, sempre silenciosa e ranzinza, mas competente, faz a ata, tira as devidas cópias, guarda (segundo afirmará depois com razão) o manuscrito, arquiva uma via, envelopa as outras e as manda aos argentinos. Alguns dias depois é chamada à sala do chefe, a porta fica entreaberta, ouço tudo o que a voz alterada do coronel diz. Os argentinos reclamam. Primeiro desconfiaram do *prescrito*, um tradutor foi chamado, confirmou as desconfianças, mas já o documento tinha rodado meia Buenos Aires, andado pelas mãos dos químicos, que não sabiam se riam ou lamentavam, ou melhor, riam: os produtos proscritos estavam sendo prescritos, o que servia de matéria-prima para mil piadinhas, novas e velhas, criadas e remodeladas, inspiradas todas em antigas rivalidades, que giravam em torno de coisas como nível de inteligência, intenção de sabotagem e futebol.

– Isso é, sim, incompetência nossa, eu me lembro muito bem, o homem disse pros-cri-to, aqui na minha frente, os argentinos estão perguntando se queremos matar os consumidores e desmoralizar a empresa.

– É exagero deles – argumentou Barrica.

– Tá, tá, tá, pode ser exagero... Exagero uma ova. Cadê o manuscrito?

Começo a ficar preocupado. Barrica volta à mesa, mas não espero, saio da sala, vou ao banheiro pensar no que fazer. Fico uns dez minutos, não posso passar lá a eternidade. Tomo então uma decisão heroica: confessar o engano, pedir desculpas, dizer que foi a pressa. Ainda há a possibilidade de ter escrito algum garrancho pouco discernível, um *o* mal fechado na afobação, que possa ser tomado por um *e*, ou vice--versa, embora minha caligrafia não se preste a esse engano; quero dizer, meus *oo* não têm gancho.

Volto à sala: Barrica, curvada, cara afogueada, cabelo liso, cinzento, escapado de fivela marrom no cocuruto, ainda revira gavetas. Não me vê ou faz que não vê. Tudo indica que não encontrou o manuscrito. Enquanto agradeço ao meu santo, como diria Jandira, ela volta à sala do coronel, fecha a porta, para logo depois abrir. Sou chamado. O papel datilografado está sobre a mesa, as letras todas olhando para mim, a ponta do indicador direito do coronel apontando uma palavra, a palavra. Manda ler. Eu digo:

— Prescrito.

— Foi isso o que o senhor ouviu do argentino?

Pego a folha, faço que atento para o conteúdo e afirmo com convicção e uma ponta de indignação que ali deveria estar a palavra proscrito, eu tinha ouvido muito bem o argentino dizer proscrito, aqueles são produtos contraindicados, eu sei perfeitamente, jamais poderia ter ouvido prescrito, tenho certeza de que o meu manuscrito dirimiria quaisquer dúvidas.

O coronel olha fixo para Barrica. Sei que ele já anda meio aperreado com o mau humor da secretária; o olhar é tão expressivo que a reação dela vem, imediata, com um azedume proporcional. Barrica chora e se revolta. A cena é deprimente. Mas ela não olha para mim um só segundo. Diz, ali ao meu lado, que está sendo injustiçada por causa de um vagabundo protegido de madame, que o chefe é um ingrato e coisas do gênero. Até que o coronel se enfeza e solta um

— Cale a boca!

Mas ela não cala. Em vez disso pede demissão.

Ele dá.

Uns dias depois, chega-se a um acordo: ela será demitida para poder retirar o fundo de garantia. A telefonista é promovida, ficará sob minha responsabilidade, eu continuo participando das reuniões. Antes que a nova secretária assuma, em manhã sossegada, sem a presença do coronel, faço uma devassa na mesa e nos arquivos. Encontro o manuscrito, enfiado por engano numa pasta suspensa onde nunca deveria estar. Depois de rápida olhada à palavra *prescritos*, grafada com um *e* incontestável de caderno de caligrafia, vou ao banheiro, pico a folha e a mando descarga abaixo.

A nova secretária datilografava bem, era cordata e ia com a minha cara. Mas era noiva e tinha dentes grandes.

SE A HISTÓRIA FOSSE OUTRA, eu teria pedido Jandira em casamento, ela teria aceitado, teríamos morado mais uns anos no apartamento da rua Jandaia, depois nos mudaríamos para outro maior, porque teríamos já dois filhos e viveríamos felizes, mesmo trabalhando em período integral e fazendo horas extras para pagar plano de saúde, colégio das crianças, imposto predial e de renda, além de diarista uma vez por semana; aos sábados faríamos compras num grande supermercado e aos domingos oferecíamos churrasco aos amigos na área social do novo prédio, que também teria piscina, isso quando não fôssemos comer na praça de alimentação do shopping recém-inaugurado.

Mas não foi essa a história.

A história é outra, a que mora aqui, sempre desfeita e refeita, neste oceano em que me vejo como barco sugado vezes sem conta pelo mesmo remoinho, como um daqueles *gifs* animados com que Mariquinha se diverte no novo computador, coisa enjoada que se repete indefinidamente, que ela vem me mostrar com brilho nos olhos. Só que eu não tenho condições de apertar o botão ou o gatilho que deleta. Para quem sempre se divide não há ponto final.

FREQUENTAVA OUTRAS REUNIÕES além das do coronel. Não muitas. Os atos de apoio que me incumbiam eram simples, como aquele da entrega da pasta, que me marcou tanto, talvez por ter sido o primeiro. De resto, eram recados em pontos ou panfletagens à noite por bairros adormecidos. Daquela tarefa da igreja lembro sempre com vago malquerer, certa vergonha desenxabida. Entrar numa igreja em plena missa era reentrar no útero católico que me encapsulava mansamente na infância. Entrar feito fingido fiel, cometendo um ato ilegal, era uma traição. Pode ser razão suficiente para ter marcado: sentimento de culpa, fácil explicar. Fico nisso, não aprofundo. Porque não saberia justificar o tremor que ainda sou capaz de sentir quando lembro o canto que aquelas mulheres soltavam da garganta como quem solta pombos de gaiolas, voo canoro, forma de se dependurar do céu pela voz. Aquele adejo para o altíssimo teve em mim o peso do chumbo. Calou.

Pode até ser certo sentimento de culpa. Mas um sentimento difuso, externo a mim, sombra que vela meu sono. Lembrança do medo que senti também pesa. De qualquer modo, nada que eu possa entender facilmente. Talvez seja uma coisa que eu só conseguiria compartilhar com minha irmã, se isso fosse possível.

Não faça nada que possa lhe dar arrependimento um dia, dizia meu pai. Culpa e medo. Passo boa parte do tempo em torno das coisas que se desfiam nessas palavras. Não poucas. Um novelo de atos. Eu, metódico por natureza, não posso permitir que ele se emaranhe. Na infância, guardava os lápis de cor enfileirados, do mais escuro ao mais claro, do mais vivo ao mais suave. Desarranjo, só no uso. Na caixa, ordenados em tons e meios-tons. Este é o momento da caixa.

Naquele ano de 1969 eu tinha perdido o respaldo do Rodolfo. No ano anterior, quando se falava de táticas de combate à ditadura, eu lia cartilhas marxista-leninistas, assistia a discussões sobre guerrilha urbana e rural, teoria do foco, ouvia falar mal de Stalin, bem de Lenin. Exaltava-se Guevara, execravam Mao uns, outros o glorificavam, e Rodolfo ao meu lado era o ponto de referência. Quando eu não entendia, buscava seus conselhos; quando desconfiava, seu olhar. Isso enquanto se chamava Rodolfo, porque um ano depois trocou o verdadeiro nome pelo de guerra e os lugares conhecidos pelos ignorados. Tinha desaparecido do meu horizonte, assumindo deveres mais altos, eu não tinha dúvidas. Era militante de vanguarda, sujeito aguerrido, dos que conheciam armas e várias outras coisas práticas nas quais nunca fui uma sumidade, como dirigir automóvel, por exemplo. Minha utilidade, segundo informaram, estava em ser desconhecido para a repressão: pinta de trabalhador burocrático, integrado no sistema, pequeno--burguês acomodado. Certo ar de idiota também, como disse um dia com franqueza uma sujeitinha que me desmerecia constantemente. Enfim, eu não despertava suspeitas, podia circular por onde os outros se camuflavam. Talvez pareça pouco, mas me garantiam que era gente como eu que assegurava a sobrevivência dos mais comprometidos. Meu apartamento estava à disposição dos que precisavam de acomodações por uma noite ou duas, conforme ditassem as necessidades da vida vagante dos clandestinos. Um dia alguém me disse que seria interessante eu saber dirigir, então me matriculei numa autoescola. Comuniquei a matrícula ao pessoal mais próximo, com o orgulho de quem se mostra responsável. Não disse que sonhava comprar um fusca. Azul, de preferência.

O Rodolfo de 1968 me fazia falta, sim. Não pelas ideias que emitia, mas pela firmeza com que parecia se apoiar nelas. Em 1969 eu tinha medo. E, por trás do medo, tédio. Estava num círculo vicioso: para escapar do tédio de me sentir medíocre, cometia ações perigosas, que criavam o medo. Viver sem medo, só se fosse nas águas mornas do tédio. Inacreditável: eu não via saída. Medo é sentimento obsceno. Eu não devia sentir medo. Se nem as mulheres sentiam... ou não pareciam sentir. Muitas vezes me perguntei quantos dos meus companheiros, como eu, não deixavam transparecer o medo que sentiam. Às vezes sonhava que estava solto no ar, sustentado num corrimão. Acordava, e o medo real, o do dia inteiro, era a apreensão diluída do acontecimento possível, sensação física até, mas sem foco preciso. Achava que, por perto, Rodolfo me tranquilizaria.

Na rua Jandaia, portanto, eu acoitava quem precisasse. Transformava a moradia em aparelho, tentava conciliar as visitas de Jandira com a presença de companheiros, executando acrobacias malparadas, tomando precauções medíocres que me pareciam suficientes. Não andava sem olhar para trás, não carregava agenda, não sabia o nome de ninguém. Mas temia ser agarrado a qualquer momento. Fazia tudo sem foco, fazendo. E, fazendo para não duvidar, duvidava. Dúvida é um pensamento solto que pousa de galho em galho, pensamento promíscuo. Dúvida é perdição infernal. Dúvida é culpa. Dúvida lícita, só a dúvida de si mesmo, da própria fé, nunca da causa. Não externava a dúvida. Não expressava a culpa. Não revelava o medo. Aprendi a fazer autocríticas. Destas, ouvi algumas pungentes, sempre *mea-culpa* seguidas da conjectura sobre os motivos das falhas, da busca das razões mais prováveis, jeito de sempre retornar à ação malograda exatamente do ponto onde ela deveria ter sido evitada para não se repetir.

Rodolfo em 1968. Se bem que até certa manhã fria de 1968, eu duvidava das ideias dele, e não dele.

Estamos num ponto de ônibus, Rodolfo e eu, chega um sujeito que conheço de vista, óculos de fundo de garrafa, cabelo encaracolado, uma nunca trocada japona preta, barba rala por fazer sempre e sempre do mesmo tamanho, dentes curtidos de nicotina. Chega e começa a falar. Cada dente e cada pelo são revelados pela claridade implacável que o sol puro manda. Só não os olhos, que se fecham na fuga à luz, como capotas sanfonadas. Parece mais velho que nós, daqueles estudantes para sempre, que a gente não sabe do que vivem, se vivem. Figura centrífuga, energias postas todas no esforço de não cair da órbita. O centro de gravidade ele elege sempre não sei com que critérios. Ali, é Rodolfo. Sobraça livros, também sempre. Não sei quais. Há, percebo, uma conversa iniciada antes, que o sujeito teima em continuar, mas não Rodolfo, que foge.

– Você não me respondeu.

– Não tenho nada para responder.

– Eu perguntei: o que te leva a achar que não deve me responder? Você não respondeu. Eu me sinto duplamente ignorado.

– Sinta-se.

Rodolfo olha para o lado oposto. A voz do sujeito retumba "hem?, hem?" (vozeirão dentro do peito, debaixo da japona). Rodolfo faz um gesto de desprezo, puxa o gorro para a testa, quase cobre os olhos:

– Não enche. Essa conversa já deu o que tinha que dar.

– Eu não quero brigar com você. Não quero brigar com vocês. (Estou incluído?) Falo como amigo sincero – escande as palavras. – Você se ofendeu quando eu disse que não há convicção, há crença.

– Essa tese é batida, é fácil, é corriqueira, é superficial!

Rodolfo fala alto, tentando encobrir a voz do fulano, que continua falando:

– ... da formação judaico-cristã...

– É você que está imbuído dela. Você... – rebate Rodolfo

– ... ninguém sai ileso.

– ... que só consegue pensar religiosamente... ex-seminarista...

– ... em cima da Bíblia, vocês põem o *Manifesto*, como um palimpsesto...

– ... não enche...

– ... por baixo de "trabalhadores, uni-vos" dá pra ler "dai a César o que é de César"...

– ... nunca fui cristão!...

– ... a contradição em pessoa... pensa que não...

– ... cara, não apela, você enche o saco...

– ... é verniz, vocês exigem fé cega e cultuam a culpa...

– ...

– ... culpa, culpa, culpa pelo paraíso perdido, pelo pecado original, pelo sacrifício de Cristo, pelo fato de serem burgueses, por não serem aceitos pelos proletas, por ter gente que não tem o privilégio de estudar nessa porra de universidade...

– ... Marx...

– ... autor de uma utopia romântica judaico-cristã... teologia pura, metafísica...

– ... me deixe acabar de falar!

– Não dá, o ônibus vem chegando.

O ônibus para, forma-se uma pequena fila, ele continua falando.

– ... cristãos inconfessos, vão ter de encarar os sem-culpa, os que sabem usar o cacetete, o pau de arara, os que não têm medo da crueldade... não existe vitória sem crueldade... vocês têm medo da vitória... por isso já estão derrotados... (fala ainda, subindo no ônibus.) ... derrotados antes de entrar na guerra (grita da escada, enquanto o ônibus parte).

Pegamos o seguinte. Rodolfo viaja emburrado. A certa altura diz:

– Esse cara é um louco. Pior: infiltrado.

Dei risada. Uns dias depois vejo aquele sujeito dizendo as mesmas frases a outro grupo mais atento. Só não diz culpa, culpa, culpa com aquele U gordo de bumbo. Esse ele tinha reservado para nós.

Não foram as palavras dele que me abalaram, mas a falta de respostas do Rodolfo. A minha escora cambaleava? Ou era a premência da chegada do ônibus? Rodolfo tinha fugido para o ponto, isso é verdade, o cara tinha ido atrás. Ou seria mesmo alguém que não merecia respostas? Certas pessoas não merecem os segundos perdidos num sim, num não, já dizia meu avô. Mas pelo menos na época eu não sabia distinguir quem merecia, quem não. Rodolfo deveria ter calado a boca do outro, na minha opinião de então. Teria desistido? Achado que era vela demais para defunto ruim? Ou tinha simplesmente sido derrotado por um vozeirão? Qual a importância do tamanho da caixa torácica para o sucesso da persuasão? Rodolfo não tinha extensão, impostação, volume. Ao outro faltava muita coisa, mas não faltava voz. E quem não tem voz precisa ter algum outro dote. Um poder divino, por exemplo. Era o que eu esperava. Esperava, talvez, a famosa pérola do dragão na garganta dele, como na do imperador chinês. Nesse dia devo ter descoberto que a tal pérola não existia, pelo menos não na garganta dele.

O vozeirão do outro continuou soando nos meus ouvidos durante todo o trajeto: não existe vitória sem crueldade, cacetete, pau de arara... os que não têm medo... derrotados antes de entrar.

Quando percebi que achava Rodolfo insuficiente, me senti culpado. Quando percebi que tinha medo, também. Depois apaguei a voz incômoda, continuei orbitando o Rodolfo. Em 1969, quando a ação começava a exigir a coragem dos inteiriços, aquela voz acordou. Na memória de Rodolfo não sei se ficou. Acho que não. Em mim se fincou. O solo era fértil, como as sementes da parábola... Estou sempre lá, meu Deus!

Com a morte de Marighella, meu medo saiu do território dos sentimentos negados e se mostrou com a cara da alucinação. Naquela noite pensei seriamente em cair fora de tudo e me tornar um sujeito normal. Pensei em casar. É mesmo idiota, mas eu achava que, constituindo lar, o mundo me pouparia.

SUBO A AVENIDA Liberdade em busca da casa de Jandira. O coração queima de pressa e ansiedade. Paro. Entro num bar e peço um guaraná. Por que mesmo vou pedi-la em casamento? Chego à casa de Jandira, não toco a campainha, paro para pensar. Fico lá matutando. Preciso ser um homem casado, tenho algo no bolso e na mão, tenho de provar meu poder a uma camareira-chefe. Resolvo voltar.

Mas o tempo do matutar me rouba a oportunidade de fugir. Jandira me vê da janela, abre a porta. Subo as escadas, ela me abraça, a gente vai para a cama, tudo corre bem. Está também previsto um jantar fora, convite meu, depois um cinema. Vamos, a comida é boa. À mesa, faço o pedido. Cenário propício, como nos filmes. O preâmbulo é longo, falo da nossa situação econômica mais estável, do tempo longo do nosso relacionamento, dos meus sentimentos por ela, calo a minha necessidade de colo, de mulher que me espere com jantar na mesa e me proteja do bicho-papão. Ela ouve e não ergue os olhos. O tempo todo de olhos baixos. Por que Jandira não ergue os olhos? Enquanto falo, o olhar de Jandira pode até ser dispensável. Mas, terminando, preciso dos olhos de Jandira. Emocionada? Tanto assim? Espero um, dois, três, quatro... vinte segundos? Não sei. Então ela olha. Olha e diz na lata:

— Não quero.

— Por quê?

— Não sei, não quero.

— Comigo?

— Nem com você nem com ninguém.

Como posso voltar a encarar essa mulher? É só o que penso na hora, roxo de humilhação e dor. Na cabeça, um disco emperra:

... ela pensa em casamento...

... uma canção me consola...

POUCO TEMPO ANTES de morrer, o Parreira esteve aqui. Puxou mais para cá a cadeira das visitas e se sentou no meio do quarto, de costas para a janela. Assim ficou, espécie de estátua carunchada que o sol da tarde revelaria em suas piores luzes, caso não estivesse atrás dele.

Fica aí o Parreira, olhando o vazio com a fisionomia dependurada e azeda que o desgaste põe na cara de todo velho. A expressão finória dos olhos azuis pequenos de quando o conheci está transmudada na fixidez do olhar que não reflete o mundo. E já não são tão pequenos os olhos: estão cada vez mais arregalados por desobra da pálpebra inferior fraca que, descaída, deixa ao desamparo uma tira de conjuntiva avermelhada. Na falta de esquadrinhar horizontes é que seus olhos ficaram assim, tombados, puxados para o chão. Poucos metros quadrados sempre teve o mundo do Parreira.

Mariquinha entra, ele se vira para a porta, imagino um ensaio de bruxuleio nesses mesmos olhos, por debaixo das pálpebras semicerradas pela força da luz desalmada. É que eles costumam ganhar um pouco mais de vida sempre que olham para ela. Pobre Parreira. Perto dos setenta anos, cobiçar Santa Mariquinha é coisa de destrambelhado ou herói. Quem sabe, solitário como é, inveja os cuidados que ela me dispensa.

Ela vem com uma xícara de café na bandeja, ao lado de um prato de rosquinhas da padaria. Enquanto serve, pergunta:

– Seu filho está bem?

132 Cabo de guerra

— Não. Nada bem.

Parreira diz isso pegando uma rosquinha com o mindinho levantado.

— Não quis ouvir o padre que eu mandei lá, não é?

— Não quer. Nem o Padre Eterno ele ouve. (E levanta os olhos para o céu.) Outro dia encontrei ele no vão da porta da estação, aquela branca, não a da Luz...

— Júlio Prestes.

— Isso, isso. Estava lá sentado, encolhido. Sentei do lado, ele ficou olhando pra mim como se eu fosse estranho. Acho que não me reconheceu. Eu falei: sou seu pai. Nem se mexeu. Olhava, mas não me via. Comecei a sacudir o ombro dele e a gritar sai dessa noia, sai dessa noia! Bobagem.

Parreira de perfil, vejo migalhas de rosquinhas saltando de sua boca enquanto ele diz sai dessa noia. É o único sinal de emoção que consigo captar.

Depois comenta que por aqueles quarteirões, onde ele tanto trabalhou, o filho mais novo agora perambula como zumbi.

— Aquilo tudo é sombra do que foi, Mariquinha. Sombra do que foi... (Medita um pouco enquanto mastiga.) Me diz uma coisa: por que, hem?

— É que o dinheiro saiu de lá, Parreira. De onde o dinheiro sai não fica nada, porque neste mundo só o dinheiro manda, só ele vale, nada mais...

Mariquinha faz uma pausa, Parreira sussurra:

— O mundo anda tão sem graça, tão sem graça. Eles estão fugindo.

Mariquinha não ouve. Os dois monologam. Parreira completa:

— Aquilo não é mais nada, né? Prédio grande, vazio, tudo abandonado ou ocupado, aquela gente toda andando pra lá e pra cá, criança, mulher, homem, velho, aquilo tudo é nada onde era tanta coisa, não é? Porque o dinheiro foi embora de lá, não é? E tudo ficou sem graça.

Meu amigo procura articular uma lógica, Mariquinha não socorre. Talvez também não consiga. A coisa está acima dos seus poderes.

Ficam em silêncio uns minutos, Mariquinha serve outro café. A voz dele retoma:

– Culpa do crack, culpa do crack.

Então parece que sossega. Depois fala também do mais velho, do seu fracasso como vendedor de automóveis, despedido de uma revendedora, história que a gente já conhece. Mas repete:

– A gota d'água foi avaliar alto o carro usado com ronco no câmbio. Ele não percebeu! Não escutar ronco de câmbio, filho de quem é! Eu percebia qualquer barulhinho em válvula, biela, rolamento, escapamento, bomba de água, qualquer coisa...

Mariquinha assente com a cabeça e levanta as sobrancelhas, imaginativa, admirativa. Parreira se cala, e calado se vira para trás, para a janela, comenta a quentura do sol àquela hora dentro do quarto e, sem assunto, fala do tempo:

– O tempo anda bonito...

Então Mariquinha muda de expressão e diz:

– Lindo!

E começa a contar que, por volta das cinco, cinco e meia, o Sol se enquadra não sei como atrás de dois prédios enormes, lá adiante, lá atrás (está vendo?), prédios que de repente parecem duas caixas de fósforo, dois cubos miúdos perto da imensidão da bola vermelha. E arremata com veneração:

– O sol é tão... tão... bonito!

Parreira, quando fala do tempo, só fala do tempo, mas Mariquinha, não. Mariquinha, mesmo falando do tempo com Parreira, não fala do tempo. Engano de quem interprete Mariquinha falando de algo que não seja Deus.

SAMIRA.

Certa tarde ligou, dizendo que me esperava no centro da cidade, queria conversar. Marcamos num bar, começo de noite. Surpresa foi o aspecto dela, apesar da perturbação da voz que eu já tinha percebido ao telefone. Samira tremia, ou quase, sentada na última mesa de um canto, encolhida, como se nem esperasse ninguém. Cheguei, continuou do mesmo jeito. Sentei, o único movimento dela era o de levar o cigarro aos lábios vibráteis de sempre, de onde não parecia haver jeito de sair palavra. Pergunto o que está acontecendo, ela desata no choro e chorando diz: saudade.

Rodeados os dois pelo barulho do bar, fico assistindo ao pranto silencioso de Samira como quem vê filme mudo, ela com a testa apoiada nas mãos em concha, escondendo os olhos, eu enxergando só as crispaduras da boca, enquanto os pingos de lágrimas se atiram das faces à toalha azul; o cigarro fica esquecido no cinzeiro, por insuficiência de fôlego.

– Do filho? – pergunto.

A cabeça se move num sim.

Fico um minuto sem saber o que dizer, me perguntando por que só agora cai o choro que não tinha caído antes e me respondendo que as mulheres são umas esfinges. Como não fui treinado para essas situações e não carrego no bolso nenhum lenço que possa ajudar no alívio das secreções, estendo o braço direito com a palma da mão virada para cima, esperando que sobre ela Samira pouse a sua. Não sei se não vê ou não entende a simbólica do gesto, porque fica como está. Chora mais um tempo.

Eu morro de fome, quero pedir uma porção de fritas, mas, desconfiado de que a atitude é grosseira e a iguaria, vulgar, fico ali, olhando para os lados (quem sabe um garçom me socorre), esperando o choro acabar, torcendo para que ela também tenha fome, apesar da tristeza ou por causa dela. Não tem: passado o primeiro surto de lágrimas, diz de chofre que quer ir para o apartamento da Major Sertório. O contraste entre todo aquele desalento e um convite para uma transa me espanta e dá coragem para dizer que preciso antes comer alguma coisa, enquanto pelas coxias do meu pensamento continuam as reflexões sobre a insondabilidade da alma feminina. Com os olhos verde-úmidos, escancarados sobre mim, ela balbucia:

– Tudo bem.

Pergunto se vai querer alguma coisa. Faz que não. Peço o cardápio ao garçom, escolho uma porção de provolone, umas fatias de pão e um chope, embora tenha vontade de fritas ou calabresa, decerto mais demoradas do que convém ao meu esfarrapado cavalheirismo.

Comer sem companhia já é um ato desqualificado. Pior é comer com os dois olhos daquela mulher cravados em mim, medindo a minha voracidade com o metro da impaciência. Talvez por isso logo me senti saciado, até porque não há quem consiga engolir um prato inteiro de provolone com apetite incólume.

Vamos para o apartamento.

Desde o começo tive certa curiosidade sobre ele. Nunca foi meu costume fazer perguntas de comadres, por exemplo, se aquele imóvel era próprio ou alugado etc. Se próprio, não teria sido comprado por ela, que mil vezes me disse depender do marido. Se comprado pelo marido, não haveria de ter sido para uso da mulher em seus encontros. Se alugado, as dúvidas eram as mesmas. Os cômodos que usávamos se resumiam à sala, de passagem, e a um quarto e um banheiro, a porta deste de frente para a daquele, tendo de permeio um começo de corredor. Corredor por onde sempre espichei o olhar nas idas ao banheiro, mas sem muita demora, para não parecer bisbilhoteiro. Via outra porta, fechada sempre.

Naquela noite ela me leva até a tal porta fechada, do fundo do corredor. Gira a chave com solenidade e, antes de abrir o trinco, me diz:
– Era o quarto dele. Morava aqui. Eu vinha de vez em quando. Não deixei meu marido vender... Ele adorava cavalos...

Diz isso porque percebe que estou prestando atenção aos pôsteres de cavalos, muitos cavalos, na parede lateral à cama. Que é de casal. Também há um armário e uma mesa. Eu olho as coisas todas, ela abre o armário. Escancara as duas portas, lá dentro várias camisas, paletós e blusas de lã em cabides. Fica parada, com os braços abertos, segurando as portas por alguns segundos e, voltada ainda para o armário, de costas para mim, começa a soluçar, ou melhor, a ganir como um cão espancado, a gritar "eu quero meu filho", com voz espantosamente forte, insuspeitada, o que me traz à lembrança agora, por associação, o poder da voz da menina da estação de Nazaré, porque lá e cá é como se de uma fístula frágil escapassem os acordes plenos de um órgão de catedral. Todo um coro geme numa garganta. Depois ela se volta, vem em minha direção, agarra-se à minha camisa, gritando ainda "eu quero meu filho", arrancando meus botões, me obrigando a abrir a gravata para não asfixiar, arranhando meu peito numa fúria que eu não atino se de amor, ódio, desespero, tesão ou ímpeto assassino, não sabendo se eu ali sou amante, filho, facínora ou bode expiatório, de tal modo que, com certo pavor e talvez aversão, dou-lhe um empurrão e a atiro na cama, onde ela fica de bruços, gemendo, enquanto eu saio, desabalando pelas escadas para não correr o risco de ser alcançado.

Hoje sou até capaz de imaginar o que tornou Samira tão patética. Na época, não, mesmo tendo conhecido a dor de meu avô ao perder o filho, ou seja, meu pai. Perder um filho é a maior dor do mundo, disse ele, tão de passagem que não apanhei a frase no ato, e o som voou. Lembrando essa fala depois, muito depois, fui capaz de imaginar seu peso. Não conheci essa dor, não consegui comprovar a verdade da afirmação de meu avô. Só posso dar a ela o crédito merecido pelo autor. Se algum dia tivesse conhecido esse sofrimento, é provável lhe tivesse dado altíssima classificação. Naquela época eu não tinha condições de perceber a força dessas coisas. Estava mesmo envolvido numa nebulosa de anseios e medos, tendo de resolver mesquinharias cotidianas, como manter o emprego, não bancar o bobo com o pessoal da esquerda e descobrir o modo de transitar entre duas esfinges, Samira e Jandira. Nem me dava conta de que rimavam. Com um pouco de talento poético eu teria embolado as duas numa quadrinha, mas não fui capaz. Declinava os dois nomes separadamente sem atentar, ouvindo dissonâncias.

Por uma coincidência que só Mariquinha explicaria, chegando ao prédio deparo com o primo de Guarulhos, sentado na escada à minha espera. Ele dá graças a Deus por meu retorno em horário de trabalhador: está lá para me comunicar o conteúdo de um telegrama chegado no fim da tarde, ou – pensou melhor – para entregar o próprio telegrama, que ele me espicha na mão calosa já dizendo o que contém, ou seja, "sua mãe faleceu". Pelo encadeamento dos fatos, essa perda poderia ter trazido de volta a imagem de Samira a gemer de luto e desamparo numa cama, mas não é o que acontece. Os grandes choques abolem qualquer possibilidade de associação de ideias. Só na ficção essas coisas acontecem. Na hora tenho a sensação de quem cai num buraco, e só ela. É o vácuo deixado pela retirada do espaço virtual de dois braços abertos sempre lá, à minha espera. Sento na escada ao lado do primo. Não choro, mesmo sentindo a maior dor do mundo. Lembro ainda hoje do braço dele sobre meu ombro e também do imenso e inesperado alívio que me vale, o que por contraste me faz aquilatar a dor ainda negada. E ele me fala de um telefonema feito por ele umas horas antes para uns parentes de Salvador: que a coisa tinha sido repentina, no banheiro, um desmaio sem volta a si. Dessa maneira havia desaparecido aquela que eu tinha por eterna: perdendo o sentido da alma no cimento mais frio da casa. E eu lá, sentado nos degraus de granito encardido de um prediozinho de São Paulo, decerto mais frio que o chão de Nazaré, sou órfão. O enterro seria dali a pouquinho, às nove da manhã, a mil e novecentos quilômetros de distância.

O primo se vai, nas escadas onde estou, fico. Só um bocado mais tarde subo os últimos degraus, entro no apartamento e me encaro. Vários dias depois peço a mão de Jandira em casamento e recebo um não, conforme Mariquinha me fez lembrar ao dizer, sem querer, palavras daquela canção que falava em falta de lenço e documento, em alegria e sol, quando os dias eram de cinza. Ou terá sido o contrário? De qualquer modo, a canção. Canção de nome desajustadamente largo como roupa de palhaço. Aliás, Alegria se chamava o palhaço que em dias de circo da minha infância no máximo me fazia sorrir, espojado no chão de serragem depois de vários entreveros com os comparsas. O decantado sol da canção, em 1969, era refletor de circo; lá fora, nuvens. Meus dias pesavam.

Os astronautas da Apollo flutuavam na Lua, saltitantes como Alegria em cama elástica, mas eu não atentava, aliás, aquela falta de gravidade me incomodava porque quer o pesadume que tudo caia. Na verdade, os corpos me pareciam pendentes à beira de um barranco, à espera de um empurrão, desejosos até de tombar na única flutuação cabida. As três primeiras notas da guitarra de Caetano pareciam próprias a abafar os baques da queda, e, já que a canção não parava de assediar meu cérebro, eu a parodiava grotesco: ela me desolava. Eram esses e outros, assim graves, os meus ruídos internos.

A frustrada presença de minha mãe em meus pensamentos era a tradução avessa da sua falta em minha vida. O vazio obsessivo precisava ser preenchido, abarrotado, de preferência: foi o pedido de casamento. Ou não foi bem essa a razão? Sei lá. Fez bem Jandira em me negar, não ia ela querer um filho disfarçado de marido naquelas alturas. Deve ter intuído. Que outro motivo haveria para me rejeitar? Assim pensava eu então, hoje nem tanto. Hoje sei que para ela era larga a diferença entre marido e amante. E talvez não só isso. Mas não vem ao caso.

Estou na escada do prédio da rua Jandaia.

Lá fico, para lá volto.

O PRIMO BATE A PORTA de ferro da entrada, o eco apaga o som das passadas dele na calçada, o silêncio sucede ao eco, eu fico lá, deixando que a figura de mamãe ressuscite em minha lembrança. Suas mãos preparam aipim com manteiga, entornam o leite de coco sobre o cuscuz da manhã, entregam a caneca de café fumegante, correm entre meus cabelos, deitam no tempero o dendê proibido, sempre que os dois homens da casa não estão. Essa traição aos dois patriarcas é sua suprema declaração de amor: minha mãe satisfaz meu desejo com o dendê tabu, lúbrico artefato do engenho africano que não entrava em casa de gente honrada. Proibido por meu avô. Por racismo não haveria de ser, afinal, traíra Vaticano e família por uma mulata. Mas uma coisa é a realidade, outra é a floresta de símbolos, como dizia o poeta, coisa que, salvo engano, meu avô chamava de cipoal. Aliás, a própria avó mulata aderiu à proibição. Só minha mãe transgredia, sei que mais por mim que por si mesma, embora adorasse dendê. Mamãe: olhos amendoados e lábios carnudos que desmentiam a brancura não muito convicta da tez. Mariquinha não gostava de dendê, não sei se por paladar ou se por fidelidade ao avô. Mas não denunciava. Olhava muda nossa mãe esconder o frasco atrás do fogão. Mamãe contava também com a conivência de Débora.

Débora! Essa figura me fugiu da memória durante anos. Só voltou na maturidade, depois que perdi Cibele, para sumir em seguida e reaparecer há pouco tempo, mencionada de passagem por Mariquinha há uns dias. Tinha esquecido (pasmo!) a quase primeira mulher da minha vida. Falo disso agora não porque me lembrasse dela ali na escada, mal assimilado o passamento de mãe. Não, falo da Débora trazida agora pela lembrança da lembrança, naquela escada, do dendê entregue pelos dedos idos e passados de minha mãe. Quero lembrar Débora agora, antes que me fuja outra vez da memória. Débora, negra rija, risonha, sacudida, escolhida entre cinco irmãs de vasta família para ajudar lá em casa. Os pais e os avós tinham sido assalariados do engenho; os bisavós, escravos. Pimenta lhe dava dor de ouvido, coisa terrível que a fazia perambular pela casa à noite, buscando alívio em cada canto como se em algum deles a dor houvesse de se enfurnar e se perder. E assim devia ser, porque quando o dia raiava Débora era outra, e era outra vez Débora a comer pimenta. A mesma que me chamou certa manhã para mostrar não sei quê. Sentados à mesa, eu treze anos, ela vinte e dois, meu pé roçou a perna dela sem querer, o pé dela respondeu ao meu toque, e aquilo se transformou na mais sabida das sondagens. Os olhos de Débora brilhavam, ela parou de falar, deixou de dizer o que tinha planejado, mudou daí por diante, passou a agir como mucama de sinhozinho. Nas noites em que a dor de ouvido não a frequentava eu me insinuava em seu quarto para reinar, dizia ela. Bolinávamos com medo. E só bolinávamos. Medo mais meu que dela. E por medo deixei de ir. Ou talvez não só. Uma vez entrei lá de dia, ela não estava (por que mesmo entrei naquele quarto?), remexi suas coisas, levantei o colchão, encontrei lá uns panos sujos de sangue. Com asco saí e nunca mais voltei. Vejo-me hoje fugindo do quarto de Débora como fugi pelas escadas do prédio da Major Sertório.

Escadas, eu estava nas escadas.

SUBIA AO PRIMEIRO ANDAR pelas escadas quase todas as tardes, subia também em certa tarde, subia, voltando do trabalho naqueles tempos de gravitação pesada, quando meus ruídos internos distorciam o som da guitarra de Caetano, quando eu era um sujeito que transitava pela beira de um barranco, subia, dividido entre um coronel e amigos clandestinos, querendo casar e achando que era ela quem queria, sem me achar, fazendo balanços da vida e puxando um extrato que só dava saldo negativo, subia, numa daquelas tardes, pesadamente, as escadas do prédio, chegava à porta, enfiava a chave, ela não girava, a maçaneta é que girava, a porta se abria, puxada para dentro por mão mais decidida, eu entrava puxado também, lá dentro um punho insuspeitado me golpeava os rins, eu perdia o ar, recebia uma rasteira, emborcava feito saco de batatas no sofá da sala e ali ficava, sem condição de me voltar, percebendo vagamente que estava sendo algemado.

Fui levado ao Dops.

Finalmente, eu caía.

2 DIAS

QUANDO O SANFONEIRO ENTROU, os dançarinos se encostaram às quatro paredes, sem que sobrasse ninguém para fora daquela renque cerrada. Meu avô estava lá, ao lado de uma desconhecida. Minha avó, não. Esta não saía de um quarto emborcado no centro do terreiro: arrumava os pirralhos que, em camas emparelhadas, dormíamos amontoados. O sono venceu e me costurou as pálpebras, mas os ouvidos se rasgaram para o som da sanfona lá no salão, era noite alta, o baile mal começava. Saí para o quintal. Perto da porta do salão, no chão, uma partitura, caída, esquecida, jogada na beira de uma poça. Me agachei para ler. Uma das pontas da folha se enfiava na água, eu não decifrava aquela algaravia de bolinhas e traços, percebi que a folha estava de cabeça para baixo porque o título jazia aos meus pés, meus pés abertos em v com os sapatos do adulto: lustro e bico fino. Levantei-me, fui para o outro lado da poça e consegui ler na folha o título "Fole de oito baixos". Lá dentro a música começava ou recomeçava, do chão a poeira se levantava até a altura das canelas dos dançarinos que rodopiavam, e eu sabia disso porque já tinha entrado, estando agora no centro da roda, sendo eu o sanfoneiro no meio do salão. Também meu avô rodopiava com a desconhecida, que usava vestido de fundo azul-noite estampado de lesmas gordas com cabeça afilada. Mas em minhas mãos a sanfona desandava, não havia estante à minha frente, o povo queria o "Fole de oito baixos", eu não sabia tocar, a partitura tinha ficado na lagoa, na Billings agora, não estava comigo e se estivesse eu não leria, o andamento se arrastava, a dança se desacelerava e os dançarinos me pediam: fale de oito baixos. Parei. Os dançarinos sumiram. Mariquinha à minha frente me ofertava a partitura, que da poça tinha a lama impressa, água suja como tinta de escorrer, de pingar no chão empoeirado do salão. Quando acordo hoje de manhã, Mariquinha está me olhando preocupada:

– Que sono agitado – diz.

Gostaria de lhe dizer: sonhei o sonho daquela noite de baile.

Quando abro os olhos naquela manhã, estou sozinho numa das camas emparelhadas. Eu, dormidor de primeira marca. De música, nada. Pelas frestas da janela o sol mana, saio do quarto, o dia anda solto no terreiro, galinhas todas a ciscar, dois ou três cortejos de pintinhos, um galo vermelho cantor, pássaros nas árvores, o sempiterno cheiro das mangueiras, ninguém para acolher, ninguém para me socorrer. Chamo minha avó. Uma mulher aparece e me leva para casa. Lá, minha avó jaz morta em sua mesma cama, já vestida de negro, duas mãos pálidas entrelaçadas sobre a cintura, dois pés abertos em v na ponta oposta àquela onde vejo, inexpressivo, o rosto de onde tinha emanado boa parte das histórias que me recheiam a vida. É meu primeiro encontro com a ação daquela figura que eu via no baralho de Débora, caveira vestida de preto, foice na mão, com o título: MORT. Eu lia morte.

Reconheço. Imagino-a com as feições da parceira de meu avô no baile do meu sonho. Papai, ajoelhado no chão à beira da cama, tem a cabeça enterrada nos braços entreabraçados sobre o lençol único que forra o colchão. Meu avô, cabisbaixo, sentado perto dele, esquecido de si, não dá um pio. Sofre. Mas não é dessa vez que começa a ser garrafa de fel arrolhada, que da vida só parece esperar o dia de largar mão. É depois. Depois de ver o próprio filho morrer daquela maneira que me custa descrever, sobre o trapiche. É só então que começa a projetar de fora para dentro a própria destruição, transformando o doce do amor paterno em amargo de culpa e solidão, arquitetando o câncer do esôfago que o levaria. Com ele foi assim. Com minha avó, não. Esta, dizem, morreu de ataque fulminante do coração, enquanto eu sonhava num quarto emborcado no centro do terreiro.

VOLTO DO DOPS no dia seguinte ao da prisão, lá pelas duas da tarde. Desabo na cama, durmo. Acordo, são seis da tarde, mas ainda não está escuro. Recolho do chão o que os homens tinham espalhado no dia anterior e enfio tudo nas gavetas. Fecho o armário, saio do quarto, enveredo pelo corredor, mancando, o joelho ainda dói, viro à direita, estou na cozinha, vou até a pia, começo a ensaboar copos de requeijão vazios, canecas de louça, garfos, facas, pratos com restos da pizza de três dias antes, jogo fora três dedos de cerveja choca, enfio a garrafa na lixeira, enxáguo copos, canecas, garfos, facas, pratos, que vou pondo no escorredor enferrujado, puxo a água empoçada na pia para dentro da cuba com a mão em concha, pego a chaleira, abro a torneira de novo, ponho água até a metade, enxugo as mãos, apanho a caixa de fósforos, acendo o fogo, pouso a chaleira em cima, ajeito o coador na boca do bule, acho o café, despejo duas colheres de pó no coador, levo para a mesa uma das canecas recolhidas do escorredor, abro a geladeira, cato meio rocambole de doce de leite, fecho a geladeira, logo depois abro de novo, melhor mesmo esquentar um ovo, estou sem pão, paciência, meio pacote de bolacha *cream cracker* quebra o galho, ponho o rocambole e as bolachas em cima da mesa, a campainha toca. Vou espiar pelo olho mágico: é o Alfredo, nome de guerra. Abro.

— Eu não devia ter vindo para cá, desculpe, estou quebrando uma norma de segurança, mas acontece que o apartamento onde eu deveria

ficar parece que está vigiado. Tomei o máximo cuidado, tenho certeza de que não fui seguido, amanhã tenho um ponto, consigo sair da cidade. Posso ficar aqui sem problema?
Alfredo diz tudo isso baixinho, já entrado.
– Claro, claro. Pode ficar sossegado.
Ele se aproxima da janela, olha de relance para a rua, não deve enxergar muita coisa, o ângulo não ajuda.
– Está com fome?
– Muita.
– Não tenho quase nada aqui. Vou pôr uns ovos para esquentar. Estava fazendo café. Estou sem pão, ia mesmo descer para comprar.
E desço, mas não pelas escadas. Chegando lá embaixo, paro na soleira da porta de entrada do prédio, não vejo ninguém. Saio para a direita e subo até a Brigadeiro Luís Antônio. Na padaria, peço meia dúzia de pãezinhos e trezentos gramas de mortadela; na caixa, pego o troco em fichas de telefone. Vou até a esquina, enfio as fichas... Depois do quarto toque, pressiono a alavanca, a ficha cai... Lembro que me afasto, mas decido voltar. Reponho a ficha, disco, o telefone toca duas vezes, atendem. É minha primeira ligação para o Getúlio, meu controlador.

Quando cheguei ao Dops, no dia anterior, não sabia o que pesava mais: o sobressalto, o medo ou o alívio de ter chegado ao desfecho. Dizer que alívio pesa é uma idiotice, mas a razão não costuma frequentar a realidade. Não era a mim que queriam, e sim o Alfredo, percebi nas primeiras perguntas. Entrei algemado, entre sete e oito da noite daquele dia em que de dentro abriram para mim a porta do meu apartamento. Afirmava que não sabia de nada com voz mansa (trêmula?). Sei que esbocei um sorriso, devaneei que assim desarmaria intenções malévolas, daria a entender que a brutalidade seria desnecessária. Em todo caso, dizia a verdade: não sabia de nada. No começo perguntavam por um nome que eu não conhecia, depois mostraram a foto: era o Alfredo, nome de guerra. Então continuei com a verdade:

sim, conhecia, tinha dormido no meu apartamento uma vez. Onde ele está? Essa eu não sabia.

– Você vai pro pau.

Eu sabia que não ia suportar. Disse que não conhecia o paradeiro dele, que, se soubesse, diria. Não acreditaram.

Vou para o pau de arara e levo choques. Grito muito. Depois somem e me deixam lá. Não sei quanto tempo me deixam assim. Madrugada, me tiram e me despejam numa cela, com a promessa de nova sessão em breve, caso não abra o bico. Cela pequena e escura, sou empurrado e, com dois passos, dou um encontrão na parede em frente, sem tempo de me amparar. Escorrego e caio. Na hora não percebo o que me sustenta na queda, só sinto que não caio no chão frio, e sim por cima de um corpo, massa quente que me acolhe com um gemido. Mas não é o gemido que meus sentidos captam em primeiro lugar, é a sensação de calor de corpo e um odor forte, espécie de hálito corrompido: cheiro de gangrena. O corpo não me repele, mas eu recuo como que empurrado por mola. Encosto as costas na parede da direita e espero que meus olhos se acostumem à escuridão. Quero me acocorar, me encolher, mas uma forte dor no joelho esquerdo impede. Ali de pé constato que tenho um companheiro de cela. A claridade que entra por baixo da porta permite ver que é um homem moreno; idade não definível. Cada expiração, um gemido. O ventre se movimenta numa espécie de vibração involuntária, músculos que parecem liquefeitos. Uma das pernas se perde por dentro da calça, eu não vejo o pé. Dedico algum tempo a decifrar os dois membros inferiores; a claridade não ajuda muito, mas imagino que o cheiro venha daquela perna perdida, provavelmente esmagada. O susto me faz esquecer o frio por algum tempo, mas a dor parece que se agrava. Até que a canseira vence, e eu me acocoro devagar, com a perna esquerda esticada.

A noite é longa. No começo ouço o gemido intermitente, decrescente do torturado, som apagado de vez em quando pelo ruído das vozes e dos passos nos corredores, mas aos poucos todos os barulhos vão diminuindo, sumindo às vezes, me deixando cada vez mais só, com pouco no que apoiar a audição e esquecer por segundos a gelidez do chão, a dor e o fedor, o inenarrável fedor do ar. Quando a claridade do dia me mostra com mais nitidez aquele ser, não persiste movimento algum, a respiração parece ter desaparecido. O rosto, só então eu vejo, está disforme: um hematoma toma conta do olho esquerdo, só o direito é visível. Está fechado. Dessa vez não tenho para onde fugir, não há braços para me amparar e, por mais que eu feche os olhos, o quadro persiste sempre lá depois que os abro.

A porta se escancara, entra um homem que eu não vi na noite anterior. Manda sair. É comigo. O outro continua imóvel.

Lá fora, peço que não me leve para o pau de novo. Patético, desavergonhado, imploro que me poupe. O homem não responde. Ao contrário, me empurra para o corredor. Saio andando à frente dele, mas não desisto. Vou dizendo que sou cidadão honrado, que trabalho para um militar, para um coronel, o coronel Venturoso, e repito e repito, caminhando pelo corredor. Entramos numa sala, o homem faz sinal a outro que está lá, os dois saem, fico sozinho. Quando voltam, o segundo me pergunta:

– Quem é esse coronel?

Dou nome, endereço, telefone. Fico sozinho de novo. Um tempo depois aparece um terceiro, me olha de cima para baixo (eu, de cuecas, encolhido no chão, a um canto da sala) e pergunta que serviços presto ao coronel. Respondo que qualquer um, o que ele pedir, que sou secretário.

É hora do almoço, há um cheiro de bife no ar, quando me chamam e me atiram as roupas. Vestido, sou levado para uma sala onde estão o coronel Venturoso e mais dois homens.

O coronel investe contra mim assim que entro, dizendo:

– Não pense que vai sujar meu nome, desgraçado, eu não acoito terrorista.

Diz a frase já me agarrando o colarinho e desferindo um safanão. Recuo, o colarinho se rasga, o que me dá uns centímetros de folga, o suficiente para esquivar o golpe. Sinto a mão direita dele zunindo junto à minha orelha esquerda, enquanto sua mão esquerda se recompõe e agarra com mais força o pano da frente da camisa. Mas a intenção do murro fica suspensa no ar porque um homem que está na sala se levanta, segura seu punho e diz:

— Não machuque, coronel, eu tenho ideia melhor.

O coronel ainda me prende com a mão esquerda pelo que resta do colarinho da camisa quando ele repete:

— Não machuque.

Ficamos os três ali parados. O coronel segura o murro e a camisa, olhando para o homem que repete "não machuque". Eu vejo o coronel de perfil, o olhar dele passando da ira à surpresa, desta ao entendimento. Sorri e me larga. Está fardado. O segundo espectador da cena continua sentado, me olhando com ar maroto. Sou convidado a sentar. Rodeamos a mesa, os quatro. O que tinha impedido o soco trata de explicar ao coronel:

— Ele entrou ontem aqui. Vai sair hoje como se não tivesse entrado. Sem ficha e sem ferimento visível. Entendeu?

O coronel entende. O homem diz:

— Ele prometeu que vai colaborar com a gente. Certo? — e olha para mim.

Os três olham para mim. Só o coronel não sorri. Por debaixo da pupila, o branco do olho é uma fita mais larga que de costume. A testa, franzida. O outro continua:

— E não ache que escapa dando o serviço para os cupinchas, porque vai ter quem te vigie noite e dia, qualquer escorregão... — passa a mão espalmada pela garganta. — Entendeu?

Faço que sim, mas não sei se entendo.

— E vai ter que mostrar serviço. Se daqui a um mês não apresentar resultado, é pau. Entendeu?

Não tenho tempo de responder. O outro toma a palavra:

— Mas era bom ele já ir abrindo o bico, pra mostrar boa vontade. Porque aqui ninguém acredita que você não sabe nada. Ou fala ou a gente muda de ideia.

Os três olham para mim o tempo todo. Fico em silêncio.

– E eu não vou mover um dedo para evitar – é a voz do coronel.

Falo. Digo que no momento não sei do paradeiro de ninguém, mas, se me derem tempo, alguém vai aparecer lá no apartamento, mais dia, menos dia. Que eu só dou esse tipo de cobertura, não participo de nenhum assalto a banco, de nada. O coronel sabe que nunca faltei ao trabalho. Como é que um sujeito trabalhador como eu pode ter participação em atos de terrorismo? Quando que eu ia fazer isso? O coronel sabe. (Digo isso olhando para ele.)

Os dois homens olham para o coronel. E ele diz:

– Pode ser verdade.

Sou liberado.

Um dos homens se chama Tomás. Do outro não lembro o nome.

O ALFREDO FOI PRESO cinco dias depois, numa emboscada bem montada. Ninguém desconfiou de meus serviços. Eu continuava na firma do coronel, que a partir de então deixou de me tratar com a condescendência do chefe e passou a usar a rispidez do militar. Não sei o que era pior. Igual era o olhar, de cima para baixo. A relação empregatícia tinha mudado. Embora eu continuasse desempenhando as mesmas funções de antes, a nova secretária ia sendo cada vez mais solicitada. Um dia, finalmente, ele me comunicou que, para o bem das novas tarefas, eu deveria ser demitido. Precisaria do status de desempregado para me infiltrar mais entre os esquerdistas e passar mais informações, pois essas coisas exigem tempo. Com a prisão do Alfredo, a confiança em mim tinha aumentado, portanto esperavam mais. E foi assim que a indústria química do coronel me demitiu em janeiro de 1970. É o que consta na minha carteira profissional. Mais ou menos um ano depois daquela noite em Santos.

O dinheiro do Fundo de Garantia ajudou na compra de um DKW de ocasião, arranjado pelo Parreira, documentação também toda acertada por ele, que virou o mais fiel e serviçal dos amigos depois de tomar conhecimento de minhas novas atribuições. Eu mesmo lhe contei.

Ao pessoal militante contei a pura verdade: eu tinha sido demitido, recebido o Fundo de Garantia e comprado um carro, que esperava pôr a serviço da causa. Fui informado de que seria melhor maquiar carro e chapa para não me comprometer em alguma eventualidade. Um sujeito na Barra Funda cuidaria do serviço.

Mas, antes de tudo isso, quis me familiarizar com o carro, difícil de dirigir, dizia o Parreira, que não dirigia. Passei uns dias dando voltas. Senti vontade de descer a serra com ele. Se precisasse sair da cidade, devia avisar o sujeito que tinha a incumbência de me vigiar, o meu controlador, o Getúlio. Foi o que fiz. Viajei. Fui com a longínqua noção de estar voltando ao ponto de origem, mas não sabia se por desejo ou compulsão. Em Santos, comi num restaurante da praia, olhei o mar, não entrei. O tempo da descida e do almoço eu passei entre a vontade e a repulsa de descobrir o caminho para a casa da irmã do Rodolfo. Saciada a fome, emborcada uma garrafa de cerveja, cedi. Forcei a memória e, perguntando aqui e ali, cheguei. Entrei na rua pela mesma esquina de sempre, a da esquerda, percorri o quarteirão, na outra esquina manobrei e voltei. Parei em frente à casa da namorada do atropelado: fechada, silenciosa. Fechada também a de Carmen, deserto o terraço onde me agachei para esperar naquela noite de janeiro anterior.

Faltava pouco para as duas, o sol era forte e, na rua deserta, eu via exatamente a mesma paisagem de um ano antes, só que desta vez em positivo. Naqueles tempos e naquele meio, ao contrário do que se vê nas mitologias, cada mês equivalia a vários anos. Os destinos eram selados em minutos e do dia para a noite as vidas guinavam. Por isso não deixava de me parecer espantosa a imobilidade das coisas, se os destinos eram tão móveis. Deitei a cabeça no volante, a cerveja e o almoço forte me derrubavam, acho que cochilei, sonhei que estava no cinema, vendo *Morangos silvestres*, a tela se transformava num forno que me sugava pelos pés. Acordei sobressaltado, liguei a ignição e saí. A rua continuava deserta. Dei mais uma volta pela praia, comprei uma lembrancinha para Jandira e peguei o caminho de volta. Desta vez, subia.

DIZIA OUTRO DIA à Mariquinha uma sua amiga esotérica que todos os atos e pensamentos nossos ficam gravados no astral como em grande filme. Infinitos átomos imateriais se agregam para formar as imagens que, pensando, falando ou agindo, nós lançamos ao espaço em todos os segundos dos nossos dias, em todos os dias da nossa vida como ondas de rádio ou tevê. Fiquei aqui ouvindo e pensando nessas coisas, e pensar nessas coisas é também criar imagens dessas coisas e do pensamento dessas coisas, de tal forma que assim pensando contribuí para o incremento da, quem sabe, caótica mistura já formada em tela de lugar incerto e ignorado do espaço com todas as coisas que pensei e fiz até hoje. E pensar nessa tela é já criar uma imagem dessa tela cheia de todas e tais coisas, tela que decerto se incorpora na primeira, que assim se enche ainda mais das mesmas coisas mais as da nova tela, num processo infinito e abissal. Narrativa organizada por algum apaixonado por ficção ou memória hospedada no cosmo e administrada por algum zeus informático? Qual a finalidade de uma coisa dessas? Isso ela não explicou. Ou melhor, parece ter dito que é o dossiê de nossas ações, para que o poder supremo possa nos recompor para toda a eternidade. Enfim, um inferno pós-moderno, governado por um grande irmão domiciliado no éter. Vertigem essa tela que as palavras não resgatam, imagem tridimensional sem corpo. Quem teria o dom de destiná-la a um fim mais banal, mais terreno? Se soubesse, delegaria a esse ser a tarefa de entregar ao mundo, corporificadas, as infinitas palavras de minha vida, e daria as costas, amnésico. Seria mais fácil. Enquanto essa impossibilidade não se concretiza, olho para a parede em frente ou para a janela. A terceira opção é fechar os olhos. Se olho a janela, e a claridade deslumbra, o retângulo incandescente me cega. Desvio os olhos e por alguma razão me lembro de um quadro vivo sobre o fundo da parede bege.

Estou descendo o cais do porto, em direção à alfaiataria do velho Abraão. Sou seu aprendiz. Minha mãe, morto o marido, tenta me dar uma profissão. Da alfaiataria eu gosto. Meus sentidos começam a desabrochar para estímulos sempre existentes e nunca antes percebidos. Gosto de ver o giz de cera riscando o tecido, ouvir o chiado do ferro a carvão passando sobre os borrifos de água, sentir o cheiro do pano molhado, quente e chamuscado, mesmo sem entender a abstrata geometria do corte ou a inevitabilidade de alinhavos e chuleados. A costura me parece uma arte indecifrável. Disso o velho Abraão está ciente, mas não se importa de ter um aprendiz incapaz, porque ganha a companhia que sempre desejou: um varão da possível idade de um filho que nunca teve.

O tempo que passo lá é uma ilha de reclamações no mar de silêncios de seu dia. Comigo ele se abre: a filha e a mulher são dois azougues insuportáveis, segundo suas próprias palavras. Conta as más-criações da filha mimada por mãe que pariu tarde. A troca me parece vantajosa, pois com ele eu aprendo muito sobre mulheres e um pouco sobre calças e paletós. Não me lembro do nome da esposa. Poderia ser Sara, mas não era.

Pois é começo de tarde, vou descendo o cais do porto. No calçadão, movimento suave de embarque e desembarque de mercadorias em saveiros. Não há afobação, não há atropelo de estivadores naquele dia, contrariando o costume. É quase uma modorra, uma câmara lenta, debaixo da superexposição de um sol tórrido, como esse que emprenha esta janela. Vou distraído, na direção que os barcos tomam para dar no mar. De repente, me aparecem três homens pela frente, despontando não sei de onde, assomados talvez do último lance da escada em busca do cais firme. Vêm do mar? Não posso afirmar com certeza. Aflitos, dois deles amparam de cada lado o terceiro, que com a mão direita segura as próprias tripas a escaparem por enorme corte horizontal no ventre. Estanco aterrorizado. Vejo as vísceras brancas se despejando entre a calça e a camisa, já ensanguentada.

Passam por mim, simplesmente passam. Devem ir em direção aos táxis. Ouço algo ou deduzo? Não sei dizer. Não olho para trás. Sigo como a mulher de Ló deveria ter seguido.

Na alfaiataria, em casa, naquele dia, no dia seguinte, ninguém sabe de nada. Eu repito: era negro, alto, magro, novo, bem-vestido. Ninguém conhece, ninguém ouviu falar. Nada sai nos jornais. Desisto. Tomo o partido de não insistir, minha mãe já me olha preocupada, assuntando se ao filho teriam voltado as visões, numa época em que os remédios parecem estar surtindo efeito.

Tenho certeza da realidade das figuras. Ou talvez, quem sabe, fossem elas parte de uma imagem escapada de alguma tela perdida no espaço, entrada ali pelo buraco de silêncio que o porto inexplicavelmente lhe abrira naquele dia.

Essa imagem frequentou toda a minha vida. Nunca esteve esquecida, sempre à espera de uma brecha para se intrometer. Não achando brecha intencional, enfia-se por rasgos de desatenção. Mas logo depois da prisão foi obsessiva.

O destripado é o despejado de si mesmo. E o despejo é a suprema humilhação, é a invasão da toca, seguida pelo enxotamento. Tem com a tortura certo parentesco, pois o torturador quer enxotar o indivíduo de seu corpo, quer que ele vomite a alma, se renda, se esvazie. O corpo torturado perde o estofo. Às vezes o torturador só se sente saciado quando tem as vísceras reais nas mãos.

EU ERA UM FORASTEIRO em São Paulo. Nessa situação, só as incertezas ganham consistência. Desculpas, desculpas... Outros forasteiros tinham certezas. Estes, por alguma razão, não devem ter sentido aqui a vertigem do esfarelamento, como eu senti. Arrancado do mundo estável de Nazaré, eu guardava da segurança uma lembrança vaga, embalos de infância, só. Aqui sempre fui exilado. Imagine-se um sujeito como eu metido numa guerra que não lhe pertence. Entrei nela sem fazer nada e nada fiz para sair. Foi tudo por via de empurrões. Quero dizer que quem faz guerras sempre se guia por algum tipo de trilho ou bitola. Eu não tinha nenhum. Os meus tinham ficado em Nazaré, debaixo de um trem preguiçoso, sem fôlego para a ladeira. No chão de São Paulo nunca achei nenhum, e os que via arrancados e jogados avenida da Liberdade acima me pareciam a verdadeira metáfora desta cidade. E de mim nela.

Eu tinha um nome de guerra em cada um dos lados da guerra e atendia bem pelos dois. A diferença era que um dos lados conhecia meu RG, como se diz em São Paulo, e o outro não, o que me dava vantagem sobre este último. Estava claro que eu podia agir como bem entendesse com os que nada sabiam de mim, mas podia agir de um único modo com os que tudo sabiam: o modo que eles determinassem. Na prática, embora a decisão não tivesse sido minha, o meu compromisso era com estes. Ter muitos apelativos equivale a ser anônimo, a ser uma ficção. Era como me sentia, nem falso nem verdadeiro, invenção movida pelo controle remoto de seus inventores.

Pesar prós e contras do que fazia ou deixava de fazer é coisa que eu nunca soube. Sei explicar e escusar. Justificar, só depois, nunca antes. Quando eu tinha treze anos, numa de nossas raras conversas, meu pai me aconselhou a nunca pedir desculpas pelo que fizesse, e o melhor jeito para isso é não ter culpas. A primeira parte do conselho sempre me pareceu fácil seguir, a segunda ainda hoje é um mistério. Perdidos os trilhos, perdeu-se a bitola. Entrei naquele estado em que se aceita o inevitável por correto.

E, se não refletia, agia. Por reflexo. Ação era palavra de uma força descomunal.

Hoje, 2009, não ajo e ninguém mais me pergunta de que lado estou, porque não estou ao lado de ninguém, não existo. Aqui estou, eu e minha janela para o mundo, uma tevê de 42 polegadas, solicitamente posta por minha irmã à minha frente, para que eu saiba qual governo sai e qual entra, se a bolsa está em alta ou em baixa, quantos foram os mortos no último ataque suicida no Oriente Médio ou no último confronto entre policiais e traficantes, tudo isso entremeado por documentários científicos e propagandas. Do lado de cá da tela meu único interesse, o da busca dos nexos, continua insatisfeito. Não encontro nenhum nessa tela prosaica tanto quanto não encontraria na outra, fictícia, criada pela mente sádica de um demiurgo ou de quem o inventou. A sorte é, repito, não precisar dizer agora de que lado estou.

UNS TEMPOS DEPOIS da ida a Santos, estaciono o DKW na Barata Ribeiro e desço a pé até a Manuel Dutra. Num bar, sou esperado pelo Carlos, nome de guerra, que está tomando um guaraná. Na tevê dependurada, a notícia da morte de certo Lucena, em Atibaia. Enquanto os olhos de Carlos e do proprietário do bar se cravam na tela, uma nuvem pesada de moscas voa e revoa, pousando as mais ousadas na boca do copo e da garrafa aberta. Chega o comercial, Carlos continua na mesma posição, esquecido do guaraná. Está visivelmente perturbado, olhos esbugalhados. Tentando tirá-lo daquele estado, esvazio no copo dele o que resta do líquido, mas ele nem percebe. O dono do bar pega a garrafa e a joga em alguma caixa debaixo do balcão: o barulho tira Carlos da estupefação. Ele pega o copo e o leva aos lábios, mas engole como um autômato. Enquanto isso, o dono do bar passa um pano encardido no granito acinzentado e, olhando de novo para a tevê, diz:

– Esses subversivos vão ver o que é bom. É ou não é?

Carlos não responde. Eu digo:

– É.

Saímos de lá sem conversar. A rua está barulhenta, sobe um carro anunciando ovos de Páscoa a bom preço em alguma loja. Vamos a uma reunião com alguns integrantes de base de uma futura ação. Vou participar dela como motorista, fazendo parte do esquema de fuga.

A data ainda não é do nosso conhecimento. Carlos também está na ação, mas não me é dado saber como.

Subimos a Manuel Dutra a pé. A camionete dos ovos de Páscoa sobe quase no mesmo passo, esguichando dos alto-falantes um barulho que nos impediria de falar, se quiséssemos. Desaguamos na Conselheiro Ramalho, onde um Volkswagen espera perto da esquina. Tenho instruções para memorizar todas as placas, mas aquela não dá: abordamos o carro de lado. Assim que me sento no banco de trás, Carlos comunica que vou ser vendado. Não conheço o motorista.

A venda só é tirada depois de transposto o portão de uma casa. É um sobrado antigo, com sala grande no andar de cima, assoalho de madeira lavada, janela imensa para rua pouco movimentada. Parece Zona Leste. Um homem e uma mulher já estão lá, somos os últimos a chegar. Assim que entramos (eu, Carlos e o motorista), a mulher se levanta e vai buscar mais cadeiras. É Maria do Carmo. Preciso disfarçar a surpresa: ela fez de conta que não me conhece, percebo que devo fazer o mesmo. Enfim, mudado o cenário, são outras as nossas personagens ou, quem sabe, personalidades. A começar pelo nome. O dela: Luísa. Se Maria do Carmo mal me olha, em compensação o rapaz não disfarça a curiosidade. Sorrio para ele, mas ele não retribui.

O clima está tenso, a reunião precisa ser breve.

Quando todos estão instalados, de lá de dentro aparece aquele que, ao que tudo indica, tem as coordenadas gerais da ação. É o elo entre o alto comando e as bases. Assim que surge, sinto que o conheço. Mas não por contato pessoal. Provavelmente por foto. As entradas na testa são a primeira pista para o quebra-cabeça, mas é preciso abstrair óculos e barba que lhe encobrem o rosto. Enquanto ele vai falando, chego a ter quase certeza: a foto dele anda dependurada em postes e pontos de ônibus. Mas preciso dividir a atenção entre decifrar a fisionomia e entender os detalhes da ação, e quando, a certa altura, peço a repetição de um detalhe da minha atuação, ele não esconde a irritação.

Saio de lá preocupado com o pouco que sei. A reunião tinha sido uma distribuição de tarefas. Cada tarefa, o pedaço de uma ação maior.

Sei que vou precisar esperar Carlos e Maria do Carmo em certo ponto das Perdizes e de lá devo rumar para o viaduto Antártica. Mais que isso, não sei. Sou um peão na engrenagem, tenho a impressão de que não confiam muito em mim. A fé cândida de Carlos eu não vi nos olhos de ninguém. Os de Maria do Carmo, aliás, tinham fugido dos meus o tempo todo. O encontro com ela é causa de inquietação para mim por todo o restante da noite. Minha relação com aquela garota, já cheia de tropeços e vexames, agora ia ser coroada com uma traição. É durante essa noite que a palavra traição soa no meu íntimo pela primeira vez.

Maria do Carmo me abordou num dia de 1968, dizendo que precisava de companheiro para ir à passeata. Topei, lisonjeado, prevendo um bom desfecho para o meu assédio discreto de bons meses. O objetivo era irmos como namorados até a praça da Sé sem que os agentes disfarçados da repressão suspeitassem do local da concentração. Ela avisou: jeitão de burguês saindo do trabalho. Garoava, vesti uma capa de gabardine bege, das minhas primeiras compras nesta cidade fria. Ia inteiramente abotoada. Aparecendo acima do primeiro botão, camisa branca e gravata azul-marinho. Por debaixo da capa, pendurados à cintura, dois sacos de pedras e um de bolas de gude, coisa que ela mesma forneceu: aquelas para atirar nos milicos, estas sob as patas dos cavalos deles – explicou.

Eu cortejava Maria do Carmo desde a noite em que a vi, pela primeira vez, perto de um carrinho de pipocas e fiquei extasiado, assistindo nos olhos negros dela ao vaivém das chamas: brilho-negrume--brilho-negrume, conforme a panela ia girando por cima do fogareiro. Fiquei lá, imantado pelas íris negras de Maria do Carmo. Naquele período turbulento eu poderia ter sido atraído por qualquer turma, de esquerda ou não. Acabei indo para aquela que ficava no fim da armadilha montada por um pipoqueiro: dois olhos faiscantes espelhando uma labareda. A partir daquela noite passei a estar onde ela estava. E ela estava todo fim de tarde na mesma padaria da Maria

Antônia, comendo um pedaço de pizza, bebendo uma garrafa de guaraná, fumando um cigarro, conversando longamente com este ou aquele, recebendo uma cantada sim, outra não, me deixando enciumado. Foi num daqueles fins de tarde que me apresentou ao Rodolfo. Fui me achegando à Maria do Carmo devagar.

Fomos juntos à passeata, não das mais animadas. Oito e meia, voltava eu sozinho, dois sacos de pedras e um de bolas de gude, intactos, dependurados na cintura, por baixo de capa larga. Ela tinha ficado, enturmada lá com seu povo, indo não sei aonde, coisa que me excluía. Alijei o peso todo numa lata de lixo da praça do Patriarca e voltei para a pensão da Sofia disposto a continuar a minha ronda paciente nos dias seguintes. Minha tática de abordagem foi marcada por encontros casuais, ou quase, até que numa roda de samba patrocinada pelo Rodolfo consegui aproximação maior. O quentão decerto ajudou, Maria do Carmo estava mais entregue. Ali começou o que não sei como chamar, uma sucessão de três ou quatro encontros íntimos em apartamento deste ou daquele amigo que sempre saía na hora certa. Uma noite, sem apartamento para irmos, por falta de alguém disposto a emprestar, vagamos horas tentando resolver um desejo recíproco que nela talvez fosse mais cultivado que espontâneo. Feita a contabilidade de cabeça, resolvi entrar num hotelzinho da Tabatinguera. Era o que eu podia pagar. Ela ficou junto à porta, eu me aproximei do balcão e perguntei o preço ao porteiro, em voz baixa. Ele respondeu em voz alta uma lista de três valores; o último batia com as minhas contas. Disse a ele que escolhia o terceiro, ele olhou de relance para ela, dessa vez abaixou a voz e me confidenciou:

— Não tem banheiro.

Peguei a chave, ele ensinou o caminho. Subimos uma escadinha de madeira encardida, desembocamos num corredor estreito de ladrilhos desenhados, os do meio desgastados pelos incontáveis pés anônimos que os tinham transitado. No fim do corredor, uma porta azul-acinzentada de cinco almofadas. Era lá. Abri. Dei num quarto enorme: uma cama de casal, uma de solteiro, um lavatório ao lado

Ivone Benedetti 165

da de casal e três ou quatro varais pregados de uma das paredes à sua perpendicular, com toalhinhas penduradas, de todas as cores e tamanhos, como bandeirolas em festa de São João.

– Não tem banheiro – anunciei.

– E onde é que eu vou fazer xixi?

Não respondi. Ou talvez tenha dito que tudo podia ser rápido, que ela poderia depois ir fazer xixi no bar ali da esquina, enfim, não sei. Foi rápido mesmo. E insosso. Maria do Carmo, a que me fizera ler Debray e falava de Che como o devoto fala de Jesus, Maria do Carmo estava vexada, agoniada, injuriada, revoltada.

Terminado aquele coito sem sal, ela olhou para o outro lado e disse:

– Sabe o quê...?

Ficou de pé na cama, esticou a perna direita para o lavatório, lá pousou o pé e nessa posição começou a mijar dentro dele. Saltei de banda para não ser respingado. Do outro lado da cama eu olhava sem acreditar aquele esguicho fino, espichado. Esvaziada aquela bexiga que parecia inesgotável, ela abriu a torneira, lavou-se e, na mesma posição, começou a espalhar água pelo lavatório, num ensaio de burguesa higiene, enquanto eu imaginava aquele artefato branco de cerâmica despencando debaixo do seu peso. Até que deu por encerrada a função, voltou para a cama e ajoelhada me perguntou:

– Agora com que me enxugo?

Sem responder, puxei uma das toalhinhas do varal e a atirei na cama. Ela a apanhou, secou-se, vestiu a calcinha, a blusa, a calça comprida e disse:

– Bora!

Nunca mais saímos juntos. Não que eu não tivesse tentado. Ela não quis. Disse que tinha apanhado uma maldita tricomoníase por causa daquela toalhinha. Viramos quase desconhecidos. Agora sabia que ela se autodenominava Luísa e que eu fazia parte da armadilha na qual ela iria cair.

FAZ UNS VINTE MINUTOS espero estacionado no local marcado. Segundo os planos, Carlos e Luísa vão chegar pela calçada, no contrafluxo, de frente para o carro, saídos da rua que ladeia a face sul da igreja. A tática de assalto, as técnicas de surpresa, imobilização dos funcionários, de nada disso estou a par. Só sei que é um assalto, ou expropriação. Só me cabe cumprir minha parte. Eu não deveria conhecer o local exato da ação, que é do outro lado da igreja, mas conheço. Falha do Carlos, que, falando demais uns dias antes, acabou dando uma dica. Se algo sair errado e eles não aparecerem, tenho o endereço para onde devo ir e guardar o carro. Portanto, espero. Memorizei o trajeto de saída pelas ruas internas.

O atraso já é de quase dez minutos. Se chegar a quinze, preciso ir embora. A tarde tem uma claridade dura, forte como relâmpago, e o reflexo ofuscante da luz nos paralelepípedos reverbera nas minhas têmporas, que retribuem latejando. Assim mesmo, não desvio o olhar da esquina, não tiro a mão da alavanca do câmbio. Cada sombra que me indique a aproximação de alguém pela direção combinada me põe em alerta, mas, atrás das sombras todas que se projetaram até agora, Carlos não aparece. Porque sei que só Carlos vai aparecer. Luísa-Maria do Carmo vai ficar. Ao lado de um portão da outra calçada, um agente do Dops vende bilhetes de loteria. O líder da ação, o das entradas na testa, não vai participar diretamente. Como não vai ser fisgado, o esquema preparado para a prisão do grupo inclui a fuga de Carlos, que, sob minha proteção, vai servir de montaria para ajudar a polícia a chegar ao paradeiro da cúpula. Naquela tarde, segundo fui informado pelo Getúlio, a ordem é pegar todo o pessoal vivo para arrancar o máximo de informações.

O motor está ligado, conforme combinado. Com os olhos fixos na esquina da igreja à espera de sombras, não vejo um policial fardado se aproximar. Quando me chama batendo o nó do dedo médio no vidro, me viro sobressaltado. Ele manda ir para o outro lado. Não entendo, fico olhando abobalhado, pelo vidro meio abaixado, e ele grita:

– Tá no lugar errado, meu chapa. Vai pro outro lado. O caminhão ali precisa descarregar.

Olho para trás, vejo a frente de um caminhão da Prefeitura. Mas ainda demoro algum tempo para entender se aquilo faz parte do esquema ou se é um imprevisto.

– Tá esperando o quê? – grita ele mais alto.

Entendo que devo obedecer. Vou encostar do outro lado. Assim, fico perto da esquina, bem visível, de onde consigo ver perfeitamente quem se aproxima; já não dependo de sombras. O policial se afasta, some por trás do caminhão. Carlos vem chegando. Contrariando o combinado, corre. Abaixo mais o vidro para que ele me enxergue, o sol bate de frente na minha cara, mas percebo que ele não me localiza, olhando que está para o lado onde lhe disseram que eu ficaria. Assobio, ele me vê e começa a atravessar. Dá dois passos em minha direção e então acontece o grotesco: é colhido de chofre pela frente do caminhão da Prefeitura, que agora manobra. Cambaleia e cai. A coisa parece pronta para descambar.

– Só faltava o cabra ter morrido atropelado depois de tanto salamaleque – soa agora na minha memória a voz do Getúlio, gordo, mastigando torresmo numa lanchonete da rodoviária.

Não, não morre. Levanta-se mancando e com alguns passos entra no carro. Engato, piso no acelerador, não saímos do lugar: o carro está desligado. Eu desliguei o carro depois da manobra!

— Porra, aquele guarda me atrapalhou — grito, justificando.

— Que guarda, caralho? Toca em frente.

Viro a chave na ignição, o barulho do caminhão não me deixa ouvir o motor, acho que não ligou, dou na chave outra vez, o motor solta um guincho exatamente quando o do caminhão é desligado, chamando a atenção de toda a imediação. Piso no acelerador, engato a marcha, saio de chofre, o carro morre, preciso ligar de novo, uma ambulância passa com a sirene ligada, eu não posso desencostar agora do meio-fio, deixo que passe, olho para o lado direito: Carlos está ajoelhado no chão do carro, com o tronco apoiado no banco, rosto num ricto de choro ou raiva, indecifrável. O agente dos bilhetes olha tudo, vejo pelo retrovisor. Mais tarde vai espalhar que eu sou um barbeiro, que os comunas estão bem arranjados comigo.

— Merda, merda — balbucia o Carlos, acocorado.

— Luísa? — pergunto.

— Morta. Todo o mundo morto — e cobre a cara com as mãos. (Chora?)

— Filhos da puta — grito.

Ele me olha. Os olhos estão secos. Me desvendam?

Pergunto como foi tudo, e em vez de responder ele se senta no banco e olha para o vidro de trás. Quero saber do ocorrido, começo a dizer que não estamos sendo seguidos, que ele conte logo tudo (estou quase gritando).

— Os caras apareceram do nada. Estava tudo montado. Tudo montado. Como eles sabiam? O Mário não ia se entregar vivo, ele sempre me disse isso. Foi um horror. A Luísa largou tudo, levantou as mãos, não adiantou, atiraram.

Enquanto monto a cena mentalmente a partir dos retalhos que Carlos me entrega, ele desce de novo para o chão do carro, fica de joelhos e enfia a cabeça no oco formado pelos braços sobre o banco. Parece chorar ou falar baixinho. Fica assim um tempo, não faço mais perguntas. Entendo que a coisa escapou ao controle. Outra vez. Então Carlos levanta a cabeça e pergunta:

Ivone Benedetti 169

– Você não ouviu os tiros?

– Que tiros? Não ouvi.

– Como não ouviu?

– Sei lá, não ouvi. Deve ter sido o caminhão, aquele motorzão no meu ouvido, não ouvi. Como você conseguiu fugir?

– Não sei. Não sei. Saí pelo meio dos funcionários assustados. Só sei que saí.

Não arranco mais nada dele durante todo o trajeto. A certa altura, fala como quem fala sozinho:

– Como foi que eu escapei?

Chegamos ao local da baldeação, paro o carro. Carlos deve trocar de carro e ir com outro motorista para um endereço que ignoro. Esse segundo carro vai ser seguido. Um olheiro já deve estar nas proximidades. Depois de trocar umas palavras rápidas com o outro motorista, Carlos me manda descer e assumir a direção do outro carro. O outro motorista sai a pé. O carro que levamos até ali fica abandonado. Carlos mudou de planos. Para onde vamos, não sei. Por que mudou de ideia, muito menos.

Vou tomando os caminhos que ele indica. Não parece confuso. Evitando o trânsito visível das ruas largas, vamos cortando por ruas secundárias: vira aí, agora à direita, segue até lá e vira à esquerda... Eu, que conheço tão mal São Paulo, logo me sinto aturdido. Aqui e lá desvendo uma ponte, uma avenida, mas logo perco o fio da meada. Pelo retrovisor, não avisto ninguém que pareça estar seguindo o carro. Carlos olha para trás o tempo todo. Rodamos quase duas horas. Acabamos num bairro que nem imagino qual é. Chama-se Vila Prudente, fico sabendo depois. Paramos diante de um sobradinho encardido, com garagem fechada na frente. A chave ele tira de um esconderijo no muro. Ponho o carro na garagem, ele fecha o portão, penetramos na casa: penumbra fria que nunca se iluminará. Porque na casa toda não há luz. Móveis, só fogão, geladeira, mesa. Cama, uma de casal num dos quartos. São dois. O outro, vazio. Bem como a sala. Na cozinha penumbrosa, improvisamos um jantar com uns mantimentos encontrados debaixo da pia: pão velho e salsicha em lata. Quem teria deixado aquilo ali e quando? Mal enxergando o que estou comendo, engulo tudo à luz de um toco de vela catado na gavetinha da mesa depois que o escuro tomou conta dos cômodos. Carlos só tem falado o indispensável. E assim continua. Acaba de comer, vai para a sala, me deixa só na cozinha. Vou atrás, carregando a vela grudada a um pires, e o acho sentado no chão, debaixo da janela. Ponho a vela perto dele e me sento junto à outra parede. Ele logo apaga a vela. Resta o clarão da janela caindo sobre mim. Carlos, invisível e sempre em silêncio. Maria do Carmo morta, cena dantesca daquela na memória, para ele só Luísa, uma ação importante malograda, interpreto que esteja mudo de raiva, com um nó na garganta. Melhor assim. Temos convivido bastante, talvez criado alguns laços. Laço é palavra forte. Laço prende. Não estamos presos um ao outro por nada parecido com amizade. Carlos tem carisma, é daqueles sujeitos que não precisam abrir a boca para despertar boas disposições nas pessoas. Talvez eu sinta alguma simpatia por ele, mais do que por qualquer outro. Mais até que por Rodolfo, que me inspira certa rejeição respeitosa. "Tenho dois amores", disse Carlos uma vez em confidências de bar. Não disse tenho duas mulheres, e sim tenho dois amores. Confidenciou como quem diz tenho dois relógios, dois óculos e gostaria de usar os dois ao mesmo tempo, mas não dá... Dizia dois amores, abrindo o indicador e o médio. E ria. "Duas meninas, entendeu? Tenho duas meninas e quero ficar com as duas. Uma em Ourinhos, outra aqui". A de lá era daquelas que os moços deixavam virgens na estação quando saíam para a capital e encontravam do mesmo jeito quando voltavam. Ficavam reservadas para o casamento de véu e grinalda, depois do diploma. Carlos agora despreza o diploma, não valoriza a virgindade, mas ainda não sabe o que fazer com os símbolos.

No bar, me deu a entender que aquela garota era a herança viva de uma infância livre, de correrias entre pomares e praças, pé descalço nas calçadas ferventes. "E a gente não queimava os pés" – dizia. E perguntava: "As calçadas de Nazaré escaldam os pés no sol das duas da tarde? Você andava descalço por elas, não andava?" Eu respondia que sim. Depois ele mostrou uma cicatriz no pulso em forma de S: foi pulando um muro, na infância, flagrados os dois, ele e a namorada de Ourinhos, por um velho manco, dono de um pomar forrado de goiabas. E a daqui? A daqui ele conheceu cantando "Five Hundred Miles", ao violão. "Voz bonita, meiga" – dizia. Contou que foi a primeira amante, o primeiro apelo forte do sexo com moça de família (rica, aliás), nada daquela coisa corrida, sem graça, com mulher de zona. "Nazaré tem zona? Tem? Você era frequentador?" Lembrávamos, contávamos, ríamos.

– E ela se amarrou, rapaz, até demais!

Ele não esperava aquele chamego todo, quis ser sincero, acabou contando da outra, de Ourinhos. Ela sofreu, mas não arredou. Acho que quer competir.

– Vence?

– Não sei, acho que não, viu, acho que não.

Dessas coisas falávamos meses antes no bar, lembro agora no escuro daquela sala. Lembro que a de Ourinhos não sabia desta.

– Nem pode saber! Minha família e a dela são, ó (e esfregava os dois indicadores). Seria um escândalo.

Mas a de cá um dia engravidou. Fim do ano passado, outubro, novembro. Ele estava no Rio, ela foi até lá, só para contar. Sabe-se lá o que esperava, que ele ficasse feliz, talvez, mas ele não ficou, claro. Dedicado à revolução, não podia pensar em filhos. E, depois, ela haveria de compreender, não tinha ainda rompido com a moça de Ourinhos, precisava esperar, aquilo era prematuro. E ela, companheira de luta, sabia muito bem que futuro podia não haver. "É ou não é?" Eu concordava. Então, arredio ele dois dias, três dias, muita discussão, andando ambos pela Guanabara ("Conhece o Aterro? Aquilo é lindo!" "Não, não conheço"), ela insistindo, precisando e não querendo voltar para São Paulo, chegou uma hora que, no corredor escuro de um prédio (por que ele se lembrou desse detalhe?), esperando um elevador, ela cedeu: "Tudo bem, se você não quer, eu aborto". Então ele a abraçou e disse: "Menina, você vale teu peso em ouro".

— Você disse isso?

— Disse.

— E ela?

— Ela chorou um pouco, mas depois parou.

Todas essas coisas o Carlos contou, eu sei da vida dele, de não conseguir renunciar a nenhuma das duas mulheres, aquela porque virgem fiel, esta porque companheira dedicada, duas joias que qualquer homem haveria de querer. Tão devotada esta de cá... Na noite das confidências, paguei a pizza e as cervejas. Ele me levou para ver *Cidadão Kane* na cinemateca. Naquela noite nos despedimos com um arremedo de abraço. Carlos era afetuoso.

Claustrofóbica sala que não me permite ver a rua, dois homens calados num cômodo vazio, sentados sobre tacos empoeirados (sinto no tato). Tenho sono, me levanto, vou à cozinha, pego os fósforos, reacendo a vela, volto à sala, digo que preciso ir ao banheiro. Ele me intima a deitar na única cama da casa. Reluto, ele diz que vai ficar lá na sala mesmo, que não tem sono. Vou para o quarto. Mal me deito, levanto. Quero voltar à sala, sentar de novo no mesmo lugar e, no escuro (ainda bem), dizer que ele não deve ter encontros com ninguém no dia seguinte, nem no outro, nem nunca, que é melhor sumir de São Paulo, se quiser continuar vivo. Chego a pegar a direção da porta, mas volto. Seria uma confissão. Como passar o resto da noite na mesma casa? Um homem armado é ele. Eu, não. Meu revólver ficou no carro, idiotice minha ter deixado o revólver no carro, mas está lá, fora de alcance. Porque é uma guerra. Se for para dizer alguma coisa, que pelo menos tenha como dar o fora logo depois, que pelo menos tenha tempo de pegar a arma. E, saindo, com a desvantagem de não conhecer o bairro, posso me perder, ser alcançado por ele, levar um tiro. Deitado, um verdadeiro filme de suspense desfila pela minha cabeça, já quase enfiado no túnel do sono, quando tenho outra ideia: escrevo um bilhete de manhãzinha, enquanto ele dorme, e sumo. Apalpo o bolso da camisa: ainda lá a caneta Bic. Papel há de se encontrar algum pedaço pela casa, nem que seja higiênico. Depois rumo para a rodoviária e pego um ônibus. Destino? Nazaré. E assim durmo.

NAZARÉ, 1966. Estava preparando a mala, minha mãe entrou no quarto, trazendo um ex-pote de compota cheio de farinha de mandioca. Parada junto à porta, sabendo que eu recusaria, argumentava de antemão que aquilo me faria falta em São Paulo. Não adiantou, eu não trouxe. O frasco foi deixado em cima da cômoda, ela começou a me ajudar na arrumação da roupa. Pouco falou, também eu, por que dificultar as coisas? Quando saímos do quarto, o pote ficou lá, minha mãe pegava a bolsa: que ia comigo até a estação, Salvador. Iria mesmo, se eu deixasse, e sei que era capaz de só me largar na escada do ônibus. Não deixei. Também se conformou, ficou em Nazaré, bolsa a tiracolo, acenando, com cara de choro. Hoje eu não faria a mesma coisa, e isso é tão certo quanto é certo que ela usou toda aquela farinha na mesma semana. Do pote não deve haver sombra, mas ainda o vejo em cima da cômoda.

– Ele precisa estudar, aqui não haverá de arranjar emprego, muito menos de subir na vida – dizia ela no dia anterior a uma irmã, tia que de vez em quando se fazia presente, vinda de Jequié, eu nunca soube por quais exatas motivações.

Espiando de trás da cortina que separava a cozinha do corredor, vejo minha mãe sentada de costas para a porta, cotovelo na mesa, mão segurando o rosto, titia misturando ingredientes: vai haver cuscuz. Sinto muita vontade de ficar. Mas não fico. Deixo lá o que sobrava de uma família: duas mulheres. Eu era o terceiro e último homem e ia embora. Ia porque depois da morte do marido minha mãe era uma sombra, e eu não aguentava conviver com aquele simulacro. Mariquinha era forte. Mariquinha lhe daria amparo. Vim. Vim também porque ansiava por progresso e beleza, porque não suportava aquela Nazaré imperial, dos casarões de sala e cozinha imensas e banheiro miúdo que os menos ricos herdavam dos ricos de ontem, para viverem como baratas em frinchas de anteontem. Vinha. E, vindo, já duvidava se de fato não iria sentir falta do pote de farinha, mas mesmo assim queria continuar vindo sem voltar, sempre mais a cada estação rodoviária, onde bandos de adolescentes e mulheres assediavam o ônibus com os braços magros espichados para as janelas, na oferta de cajus sumarentos, bananas douradas e tapiocas intragáveis, que os passageiros pegavam em troca de moedas ou notas encardidas, postas em mãos espalmadas. Lembrava e lembro ainda o pote. Faz tempo larguei mão dessa besteira, mas durante muitos anos eu o imaginava à minha espera, corpo largado no espaço concreto da lembrança. Hoje não tenho dúvida de que a minha verdade ficou lá, em cima da cômoda, triturada naquela farinha.

QUANDO ACORDO aquela manhã na Vila Prudente, passo algum tempo reconhecendo o quarto que não tinha conseguido enxergar direito na noite anterior: pintura carcomida nas paredes, tacos soltos aqui ou ali, cama com um lençol bege enfiado por baixo do colchão, sem travesseiro nem coberta. Cômoda não há. À minha frente, venezianas dão passagem a tiras de um sol que já deve andar forte. Ouço vozes de crianças, vou à janela, pelas frestas vejo no quintal vizinho uma mulher lavando roupa, alguns meninos brincando. Dois sobrados geminados que em comum só têm parede. Não sei se é nessa hora que me lembro do pote de farinha, mas sei que ele está lá, jacente no fundo da minha memória, porque juro que nesse mesmo dia deixo São Paulo e tudo o que esta cidade algum dia tenha valido, saio daqui como que retornado da estação sem apear, anos atrás. Tenho fome das ideias simples de minha mãe e das certezas teológicas de meu avô, que devem ter sobrevivido no espaço em que viveram, saudade de um tempo em que nunca precisei perguntar onde assentava a verdade, porque ela estava em toda parte. Quero voltar para ver se ainda a encontro em algum canto da cidade. Tantos anos me perguntando o que de fato valeria a pena, e só então acho a resposta: nas origens.

Mas preciso enfrentar o Carlos. Ponho a mão no bolso da camisa, a caneta não está. Procuro muito aquela caneta pelo quarto todo, embaixo da cama, nas reentrâncias do colchão. Não acho. Terei sonhado que a caneta estava no bolso? Sem caneta, como escrever mensagens, fazer confissões? Resolvo sair pelas caladas. Vou embora sem dizer nem escrever nada. A casa está em silêncio, Carlos deve estar dormindo. Vou até o banheiro pé ante pé, vejo que o outro quarto, da frente, está deserto, janela escancarada. Entro, me aproximo da janela, olho a rua: calçamento de pedra, sobrados enfileirados, um carro está parando com duas rodas na calçada estreita do lado de lá, no meio da rua um menino ensina outro a andar de bicicleta... paisagem ensolarada a esbanjar cores, a desmentir burguesmente o branco-e-preto desta vida que anda me levando. Sinto uma tremenda vontade de mergulhar nessas cores com outra identidade ou nenhuma, voar de preferência. Olho para baixo; por uma fenda do teto da garagem enxergo o chão de caquinhos vermelhos. Estranho, pois deveria enxergar o azulado do carro. Olho melhor: não, ali não há carro. Desço correndo as escadas, a sala está vazia. Também vazia a cozinha, o resto da casa. Enfim, Carlos não está. Da garagem o carro sumiu. Pânico. Acho que estou preso. Antes de querer saber por que Carlos saiu desse modo, preciso achar a chave. Enfio a mão no esconderijo, ela não está. Vou até o portão: trancado. Aterrorizado, forço, sacudo, me jogo contra o portão, ele cede, se abre, mal amparado que está por uma tranca que não penetra no chão o suficiente para aguentar um solavanco. Escancara-se, deixando impudicamente a lingueta da chave à mostra. Se Carlos tinha de fato a intenção de me aprisionar, foi traído por uma tranca. Dessa vez. Saio afobado. Percorrendo calçadas estreitas, desviando de latas de lixo, já não me pergunto por que Carlos fez aquilo, pois tenho certeza: ele desconfia. Mas só desconfia, nada mais, porque, se não tivesse dúvidas, eu não estaria vivo. E, desconfiando, deve imaginar que está sendo seguido. Cuidado redobrado, ele deve contar tudo o que pensa aos outros. Mesmo que eu pretenda continuar como infiltrado, minha vida vai ser mais difícil, perigosa até. Mas uma ideia me faz parar e pensar em voltar: indo embora, perco a pista de Carlos, e isso não vai facilitar as coisas do outro lado. E se ele saiu para comprar pão, por exemplo? Ou comparecer num ponto previamente marcado? E se daqui a pouco reaparece e vê que fugi? E à polícia, como vou explicar que deixei escapar justamente aquele que eles tinham poupado para servir de montaria? Fico parado uns minutos, encostado a um poste. E se estou vendo fantasmas? Pode ser. Mas o preço do erro seria alto demais. E sabe de uma coisa? Já estou de saco cheio. Tenho mesmo vontade de sumir. Não sou assim tão importante para irem me buscar lá nos confins da Bahia, seja lá quem for, estes ou aqueles, os desta ponta ou os daquela. Eles têm trunfos muito maiores, eu não passo de um dois de paus nessa jogada.

Vou até o apartamento, tomo um banho, junto o essencial, pego o dinheiro que tenho, acerto tudo com o zelador e saio. Destino: rodoviária.

MARIQUINHA ME ASSUSTA, entrando com um balde e uma vassoura. Varre o chão, tira o pó dos móveis, troca a cama. Vai ficar quase uma hora indo e vindo por este quarto de quatro por quatro. Desfilando. Tornozelos grossos, pernas batatudas que estufam calça colante preta, peito de rola por baixo de camiseta larga... Tenho tentado odiar Mariquinha. A razão? O amor incondicional que ela dedica a tudo e a todos. Isso me esmaga. Quantas vezes mandei em pensamento Mariquinha à merda, com saudade do tempo em que dizia isso em voz alta, sem que minha mãe se importasse muito, quando meu avô não estava! Só mais tarde, muito tarde, aliás, passei a ordenar, sem palavras, que ela enfiasse sua caridade no rabo gordo que tem e não sabe. Hoje meu mau humor me permite admitir sem rodeios que só pode ser fingido nela um sentimento que nunca existiu em mim. Pena não ter tido a coragem de dizer essas verdades nos tempos em que não perdia nenhuma oportunidade de encher de tapas a cara redonda de Mariquinha. Coisa que fiz umas duas vezes. Lembro o chorinho agudo de lábios finos, choro minguadinho, avesso de sorriso, no esforço de abafar o grito da raiva que sempre medra por dentro de quem se empenha em não ofender o ofensor. Ofendendo. Porque me ofende não entender, e ela sabe disso... e nunca hei de entender.

Tento a calma, está difícil.

O cartaz com a frase de Santo Agostinho estava despencando, dependurado de um só pedaço de durex. Ela regrudou, mas, quando finalmente vira as costas e fecha a porta, o papel cai e vai pousar em cima da tevê. Daqui posso enxergar: de vez em quando se eleva, como se quisesse levantar voo, movido por uma brisa estranha nesta hora. Olho a janela: a manhã ameaça renunciar à claridade, o céu preteja. Mas preciso me recompor, porque não é dando vazão aos meus reais sentimentos que há de ganhar sentido o que se enruste ou se enreda. Arrancado do torpor, com os batimentos cardíacos acelerados, levo algum tempo até lembrar qual fio de meada o susto me roubou. A última vez que olhei o relógio, ele marcava três e meia, eu estava a caminho da rodoviária...

Lá dei com o Getúlio...

Dou com o Getúlio. Ou o Getúlio dá comigo.

Raiva.

Hoje não consigo organizar nada. Às vezes Mariquinha me tira do sério. Nada de minha mãe nela. Essa falta da mãe comum na minha própria irmã me aperreia. Puxou às tias-avós do lado espanhol, duas solteironas branquelas e malformadas que nunca me desceram pela garganta. Regateavam até as taiobas que depois jogariam aos porcos. Uma vez me arrancaram da mão um pedaço de queijo, por ser já o segundo, diziam, que eu alcançava da mesa. Mesa alta, sempre coberta pela mesma toalha bordada, tal como elas se cobriam sempre do mesmo xale. A aversão era mútua. Só na marra ia à casa delas, que recendia a mijo de rato. Se as insondáveis leis da genética não tivessem feito de Mariquinha uma súmula daquelas tias, nossa convivência talvez fosse melhor.

Mas a folha com o texto de Agostinho plana pelo quarto, vai ao chão, fica lá, tremulante, uma lufada entra mais forte, ela se eleva no ar, turbilhona, sai pela janela, vai jazer na calçada, deixo de vê-la. Deve ficar lá, até se desmilinguir nas solas molhadas dos que passam. Porque já está chovendo, e Mariquinha esqueceu de novo a janela aberta.

RODOVIÁRIA. Saio do guichê, comprei passagem para Salvador. O ônibus parte às oito e meia da noite, ainda não são quatro da tarde. Tenho fome, me aproximo de um bar para comer alguma coisa. Depois pretendo me sentar em algum canto obscuro, com um jornal aberto à frente, esperando a partida. Quando enfio a mão direita no bolso para guardar a passagem, alguém me agarra o braço. É Getúlio, e vem acompanhado por um grandalhão que nunca vi. Estou no meio dos dois e Getúlio me puxa. Aponta para uma lanchonete, dizendo ao outro, irônico, que eu devo estar com fome, que sim, é melhor comer, eu vou precisar. Naquele curto trajeto me dou conta da minha vasta idiotice. Sentados os dois de um lado do balcão em U, o grandalhão se ajeita no canto, do outro lado. A lanchonete está cheia. Getúlio pergunta o que quero, digo que um bauru. O outro quer um hambúrguer. Getúlio pede os dois lanches, duas cervejas e uns torresmos da vitrine. Então, quase cochichando, me diz:

— Fugindo de quem, minha flor?

Eu fico indignado, digo que flor é a... Me acovardo, não termino. Ele diz alto ao grandalhão, do outro lado:

— Espia só, está querendo dar uma de valente.

O grandalhão não se mexe, só me cobre com seu olhar bruto. Todos os rostos estão voltados para mim. O Getúlio grita:

– Estão olhando o quê?

Todos disfarçam.

Depois, quase cochichando:

– Tu não é flor, não? Então o que é que tu é? (E repete sem parar "O que é que tu é?") Está aí voltando para Salvador, cair nos braços da mamãezinha...

– Não ponha a minha mãe no meio...

Foi essa a minha frase. Pouco antes, eu só não ponho a dele no meio por covardia, mas agora que ele menciona a minha, eu me agiganto. Getúlio sorri. Puxa os torresmos para si e começa a comer. Sei que o Getúlio é burro e juro que não hei de me deixar dominar por ele. Digo que recebi um telegrama, preciso ir a Salvador cuidar de umas questões de inventário. Que, para o governo dele, minha mãe já faleceu. Tentei ligar, avisar, o telefone dele não havia atendido, eu ligaria de novo daí a pouco, o ônibus, afinal, só sai às oito e meia. Olho o relógio, protesto o cedo da hora:

– Como você pode dizer que eu ia sair sem te avisar? Eu tinha medo de ficar sem passagem. Só isso.

Getúlio não cai. Pergunta onde é o esconderijo que indiquei ao Carlos. Digo que não sei do que ele está falando. Ele faz um trejeito e me diz que estou por fora. Ou pelo menos é o que entendo. E não diz mais nada.

O bauru chega. Getúlio o puxa para si. Percebo nisso o começo de uma tortura que não sei como vai continuar. Então eu argumento que não devo nada, que fiz tudo o que esperavam de mim. Mudo de tom. Conto em detalhes o acontecido no dia anterior, inclusive o ridículo quase-atropelamento de Carlos. Getúlio continua engolindo torresmos e comenta que só faltava o cara morrer... etc. Vou me animando, passo a usar a linguagem que eles mesmos usam, a adjetivar os outros do jeito que eles esperam que eu faça. Acho que a conversa está surtindo efeito quando o Getúlio destampa a cerveja e me dá o bauru. Começo a comer. Invento um diálogo entre mim e o Carlos dentro do sobrado, digo que ele me avisou que iria cobrir um ponto logo de manhāzinha, que ele saiu e deixou a chave de jeito para eu sair também. Dou o endereço do sobrado.

Quando termino, Getúlio não sorri. Fecha a cara e diz que eu já estou queimado, pergunta onde é o esconderijo que eu indiquei ao Carlos. Digo que não indiquei porra nenhuma. Que eles devem montar campana no endereço da Vila Prudente: alguém decerto vai voltar lá, aquilo é um aparelho. E tenho a ousadia de dizer que eles haviam sido incompetentes no dia anterior, se tivessem seguido a gente como deveriam já saberiam onde estava o Carlos.

Então o Getúlio fecha mais a cara e quase grita: que eu acabe com a comédia, porque não passo de um burro que incumbiu o porteiro do prédio de quitar o aluguel com o locador e vender os móveis.

Percebo a mancada, fico mudo. É... quando pensei que me acreditava, ele só se divertia.

— Está vendo aquele armário ali? — diz apontando o outro. A função dele sabe qual é? Moer teus ossos, seu filho da puta.

Os torresmos acabaram.

Ainda não terminei o bauru, faço cera na ilusão de ganhar tempo, aquilo não desce. Ele espera pacientemente, sem falar, até que eu termine. Paga, saímos e, de carro, vamos para uma espécie de chácara, não sei onde, para lá de Santo Amaro. Muito longe, mais de hora de trajeto, eu no fundo do carro, grandalhão do lado, rádio alto. Entramos na casa, o grandalhão junto. Há dois sujeitos armados do lado de fora. Tenho tudo contra mim: deixei um cara importante escapar e estava tentando fugir sem avisar. Ensaio explicar que nada é o que as aparências indicam. Ninguém mais me ouve. O Getúlio só pergunta onde eu enfiei o tal Carlos. Apanho do grandão. Apanho, muito. Getúlio assiste impassível. Perco os sentidos.

Quando acordo, estou sozinho, num chão de cimento vermelho e frio, mal podendo respirar. A dor me esmaga o peito e eu desmaio de novo. De madrugada, um dos guardas vem ver se estou vivo. Pergunta se quero água. Não respondo, gemo. Ele traz água, não consigo tomar. Desmaio outra vez e só desperto, dia alto, numa enfermaria.

Ao meu lado, um fulano que eu tinha visto antes, não sabia onde. Está recebendo de uma enfermeira o almoço do paciente, que sou eu. Ele me informa de meu estado. Ouço: duas costelas quebradas. O resto se perde, estou sonolento. Tem ar de amigo. Quando acordo de novo, ouço que devo colaborar, ou serei entregue aos outros, aos comunas, que me julgarão e matarão, pois sabem que sou infiltrado; que, se não me comportar, da próxima vez sou mandado desta para melhor sem aviso prévio. Diz tudo isso com fala mansa. O almoço continua lá, tenho fome, mas não forças. Ele pergunta o que prefiro. Não percebo o que quer. Tenho muito sono, balbucio qualquer coisa e durmo.

No dia seguinte me lembro do nome: Tomás.

A CONVALESCENÇA FOI LONGA. Quando me senti capaz de sair à rua, fui certa noite tocar a campainha de Jandira. Ninguém atendeu. Subi os degraus do jardim, fui bater à porta. Nada. Há quanto tempo não via Jandira? Não sei dizer. No tempo todo em que fiquei de cama não telefonei. Não ia poder mesmo dar a ela o endereço provisório onde Tomás me hospedava. Minha imaginação não tinha me fornecido uma boa história para contar, minha raiva não me deixava fôlego para o esforço de imaginar. Agora procurava colo feminino, que Jandira nunca tinha negado. Sentado na mureta do terraço, sem saber se esperava ou desistia, lembrei aquele outro terraço de Santos. Tanta coisa mudada, como se os dois terraços fossem as pontas de uma mesma e infernal linha de acontecimentos: aquele prenunciava este, que reprisava aquele. Faltava o trapo transfigurado em santa, mas eu não tinha ânimo de ir conferir lá atrás, no vitrô da cozinha. Iria embora. Estava já de pé, ouvi o portão, era ela que chegava. Não demonstrou o contentamento de sempre quando me viu, deu um boa-noite desalentado, cumprimento fora de lugar, porque nunca tinha havido boas-noites entre nós. Aquela solenidade me pegou de mau jeito, numa torção de contrariedade. Abriu a porta e foi embocando, me deixando para trás. Lá dentro a alcancei com um abraço: deslizou para fora dele como quem desveste um cilício. Achei que era sinal de arrependimento a pergunta que veio um pouco depois: se eu estava bem de saúde, tão pálido. Não respondi; em vez disso, perguntei por que aquela frieza. O que ela disse me pegou desprevenido: era melhor a gente não se ver mais.

Estávamos na sala. Desacreditei, sorri e argumentei: aquela raiva passaria, eu tinha andado sumido, mas era coisa de trabalho, ela tinha razão de estar zangada. Parecia não ouvir. Tive a impressão de que estava cansada. Foi para o quarto, sentou-se diante da penteadeira, eu na cama, de onde a enxergava emoldurada pelo coração de sempre: tirava os brincos, os sapatos, a maquiagem. A imagem era familiar, o clima não. Tudo em silêncio, como se eu não estivesse.

Eu ensaiava um "por quê?", que afinal saiu.

– Vou me casar – foi a resposta lançada num jato.

Gargalhei e disse que não acreditava. E não acreditava mesmo. Fui até ela, abraçá-la por trás, roçar meu tesão nas costas dela, artimanha que nunca tinha falhado. Ela me empurrou. Abri os dois braços, na intenção de lhe virar um tapa, mas, desistindo, fixei o gesto numa atitude de interrogação. Fiquei parado no meio do quarto, de braços abertos, repelido também pelo meu próprio reflexo no espelho. Sentei-me de novo na cama. Em cima da penteadeira, o mesmo mostruário de sempre: um rosário, uma fila de batons, duas escovas, três pentes, um estojo, uma pinça, um cortador de unhas, um porta-joias, uma toalhinha de crochê amarfanhada, potes de creme, uma foto... Uma foto. Quando me levantei, ela tentou pousar um pote de creme sobre a foto. Era ela, com um japonês.

– Um japonês! – e gargalhei.

Então conheci a Jandira que eu nunca tinha visto, a Jandira de verdade, a fera que sempre brota da mulher pisada, aranha-armadeira que de pronto se enrista e injeta o veneno. Levantou-se e gritou:

– É! Japonês! Um cara sério, com registro em carteira e bom emprego. Algo contra?

Disse isso batendo o dorso da mão direita na palma da esquerda. Que cena!

– Grande coisa! – foi só o que eu disse.

Ela se armou ainda mais:

— Grande coisa? Pra mim é o que conta. Está comigo, ao meu lado, quando quero. Não é como certas pessoas que somem, não dizem mais onde moram, não se sabe o que andam fazendo e só aparecem quando querem arrego... O que é que você anda fazendo por aí? Sempre bem vestido! De onde vem o dinheiro? Hem, hem, de onde vem o dinheiro? Me conta! Não, não me conta, que vai me dar nojo. Some já daqui.

Pensei em dizer que uma vez ela tinha dito que não queria se casar com ninguém, pensei em argumentar que ela estava se casando com um emprego, dizer alguma coisa afinal, mas ela gritou "Some!" duas vezes.

Saí vexado, prevendo que seria posto no olho da rua.

Lá fora, gritei:

— Você não sabe com quem está falando. Eu vou dar um sumiço nesse japonês.

Quando, uns meses depois, vi no espelho o primeiro fio de cabelo branco que em alguns anos contaminaria de brancura a cabeça inteira, lembrei aquela ameaça ainda não cumprida. Me imaginei envelhecendo sozinho, enquanto outro cara usufruía minha mulher. Por que não dei sumiço no japonês? Acho que por preguiça. Ou falta de genuíno ciúme. De tempo também. Tempo, porque logo depois me vi comprometido com uma ação que exigiu muito de mim, em todos os sentidos.

Agora trabalhava para o Tomás, o mesmo que estava no meu quarto quando acordei da surra. Nem de longe a rudeza do ensebado Getúlio. Era branquelo, fino, discreto e seco como uma lagartixa. Conversava bem, falava baixo e em bom português. Ouvia sempre com atenção. Eu, que cresci envolto nos lençóis limpos do zelo materno, fiquei à vontade com ele, que argumentava mansamente e me tratava com certo paternalismo. Conseguiu abalar em mim o que me restava de boas disposições para as ideias da esquerda. Ele estava convicto de que lidava com uma ideologia perigosa que precisava ser combatida, e que isso exigia firmeza de convicções, conhecimento intelectual do inimigo. Martelava essas coisas no meu ouvido todos os dias. Sobretudo a palavra inimigo: nisso ele precisava de fato transformar os outros, os que eu chamava de amigos não muito tempo antes. Esse era o passo que faltava dar, e ele me empurrava.

Por ele foi planejada a campanha de destruição das ramificações de algumas organizações de esquerda que existiam em Santos. Ajudei, com os conhecimentos que havia adquirido na região, pouco mais de um ano antes, quando apareci para um jantar que nunca existiria.

TEM CHOVIDO MUITO todos os dias. Dias de sol forte intercalado com aguaceiros. Agora chove. Mariquinha está com o amigo padre na sala, conversando como sempre. Quatro dias atrás foi um rebu nesta casa. Depois do que aconteceu, ela ficou quase uma hora em conversa com ele. Chorava, mas de resto eu não ouvia muito bem o que dizia. Só consegui pescar uma que outra frase. Fiquei ouvindo o choro dela, imaginando a cara de choro dela, o esgar do choro de Mariquinha, o odioso esgar de Mariquinha chorando. A palavra irmão me parece ter soado na voz aguda e franzina do padre, voz penetrante de alfinete, cada sílaba uma fisgada. Nada nele da severidade de meu avô nem da profundidade de padre Bento. Conseguia naquele dia ouvi-lo daqui como consigo agora, mesmo quando fala baixo, mas não ouvia bem Mariquinha, que devia estar abafando as palavras com as mãos, sufocando a si e ao choro; o que sobrava de algum som logo era abafado pela chuva, como agora. Portanto, ela chorava e chovia. A impoluta Mariquinha chorava. E por que chorava Mariquinha?

No começo achei que por minha causa. Pode ser que sim, que por minha causa tenha começado o choro, mas depois, talvez, mudando o rumo da conversa, ela tenha passado à confissão, à verdadeira causa de seus males. Não sei. Só sei que cochicharam muito tempo, mas que antes chorou por seus pecados, ou melhor, por seu pecado, como disse. – O meu pecado, padre – isso ouvi bem, antes que começassem a cochichar.

Chove há várias horas sem parar. O cartaz com a frase de Agostinho diluiu-se na sarjeta, disso sei eu, não ela, que se esqueceu dele depois que bateu a porta. Eu, de meu posto, contemplei a degringolada daquela nesga de teologia, antecipando o gozo de ver minha irmã deplorar a perda. Mas fui frustrado pelo seu esquecimento.

No outro dia, a chuva grossa formava borbulhas no parapeito da janela, e elas respingavam aqui para o soalho. Cinco minutos pelo menos a chuva se entornou desse jeito, pois a janela tinha ficado aberta depois de um vislumbre de sol que deve ter aparecido só para que Mariquinha se iludisse e se esquecesse dos vidros que deixou abertos de par em par, para que, lembrada deles depois de tanto tempo, voltasse correndo e, vendo o chão todo molhado, exclamasse "Ai, a janela, ai, a janela"; para que empunhasse as duas folhas e, sem fechar, ficasse ali parada, a contemplar a chuva e a pensar num modo de me ferir, para depois me olhar e dizer: *Las gorgoritas del agua serán mis testigos*, repetindo a frase com entonação de declamadora de teatro clássico duas ou três vezes; para que, não contente com a declamação inoportuna, ainda sem fechar a janela, ficasse ali, olhando para mim um bom tempo, enquanto as borbulhas que caíam no parapeito continuavam respingando cá dentro no soalho, aos seus pés.

Assim começou tudo: ela lembrando a história do homem apunhalado num dia de chuva que, à beira da morte, invocou por testemunhas do crime as borbulhas que a chuva formava no chão. O assassino riu. Mas, em outro dia de chuva, muitos anos depois, vendo borbulhas no chão, o criminoso se lembrou daquelas outras borbulhas de tantos anos antes e contou seu crime à mulher, rindo também desta vez, por achar ridículo alguém imaginar que as borbulhas da chuva pudessem dar testemunho de seja lá o que fosse. E a mulher o denunciou. É a história que meu avô usava de pretexto para a seguinte moral: todo crime tem testemunha, pois, quando as testemunhas não existem, a consciência as arranja.

Tudo se encadeou assim. E, quando Mariquinha finalmente fechou a janela depois de fazer questão de me lembrar da história, foi para sair e voltar em quinze minutos com o almoço na bandeja, para pousar o prato aos pés da cama e deixar tudo lá, comida fumegando, eu com fome, e pegar o Evangelho. Já chegou de olhos desdormidos. Podia já ter chorado, não sei o que apanhou Mariquinha de mau jeito naquela manhã, mas que importa se tinha chorado ou não e por quê? Importava que, enquanto ela me lia João, 13 ("E inclinando-se ele sobre o peito de Jesus, disse-lhe: senhor, quem é? Jesus respondeu: É aquele a quem eu der o bocado de pão molhado. E, molhando o bocado de pão, o deu a Judas Iscariotes, filho de Simão"), a fumaça do guisado ia diminuindo de altura a olhos vistos, e eu, faminto, me profetizava a engolir uma lavagem fria.

Quando terminou de ler, pegou finalmente o prato e, uma a uma, passou a pôr colheradas de guisado em minha boca, enquanto falava da traição e depois da crucificação, quase chorando, e assim falando me enchia a boca de revolta. Então, quando falava do túmulo vazio e recolhia na colher o arroz que pretendia misturar ao picadinho de carne que poria em minha boca, botei pelo ladrão, destripei o mico, despejei o vômito por cima do seu vestido lilás, entornei tudo em golfadas, sem desviar a boca de seu colo, e o corpo dela se encheu do produto ácido da minha digestão mal começada. Ela saltou para trás, derrubando a cadeira, e a última golfada foi ao chão.

– Desgraçado, isso é coisa que se faça?

Gritava.

E saiu correndo.

Fiquei olhando os pedaços de arroz e carne que no chão formavam um arquipélago rodeado por uma gosma amarelenta, retrato da minha ingratidão à santa irmã que tudo faz por mim. Meus olhos estavam cheios das lágrimas que a dor da expulsão sempre leva às órbitas. Achei que ela me deixaria ali, com meu próprio inconsciente aos pés, para que me envenenasse o cheiro nauseabundo dos meus rancores. Mas não: voltou e limpou a sujeira sem me olhar. Meia hora depois que saiu do quarto, o padre chegou. De pé, à minha frente, fazia o sinal da cruz sobre a minha testa, enquanto ela contava o acontecido. Omitiu as gorgoritas, mas não a leitura do Evangelho.

— Um ato involuntário, minha filha, é preciso perdoar. É preciso ter paciência com o próximo, sobretudo se doente. O médico tem vindo?

— Veio há quinze dias, padre.

— Talvez seja bom chamar de novo.

Isso diz o padre e começa a rezar baixinho, de olhos fechados, voltado para mim. Depois, me dá as costas, põe a mão esquerda no ombro de Maria e saem os dois, ele dizendo:

— Esses derrames cerebrais costumam deixar sequelas graves, minha filha, não só físicas, também psíquicas. Ponha-se no lugar dele...

A voz do padre míngua, a porta se fecha. Pouco depois começa a conversa chorosa ali na sala.

Mariquinha diz a todos que sofri um derrame. Diz derrame, não AVC, como se usa hoje em dia. Derrame é impreciso. Quem poderia um dia acusar Mariquinha de mentir? Derrame, ora, derrame é qualquer coisa, é a palavra que dizem os que não fazem ideia do que estão dizendo. Ao padre, à amiga esotérica e a qualquer um que apareça por aqui ela diz meu irmão sofreu um derrame em 1984. No começo eu achava que ela não queria causar má impressão aos que vivem acomodados no maço acolchoado da desinformação. A verdade poderia chocar os mais melindrosos, os que só sabem de violências por telejornais. Violências longínquas, com gente remota. Mas depois comecei a achar que a coisa é mais complexa. Porque, enquanto me inocenta em público, ela me culpa em particular. O verdadeiro objetivo de Mariquinha é me deixar mais confuso, embaralhar de vez a linha entre realidade e ficção que venho traçando com tanto custo neste espaço mental em que vivo. E, pensando bem, entre a versão de minha irmã e a minha, quem acreditaria na minha?

Quem é Mariquinha, afinal? Essa aí ou aquela meninota que pulava macaquinho em Nazaré, que acertava a casca de banana onde bem quisesse e vencia todos os quadrados equilibrada no pé-coxinho?

Brincadeira de mulher, dizia eu, para encobrir o despeito de vê-la sempre chegar ao céu sem tropeçar. Prefiguração da minha relação com Marquinha, aquele desenho nas calçadas de Nazaré.

A chuva continua. Uma cadeira se arrasta, o padre deve estar se levantando. E se despedindo. Apesar de fechada, a janela não silencia os pneus dos carros que passam cortando a água do chão, deixando um rastro mais opaco e seco, que logo em seguida é coberto pela água da chuva que não para de cair. Aprendi a ver daqui o que só posso escutar.

CARLOS MORREU no começo de 1970. Segundo consta, reagiu ao receber ordem de prisão, iniciando-se um tiroteio. Sem dúvida foi teatro. Um ou dois meses depois, noticiou-se o estouro em Santos de um aparelho de terroristas, com a prisão de duas mulheres e um homem, este guarda-noturno envolvido com sindicalismo portuário. Uma das mulheres, a mais nova, teria morrido na prisão: suicídio. Um homem de 38 anos morreu numa emboscada poucos dias depois em São Paulo: era o que tinha pernoitado em Santos, com Rodolfo.

No começo de 1970 eu estava só. De Jandira não tinha mais notícias, na casa da Liberdade morava outra pessoa. Minha aparência tinha mudado: perdido o ar de arrivista deslumbrado, não sobrava nem vestígio da credulidade com que chegara a São Paulo poucos anos antes, não restava sequer sopro da alegria festiva de 1968. Na época, já não me reencontrava nas fotos de antes, algumas três-por-quatro tiradas para este ou aquele documento: tinha sumido do meu rosto o olhar não digo ingênuo, digo talvez vazio, afásico, olhar infantil persistente no rosto do adulto antes do choque com a realidade. O espelho me entregava outro sujeito, cara taciturna, barbada, olhar gritante que não sustentava os dardos da própria mirada por mais de uns segundos. Na rua, usava óculos e boné, com medo de ser reconhecido e executado. Todos os grupos de esquerda tinham minha ficha, eu estava condenado. Ficou claro que eu devia sair da cidade. O coronel então revelou que estava montando uma pousada na região de Angra dos Reis, que precisava de alguém para comandar o serviço de copa e tinha pensado em mim. Foi assim que me transferi para lá, com novos documentos: finalmente havia mudado de identidade.

3 DIAS

ACORDEI, sei que de madrugada porque a luz que entrava pelas frestas da janela era o clarão esgarçado da lâmpada de rua. Um sonho me acordou o corpo, que ardia por inteiro. Eu era guarda de presídio. Meu posto ficava no centro exato de uma cápsula de vidro, alta e circular, em forma de cilindro, lápis ou flecha, onde eu era visto por todos os presos, de cima e de baixo, sem ver nenhum. O olhar de cada um deles se fincava na minha pele, eu ardia como agulheiro. Queria fugir, não conseguia, subia e descia escadas sem fim. Acordei ofegante e assim fiquei um bom tempo, de olhos arregalados na escuridão.

Foi aí que o sonho se completou com uma visão. Eu a vi, minha voz, como sempre sentada ali no canto, desta vez dizendo um nome: Irênia. Fechei os olhos, abri: ela sumiu. Mas abertos ficaram meus olhos até que o dia clareasse de verdade.

A janela já foi aberta por Mariquinha, que canta no corredor.

Não chove. Não faz sol.

QUANDO O CORONEL ME PROPÔS cuidar do serviço de copa da pousada que ele tinha comprado em Angra dos Reis, me senti desterrado. Minha escolha teria sido outra. Fazia tempo eu queria mesmo era arrepiar caminho, voltar às origens. Mas não podia, e era melhor sair do circuito por algum tempo. O lugar era afastado e frequentado só por turistas de boa renda. De uma coisa eu sabia: melhor aquilo que continuar infiltrado, abafando e reanimando uma de minhas frações a cada vez. Em relação ao coronel eu vivia a ambiguidade de lhe dever a libertação e os grilhões, de lhe ser grato e de odiá-lo. Mas ele me pagava um curso de aperfeiçoamento e me oferecia um emprego honesto. Não havia motivo suficiente para negar.

Apesar dos meses de preparo, fiz amuado o trajeto que me levava a Angra, remoendo a raiva de ver meu destino se confundir com o universo alheio como água-viva no oceano. Ia devagar, parando pelo caminho quando obrigado e quando não, pensando nessas coisas sem pressa de chegar. Rumava para uma vida que, se me livrava em parte da angústia, sem dúvida me atiraria no tédio. Desterro, desterro, pensava. E me acusava de eterno insatisfeito. Meu avô dizia: você nunca está satisfeito, tem de tudo, mas reclama o tempo todo. Reclamava, eu? Não me lembro. Ele dizia isso. Minha mãe, não.

Chego nesse estado de espírito. Estaciono o carro debaixo de uma árvore e olho a construção. Imponente, arrojada, terraço suspenso sobre o mar. De foto eu já conhecia: era o orgulho do coronel e tinha até aparecido em capa de revista de arquitetura. Aquela beleza, que nunca faria parte de mim, que não é do meu feitio, do meu nível, da minha gente, aquela beleza eu não quero que me entre pelos olhos e impressione a alma. Olho escudado por trás da prevenção. Mas a beleza não se desfaz, e minha aperreação só diminui na mirada mais atenta: a beleza que bate em mim não é da propriedade do coronel, é da paisagem, é da natureza, é... de Deus, diria Cibele.

Cibele tinha um Deus que não é o mesmo de Mariquinha.

Enquanto pego a bagagem, ela se aproxima. Pergunta meu nome para confirmar, estende a mão, diz muito prazer dando boas-vindas. Mais umas poucas palavras e me convida a ir ver minhas acomodações. Vou semicalado, monossilábico, sem saber se me alegro com o gosto do bom que me é ofertado ou se me entristeço por estar gostando. Vou seguindo seus passos, carregando duas malas e um pacote, vou atrás dela reparando nas panturrilhas torneadas, no tornozelo fino, no bronzeado natural da pele, na estatura mediana de medida certa, nos cabelos perfeitamente pretos, amarrados na nuca, no estampado do vestido claro que se meneia na dança das ancas discretas. Poucos minutos dura o trajeto, mas nele me vejo mosca presa nos seus fios. A cada metro daquele corredor, vou ganhando a certeza de que aquela mulher estará incrustada em todos os meus pensamentos futuros.

Passei uns dez dias entre dois sobressaltos: vê-la e deixar de vê-la. Quem me contou que Cibele não tinha compromisso, que tinha acabado um casamento de curta duração, foi uma arrumadeira, numa espécie de segredagem marota, induzida (sonhei?) por insinuações da chefa, quem sabe. Nunca me senti mais eufórico na vida. Assim começou.

Durou pouco mais de três anos. O começo da minha relação com Cibele eu só consigo enxergar pelo rasgo do rompimento, facada num tecido que se esgarça e já não dá nem ideia de como foi quando ainda estava incólume.

Ilusório? Pode ser. De mim Cibele só sabia o que eu contava, e eu só contava minha parte melhor. E, contando o que desejava ser, consegui até começar a ser o que queria e que Cibele achava que eu era. Por isso (tenho certeza de que por isso) não havia atritos entre nós. Cibele era mansa porque tinha em mim o espelho do que eu lia nela, enquanto a gratidão de me sentir amado me tornava mais maneiro. Transformações assim costumam receber o nome de felicidade. Essa comunhão se refletia nas questões profissionais. A pousada ia bem... com altos e baixos, é verdade, mas Cibele tinha mão segura para esticar a corda nas horas de desequilíbrio. Trabalhávamos muito. Pouca folga tínhamos, porque, segundo os critérios do coronel, que nos pareciam justos, não podíamos tirar férias ao mesmo tempo. Folga juntos mesmo, só uma vez, num mês de julho com pouco movimento. Fomos para a Argentina. Peso argentino baixo, fizemos uma farra. Comi e bebi como um frade e me senti beato nas casas de tango. Um amor sereno e maduro nos enternecia e inflamava em dias e noites portenhos que nunca esqueci. Eu nunca tinha vivido nada parecido, nem viveria depois. Tudo isso eu vejo agora através da laceração, do corte de faca que foi aquele rompimento. Por isso, as lembranças daqueles três anos, se ainda me fazem vibrar, é com a dor que deve sentir o cristal estilhaçado. Mesmo assim, esses anos eu guardo como reserva de bonança, represa das águas limpas que me matam a sede, território protegido que não exponho à vista de ninguém.

Só com Cibele me senti inteiriço. O intervalo entre ganhar e perder Cibele foi uma tira de luz a separar as sombras num antes e num depois. Foi o tempo de me perceber uno, de expelir de mim a sensação angustiante da cisão, de me livrar do engasgo, de aspirar o ar que me faltava. Tinha mais medo de perder Cibele que de morrer.

Por natureza, nunca tive clara a razão ou a desrazão de ninguém, nunca fui cativado por causas nobres, religiões e assemelhados, nunca me aconteceu a segurança do valor certo. Não digo que com Cibele cheguei a tanto. Nem ela foi capaz de operar esse milagre. Digo que essas coisas eu deixava que ela pensasse por mim, e tudo ficava bem.

As certezas dela sobre valores, ética, coisas do espírito e assemelhados me bastavam, me davam licença para não pensar em certo-errado, verdadeiro-falso, real-irreal. Deleguei a Cibele a solução de todos os problemas espirituais deste mundo e de qualquer outro, mais ou menos como havia delegado a Rodolfo a solução dos impasses políticos que me deixavam perdido. Com o acréscimo da segurança do afeto, no caso dela. Sempre vivi cercado de pessoas religiosas, cada qual com seu Deus. O Deus de Cibele era... como dizer? O mais abstrato e, ao mesmo tempo, o mais presente.

O rasgo que nos cindiu foi abrupto. Entre o primeiro golpe, despercebido, ao repelão final se passaram poucos dias.

Tudo começou quando apareceu na pousada um sujeito que cantava "My Way".

ANGRA. É noite, três ou quatro grupos de hóspedes foram para o terraço suspenso, todo iluminado. Cá para dentro as mesas de jantar já estão livres, menos uma, ocupada por um casal, perto do balcão. Com eles está Cibele, numa conversa que não dá sinais de terminar. O assunto é a existência ou não de Deus. Essa conversa vem sendo largada e retomada há dois ou três dias. O varão, dentista em Curitiba, é ateu. Ateu praticante, tinha brincado Cibele a sós comigo, na noite anterior, dizendo que existem dois tipos de ateu: o que não pensa em Deus e o que só pensa em Deus. O dentista era destes. Por isso estava sempre retomando a discussão, quando lhe ocorria algum novo argumento e tinha a oportunidade de enredar Cibele em nova conversa.

Eu, no tempo que me permitem meus afazeres, fico mandriando não muito perto nem muito longe, para acompanhar o diálogo sem atrapalhar. Estou guardando uns copos sob o balcão, Cibele lança mão de seu argumento mais poderoso, que já conheço: fala da grandiosidade do universo, das estrelas no céu, afirmando que diante desse espetáculo não é possível deixar de crer em Deus. Mas o cenário não ajuda. Dali, o que do firmamento se enxerga é uma imensidão de breu, porque o pontilhado pulsante das estrelas, testemunhas de defesa de Deus no tribunal de Cibele, está ofuscado pela luz elétrica e só pode ser visto por quem se aproxime muito do parapeito, ali adiante. De onde estamos, treva densa e amorfa. Cibele calculou mal. Para impressionar, esse argumento deveria ter sido usado lá fora, mesmo assim em noite sem nuvens. Na falta da imagem, o discurso cai no vazio, o sujeito nunca tinha olhado para o céu com esses olhos, então resolve a questão soltando uma piada que não ouço, só ouço a gargalhada da mulher. A conversa caiu do sublime ao prosaico. Cibele se levanta e, sorrindo, pede licença. Acho que meio chateada. Entra no escritório, eu vou para a cozinha fechar o expediente.

No terraço, alguém tira acordes de um violão. Uns dois ou três acompanham numa cantoria desafinada de fim de festa. Da cozinha, pouco ouvindo, imagino que a reunião vai se estender por mais meia hora e se desfalcar aos poucos, terminando nas mesas de pôquer. Mas a certa altura uma voz possante invade todo o ambiente. Chega à cozinha misturada a palmas e gritos de "muito bem". Aquilo parece animado. Vou para o terraço. Um homem maduro, barba e bigode, hóspede solitário (fato raro) chegado naquela tarde, canta "My Way" de pé, com gestos heroicos e pulmões de fole, rosto corado a poder de algum álcool. Canta como se sua vida se dependurasse daquele ato. Canta bem, parece até profissional, e a pronúncia do inglês parece boa. Está muito emocionado, a ponto de ter lágrimas nos olhos, e não poucas. Fico observando, perguntando se até o fim ele vai fazer jus a toda aquela torcida. Mas ele não desaponta. Quando termina, os presentes, talvez mais impressionados pela emoção do cantor que pelo sentido da letra, aplaudem em delírio. Então o homem sai de cena e não dá bis.

No dia seguinte, começo de tarde, é achado morto na cama, devendo estar lá, sem vida, desde madrugada. "My Way" tinha sido sua cortina final.

Caída em cheio na nossa cabeça, pois assim que Cibele vem afobada me contar o desastre eu começo a imaginar a trabalheira que tudo vai dar. O fim de semana é duro, o começo da outra, pior ainda. Somos todos interrogados pela polícia local, que nos trata com cuidado por saber para quem trabalhamos. Mas o morto não é totalmente desconhecido. Foi figura de terceiro escalão do governo Jango, nome esquecido no

206 Cabo de guerra

limbo do ostracismo. Só sabemos de sua história quando a imprensa a ressuscita, começando assim a enterrar o nome da pousada. Falam de envenenamento, como se tivessem examinado as vísceras do finado, e afirmam que teria sido por motivos políticos, como se fossem íntimos do assassino. Uma baboseira que só. Minha cozinha, de onde saiu a última refeição do defunto, está na mira.

O cadáver já foi trasladado para São Paulo, o coronel me pede que venha, pois é preciso cuidar de várias formalidades. Vai ser feita uma necropsia, é bom acompanhar de perto. Depois daquele período de confinamento em Angra dos Reis, aquilo é um calvário. Meus antigos conhecimentos na polícia me valem certa facilitação nos trâmites todos. Mas nem só de burocracia serão feitas minhas contrariedades. Na tarde em que vou prestar depoimento, estou saindo de lá, uma moça me aborda, transtornada, dizendo que sou responsável pelo desaparecimento do irmão dela e pela morte do pai. Apresso o passo, ela quase corre atrás de mim, me chamando de assassino. Entre muitos malfeitos de minha responsabilidade, por ação ou omissão, sei que estou sendo acusado de algo que não me cabe. Ou nisso quero acreditar. Que sei eu? Nada.

No fim, o laudo do cantor de "My Way" dá morte por dose excessiva de barbitúricos. Suicídio? Com um histórico de filho desaparecido político, o homem teria caído numa depressão incurável. A família desmente: ele não era deprimido, era um lutador que queria reencontrar o filho, que tinha feito disso o único objetivo de sua vida etc. Enfim, a família se desdobra para provar, mas principalmente divulgar, a tese de assassinato. Por que a moça achou que seria eu? Que sabia ela de mim? Que sabia o cantor sobre mim? Por que tinha ido sozinho para lá? Que não sabia eu?

O coronel, quando pegou o primeiro jornal e viu que seu investimento era alvo dos respingos de uma merda que não se sabia quem estava pondo no ventilador, desconfiou de motivos escusos, complô subversivo etc. e tal, chamou seus contatos na imprensa e mandou todo o mundo calar o nome da pousada. Calaram. Alguns frequentadores já tinham lido. O tempo para se chegar a um resultado oficial incontestável não foi tão longo, mas o bastante para a freguesia seleta encontrar alternativas, que, aliás, nos últimos meses não paravam de brotar daquele solo fértil de onde eram arrancados os seus lavradores (frase esta que li num panfleto na época, distribuído entre os devotos de uma paróquia local). A soma disso com as acusações da família deu como resultado uma conta de menos nos livros-caixa em fins de primavera. Essa era a tese do coronel para explicar o mau desempenho financeiro daquele segundo semestre. Discordei. Não adiantou. No rescaldo, ele começou a pensar em modos de reverter a situação, como mudar o nome da pousada e pendurar lá uma faixa: sob nova direção. Não sem, claro, baixar um bocadinho o nível dos preços para atrair mais gente, ainda que de menos posses. Coisa complicada tanto por razões de receita quanto porque a classe média que poderia ser atraída por preços mais baixos mal começava a ter o primeiro carro na garagem. A verdade é que à medida que os fatores se embolavam a lucidez dos envolvidos diminuía.

A presença de um defunto suicida ou envenenado, na minha opinião (que nunca consegui impor ao coronel), só agravava um problema que já existia: a pousada vinha perdendo fôlego na concorrência com empreendimentos mais modernos e maiores, que ofereciam vantagens que ele precisaria superar. Disso ele devia saber. Mas fazia de conta que não, insistindo em atribuir todas as agruras à vingança de um cantor camicase. Tinha implantado numa zona nobre um bem adquirido com muita ajuda dos contatos com a alta cúpula dos responsáveis pelo remanejamento turístico da área. Agora queria se desfazer.

Voltando ao cantor. Saber dos pormenores todos de sua vida e morte, nos dias que fui obrigado a passar em São Paulo, me dava certo mal-estar, um peso no estômago. Na tarde em que a moça me acusou, voltei ao hotel com sensação de febre. Parei numa farmácia, mas a coluna prateada do termômetro insistia nos 36,5. Assim mesmo comprei uns analgésicos. Jantei no quarto, pouco, e fui dormir cedo.

Mas acordo de madrugada, encharcado de suor, aflito por atender um homem que, de pé junto à cama, me chama. Fico sentado, olhando para ele um bom tempo, de olhos arregalados: é o cantor de "My Way". Acendo o abajur, a figura não está lá. Fica visível o armário imóvel, com a porta aberta e meu paletó pendente do cabide no exato espaço antes ocupado pelo homem. Ou não ocupado? Não consigo dormir mais. É a segunda vez que um objeto real se imiscui irrealizado, transmudado, nos meus sonhos: evolução dos meus sentidos alterados que já me angustia. Fico olhando o paletó, com a sensação torpe de que ele foi usurpado.

Já me ocorreu a hipótese de que a moça talvez tivesse razão. Não sei até onde reverberaram meus golpes. Não conheci o histórico familiar de quase nenhum dos atingidos pelas minhas ações ou omissões. Não pude nem quis pesquisar. Mas sentia falta de falar dos meus tormentos com alguém. Não com Cibele. Eu não podia profanar aquele paraíso.

Cibele…

ACABAMOS DE ALMOÇAR e nos sentamos num banco. Uma trilha de seixos leva aos fundos da pousada. À nossa frente, na laje baixa de cobertura de uma cisterna, a revoada de bicos-de-lacre come o painço que Cibele depositou em fileiras. Já são mais de cinquenta, calculamos, a cada dia o bando cresce. Cibele está imóvel, como costuma nessas horas, reparando nos bichos, vendo neles comportamentos que não enxergo, códigos que não entendo. Reclinado ao lado, olho Cibele olhar os pássaros e penso que, justamente, olhar Cibele olhar pássaros é mais que suficiente para completar minha vida. Quando me movimento para deitar a cabeça no colo dela, a passarada sobe, executa no ar um balé programado, pousa num muro, fica lá uns minutos e depois volta ao painço na mesma formação, como um só corpo, como um só sopro. Qual deles é o chefe, o regente, o general? Cibele diz não haver. Alma coletiva, é a explicação que me dá. Não entendo, mas me maravilhar é suficiente. A fala de Cibele me pauta, não há pensamento que eu não enderece a ela, não há decisão de que ela não participe. Os pensamentos de Cibele sempre completam os meus na direção prevista. Cibele e eu somos dois bicos-de-lacre cumprindo um programa traçado não sei onde nem como. Percebo que Cibele está começando a me incutir um panteísmo singelo que ela vive como eu respiro. Depois que a perdi, nunca mais consegui recuperar as certezas que tinha então. Cibele era a contraparte que me fazia ser parte. Só depois de perder Cibele entendi os bicos-de-lacre.

A fala de Cibele era um relicário verbal. Proferia nomes de aves e plantas com a mesma naturalidade de minha avó descrevendo retroses. Mutum, tesourinha, guaco, tico-tico, pariparoba, socozinho, baleeira, maria-preta, corruíra, tiê-sangue, quero-quero... e coisas que já não sei mais, nem nunca saberei, eram nomes acompanhados por qualidades incompreensíveis para mim, assim como na infância haviam sido torçal, entretela, mercerizado, adamascado. Cibele tinha os nomes e não só nomes, porque também passava ligeira deles às coisas e das coisas a eles. Parecia até que tinha em si mesma as coisas, e que ter os nomes na ponta da língua era nela pura e simples manifestação dessa comunhão, da falta de abismo entre nomes e coisas.

Cibele tinha do índio o sangue nas veias e dos alemães que a criaram a mania da catalogação. Órfã adotada, tinha passado por umas dez cidades e por pelo menos três religiões, porque a compulsão do desarraigado é a busca. Sabia que era índia de nascença porque isso lhe foi informado no orfanato, como se fosse preciso, os traços não negavam. Mas miscigenada com alguma espécie de branco híbrido. Naquele mesmo orfanato, uma tarde, duas pernas alvíssimas, pés mergulhados em sapatos marrons, pararam junto à esteira onde ela brincava. Era uma mulher loira que já lhe tinha feito várias visitas: perguntava-lhe se queria morar com ela, em sua casa. Cibele não se lembrava de nada do ocorrido antes nem logo depois, mas essa imagem tinha ficado na memória porque junto veio o pânico da dúvida, nome que, na falta de coisa melhor, ela deu depois ao sentimento que teve. Foi. Tinha seis anos e naquele momento aprendeu a decidir.

Assim se definia Cibele, assim me definia Cibele, que eu lembro, lembro sem me cansar, lembro até quando não lembro. Do orfanato de freiras ao coro da igreja luterana foi a primeira mudança. Cantar no coro, dizia, era uma espécie de recreio nas horas do mundo. Passou a infância, veio a vez da emancipação, do curso de hotelaria, do estágio

no exterior, do casamento, do abandono da carreira, da separação, da luta pela sobrevivência...
Por onde andará Cibele?

Quando entramos na pousada pelos fundos, voltando do quintal, uma das cozinheiras sai para avisar que ele acabou de chegar. Nem precisava, pois já o vejo de costas: está abrindo uma panela. Veio sem avisar, na nossa distração lá atrás nem ouvimos ruído de motor de carro, nada. Cibele ainda traz nas mãos as cascas das laranjas que chupamos. O que farejaria ele naquela panela, o que buscaria na pousada? Quando ouve a voz de Cibele, volta-se para nós. Não cumprimenta propriamente, só faz uma mesura para ela. Não pergunta como estamos, não fala do tempo, não elogia nem critica nada, não reclama da viagem. Nada disso. O que faz logo em seguida ao esboço de reverência é perguntar quantos hóspedes há.

– Dois casais – é a resposta dela.
– Dois casais, dois casais – repete ele. – Quase início de temporada e dois casais – completa. – Reservas para os próximos dias?
– Uma – responde Cibele.

Ele se mostra agitado, volta a abrir panelas, a xeretar armários; puxa uma faca da gaveta, olha de perto, joga de volta, deixa a gaveta aberta; cheira um pano de pratos, recolhe uma embalagem do chão, abre o lixo e a despeja; aponta para a barriga da cozinheira criticando uma mancha qualquer no avental... Não prevejo bom fim de tarde. O coronel dá todas as demonstrações de uma zanga justiceira que, como é seu costume, precisa ser despejada na cabeça de alguém como o azeite quente que Morgana entornava em cada odre, matando a cada vez um ladrão. As zangas do coronel sempre vinham embrulhadas numa convicção tão categórica que os castigados sempre se sentiam justiçados. Pelo menos comigo era assim. Por fim reclama que está chegando sem almoço, não estavam todos vendo que ele tem fome?

Eu mesmo o sirvo.

Enquanto ele come, Cibele lhe arruma as instalações, manda acomodar lá seus pertences. Quando acaba de almoçar, ele segue atrás dela pelo corredor, mas não como eu naquele primeiro dia, pois vai sem malas e com muitas falas, obsequioso, com comentários amáveis, infames, delicados, fajutos, com uma cortesia que soa destoante como minha voz plebeia e mirrada cantando heroicos hinos republicanos no orfeão da escola. Pelo menos assim me parece no que posso ouvir. Sim, estou inquieto. A lembrança que por contraste me equipara ao coronel naquele trajeto atrás de Cibele é disparada pela mola do ciúme. Depois da sesta e do banho, ele reaparece e nós dois somos chamados ao escritório de Cibele. Lá o coronel arrazoa:

– O suicídio daquele infeliz na pousada foi um golpe fatal. O lucro minguou de vez. Primeiro pensei em vender a pousada em funcionamento, os empregados ficariam à disposição do novo proprietário. Mas, com os prejuízos acumulados, não vou aguentar nem mais um mês. Nem mais um mês! Quero acertar a situação de todos e vender as instalações o mais depressa possível. Tenho posto anúncios nos jornais de São Paulo e do Rio, mas os telefonemas são poucos, gente que parece que vai comprar, depois dá para trás. Se não fechar, é a falência.

Cibele ouve em silêncio. Eu argumento:

– Talvez fosse bom esperar mais um mês, a entrada do verão, o fim do ano, essa chuva toda parar.

Não falo da abertura recente de um hotel nas imediações, oferecendo acomodações melhores por preços semelhantes... Coisa que ele, aliás, sabe. Sou atalhado com grosseria:

– Não quero ouvir falar nisso. Acabou, acabou.

Percebendo que a decisão dele está tomada, Cibele começa a pedir detalhes sobre o destino dos empregados. O coronel responde que vai pagar aviso-prévio. Fala no Fundo de Garantia etc. Já fez as contas. E puxa uns papéis de uma pasta que trouxe.

– Quanto a você, Cibele, que é eficiente e dedicada, tem outro emprego garantido.

Mas não dá detalhes. Do meu destino não fala diretamente. Alude (não é a primeira vez) ao curso custeado por ele, para que eu pudesse assumir os encargos na pousada. Eu deveria ser grato (frase, esta também, que não ouço pela primeira vez).

– Com o curso que você fez e a experiência que ganhou aqui, você vai poder se virar tranquilamente.

Eu dou as costas. Estou muito irritado com o tom. Ele completa:

– E, se não quiser continuar no ramo da hotelaria, pode voltar a pôr em prática outros dotes, que você também adquiriu graças a mim.

Diz isso e fica me olhando demoradamente, com um sorriso velhaco. Intuo ali um jogo de rivalidade entre machos, que me deixa muito injuriado. Nos momentos seguintes de silêncio sinto o olhar de Cibele pregado em mim. Encaro o coronel. Então ele muda de atitude e começa a esboçar os planos de venda.

Sento-me e, distraído, fico pensando em Cibele, em nós dois. Começo a achar que aquele talvez seja um dos males que vêm para bem, hora de me libertar da mão pesada daquele homem, oportunidade de propor a sacralização da união com ela. Já me vejo montando pensão modesta em alguma das praias da região ou talvez, mais modestamente, um quiosque bem abastecido em Salvador. Também cogito São Sebastião, caso ela não queira ir tão longe. Lá eu já tenho algumas amizades. Mas preciso parar de sonhar. O coronel volta a falar do suicida.

– O plano daquele senhor foi premeditado: a intenção era vingar o filho, que, aliás, caiu numa justa ação da repressão.

E aponta para mim:

– Você também participou dela. Indiretamente, mas participou.

Franzo a testa com medo dos detalhes. O coronel por sorte não os dá.

– Está querendo dizer que o homem veio aqui se suicidar para provocar a falência da pousada como vingança?

– É o que eu quero dizer, sim.

Solto uma risada. Cibele olha para nós dois, parece não entender a conversa. Para ela, política é uma coisa tão misteriosa e desinteressante como para mim a vida dos camaleões no Saara. Mas temo pelo rumo daquele diálogo. Quero cortar. Volto a falar da venda do patrimônio.

Durante a tarde a segurança dos meus planos evapora. Tiro meia hora para fazer contas e percebo que a mudança seria prematura, não temos capital para uma vida digna. Cibele acabaria trabalhando em algum hotel, ficaríamos afastados, eu me veria na situação subalterna, detestável, já vivida com Jandira, de ganhar menos que a parceira, de ter menos status que ela. Estou atormentado, resolvo tentar de novo argumentar, dizer que vou me desdobrar para reverter a situação. Depois do jantar, ele vai ao terraço.

Está lendo um jornal de São Paulo, eu me sento ao lado. Chove sem parar. Durante algum tempo espero que me dê atenção. Não dá, peço licença, digo que gostaria de lhe falar sobre a pousada. Ele faz um gesto de impaciência, um tapa no ar com o dorso da mão. Acho humilhante. Assim mesmo insisto.

– Coronel, o senhor me desculpe, mas eu acho que a queda na freguesia tem, sim, a ver com aquilo que lhe falei…

– Não quero falar do assunto.

E se levanta. Está saindo, mas volta e diz:

– Olha, vou confessar uma coisa: estou querendo fechar isto aqui já faz algum tempo. Perdeu a graça.

Decisão de um temperamento voluntarioso. Estou apegado demais a Cibele para entender esse traço de caráter e me sinto vítima de um complô para a nossa separação.

Durmo pessimamente naquela noite.

Na tarde do dia seguinte os dois casais saíram: depois de quase uma semana de estiadas alternadas com chuva, esta parece estar vencendo a parada. A pousada está às moscas. Não é a primeira vez que isso acontece, mas é a primeira vez que acontece pela terceira semana num só mês de fim de primavera. Na tarde do dia em que os dois casais vão embora consigo argumentar. Ele está mais calmo. Mas contra-argumenta. Diz que, se não fosse aquele escândalo, nem chuva nem concorrência haveriam de produzir tanto efeito. Retruco.

Digo que o suicídio... ou melhor, vou dizer que o suicídio conta seis meses, que os efeitos das notícias já deixaram de existir, mas ele não permite. Levanta-se de chofre:

– Não me encha mais o saco com essa conversa. Não vê que isso está se espichando além da conta? Essa história toda só veio apressar uma decisão que eu já tinha tomado. Lucro, lucro, isto aqui nunca deu de verdade. Enquanto a clientela andava boa eu conseguia cobrir os custos, mas pus muita coisa do meu bolso. Agora só ponho do bolso. Cansei. Cansei.

E sai. Vou me sentar num banco do terraço dos fundos, junto à porta da cozinha. O espaço estreito onde busco a solidão mal me abriga da chuva que cai forte naquele fim de tarde. Fico olhando as borbulhas no chão, velocidade de formações que o olho não consegue acompanhar, e sei que me lembro da velha história espanhola que Mariquinha fez questão de me jogar na cara o outro dia. Porque sempre que chove forte e alguém da família olha as borbulhas no chão essa história ressuscita, compulsória como uma tara. Fico absorto, ali, um bom tempo. Não quero a mudança, trepidação que pode desfazer o equilíbrio das peças no tabuleiro. A minha vida com Cibele tem um cenário, aquele cenário. Não sei se fora dali tudo vai continuar sendo o que é. O homem que sou lá não sei se vou continuar sendo acolá. Tenho medo de que os embates da vida matem o homem que está ali, sentado naquele banco, e faça nascer outro pior ou menos apto, que Cibele não aceite. Todas essas coisas passam pela minha cabeça, e eu ficaria ali até anoitecer, se as tarefas não me chamassem.

Sei que Cibele ficou incumbida de conversar com vários empregados no dia seguinte. Sei que ela está em seu escritório, examinando a papelada de cada um, fazendo os preparativos. Não consigo me concentrar no que preciso. Dou rápido andamento ao cardápio, peço à cozinheira que fique tomando conta de tudo, que vou até ali e volto logo. Quando entro na sala de Cibele, ela está sentada à mesa, o coronel se debruça sobre ela, indicando com um lápis algo escrito num papel. A mão esquerda dele está pousada no ombro dela? O rosto dele se encosta no dela? Na barba dele de um dia se enroscam alguns dos fios finos dos cabelos de Cibele? Hoje não sei dizer, mas na hora juro que sim. Os dois olham para mim quando a porta se abre. O olhar dele é de claro descontentamento, o dela de surpresa. Medo? Ele pergunta algo como "o que você quer?" ou "o que veio fazer aqui?", e em seguida me manda embora. "Vai cuidar da cozinha", é a frase. Fico cego de raiva. Empurrado por um acúmulo de humilhações, por ciúme ou sei lá por qual instinto, avanço alguns passos e dou um soco na cara dele. Há uma mesa entre nós, ele tem tempo de se esquivar, o golpe pega de leve no olho direito. Ouço um grito de Cibele, no instante seguinte ela está na minha frente, me segurando e dizendo "para com isso, o que te deu?" ou coisa do gênero. O coronel tem tempo de se recompor.

Quero dar um segundo soco, um terceiro, um quarto talvez, quero partir a cara dele, para ele começar a me respeitar, mas ela me impede. Aquela prudência feminina fora de hora interfere, atrapalha o livre curso do confronto. Ele se levanta e investe contra mim. Enquanto hesito, sinto um golpe forte e certeiro no nariz. A contusão me cega, cambaleio para trás, ele me agarra pela camiseta e me traz de volta para a sala, pois vou passando aos trambolhões pela porta que ficou aberta. Ou assim deve ter sido, porque me lembro da figura dele me atirando no sofá e logo em seguida fechando a porta. Percebo que meu nariz sangra e ao mesmo tempo pressinto que ele investe de novo contra mim e que Cibele o empurra, ele cede, desiste. Desmorono. Ela vai buscar uma toalha no lavabo ao lado, o coronel começa a andar pela sala, a gesticular, a falar. Fala alto. Eu não, eu reprimo gemidos, vencido pela dor, pela cegueira. Meu rosto parece ter triplicado de tamanho. O que o coronel diz? Do que ouço, que sou um ingrato, a quem ele deu o primeiro emprego da vida a pedido de uma mulher que precisava se livrar das minhas chantagens, eu, idiota metido a subversivo, frouxo que abriu o bico na prisão porque não aguentou o pau e botou na cadeia meia São Paulo.

– Cachorro. Sabe o que é cachorro, Cibele? – ele pergunta, e eu não paro de sangrar.

Cibele não responde. Pega o telefone e chama um médico. Fratura no septo nasal. Recebo alta no segundo dia de hospital porque o inchaço começa a regredir, a lesão se resolverá espontaneamente, diagnóstico do médico que Cibele ouve com atenção. Foi me buscar.

NÃO DEVO VOLTAR para a pousada, ela me diz. É recado do coronel: se eu aparecer lá, ele me mata. Sou levado por ela à casa de uma amiga. Fico lá pouco mais de uma semana, ela vai me ver quase todos os dias. Não somos os mesmos. Ou melhor, ela não é a mesma. Quando melhoro, a amiga é direta: a casa é pequena, os vizinhos falam... Apronto o pouco que tenho e, quando Cibele aparece no fim da tarde, digo-lhe que vou embora, peço que venha comigo. Posso voltar para São Paulo, para Salvador, vou aonde ela quiser. Ela diz que não vai comigo, que é melhor dar um tempo. Imploro, choro, ameaço. Cibele foi contaminada pelo veneno do coronel, pressinto, sei, afirmo. Ela nega. Diz que gosta de mim, mas é melhor a gente se separar por enquanto. Às oito da noite ainda discutimos ao lado do carro, minha bagagem toda no porta-malas, mas a despedida é inevitável. Desisto, estou vencido, bato a porta, dou a partida e deixo Cibele banhada no crepúsculo da lâmpada do poste. Quando olho pelo retrovisor, ela já me dá as costas e toma o rumo oposto pela calçada. Pego a estrada e antes de rodar dez minutos faço uma conversão, paro, abro o porta-malas e tiro da bagagem um revólver que me acompanha desde os tempos de militância. Vou para a pousada. Quero recuperar Cibele à força e descarregar a arma no coronel, se necessário. Não passo do portão: fechado, tudo escuro, tudo deserto. Deixo assim de cumprir um destino ou, na pior das hipóteses, de consumar um dramalhão.

E, mais uma vez, por motivos que escapam ao meu controle. A garoa que me acompanha por toda a volta a São Paulo serve para me esfriar o ânimo. Fica a mágoa.

Cibele sumiu sem deixar rastro. Procurar, procurei, e muito. Mas não consegui achar. Ou melhor, um dia a vi de longe. Mas essa é outra história. Naquela viagem, pela primeira vez considerei a possibilidade de o coronel ter razão. Se o cantor de "My Way" tivesse de fato urdido uma vingança, sei que nem de longe imaginaria tamanho sucesso na minha perdição.

EM SÃO PAULO, afundei. A degringolada não começou de imediato. Quando cheguei, tinha o dinheiro do acerto de contas do coronel. Voltei à pensão da Sofia, que me recebeu de braços abertos. Mas não podia ficar o dia inteiro sem fazer nada. O Parreira me chamou para a marretagem, eu não quis, não dava para o negócio. Um dia me deu conselho de amigo:

– Do ócio nasce o malfeito. Vai se ocupar, procurar emprego, dar a volta por cima. Nenhuma mulher merece que a gente se destrua.

Segui o conselho. Guardaria o dinheiro do coronel e juntaria mais com o emprego. Ainda tinha a ilusão de voltar a procurar Cibele, apresentar planos concretos, convencê-la a ficar comigo. Arranjei serviço num restaurante, salário nem tão ruim, mas sem fins de semana livres, na zona boêmia, casa abarrotada, fregueses arrogantes. Fiquei um mês. No dia de receber o primeiro pagamento, pedi a conta. Desconfiava que seria despedido: três faltas registradas. Andava num estado de espírito lastimável, trocava as comandas, levava pedido errado às mesas, não me interessava por nada, respondi mal ao *maître* quando ele chamou minha atenção. Só pensava em sair dali e procurar Cibele. Descontei o cheque na hora do almoço, duas da tarde estava a caminho de Angra. Cheguei lá, procurei aquela amiga: não sabia dela, dizia. Rodei pousadas e hotéis, ela não estava em lugar nenhum. Perguntei a quem encontrei, ninguém a conhecia e quem se lembrava não sabia do paradeiro dela.

Voltei a São Paulo, procurei antigos amigos na polícia (muitos já não estavam onde eu tinha deixado), consegui o empenho de dois, mas os meses foram passando, e nada de notícia. Enquanto isso, eu naufragava. Comecei a fazer uma coisa que sempre desprezei nos outros: beber. Sóbrio, não aguentava a vida. Quando o dinheiro que tinha minguou, vendi o carro para pagar a pensão e me sustentar, mas o dinheiro evaporou, em parte consumido nas buscas por Cibele ou no sustento, em parte sumido em horas e lugares nunca aclarados, em parte roubado na rua, pelos que se aproveitavam dos meus pifões cada vez mais frequentes. Depois de quase dois meses sem pagar Sofia, sumi antes que vencesse a segunda mensalidade, com vergonha do calote. Mesmo porque já estavam ficando aborrecidas as broncas daquela viúva azeda e eram cada vez mais realistas suas ameaças de me botar para fora.

Uma noite, estava sentado na calçada, sobre o meio-fio, fazia um bom tempo. Tinha parado ali porque o sapato me machucava, porque estava bêbado, porque não sabia aonde ir. Ergui o calcanhar, o sapato se despregou do pé, arriei a meia, a bolha já sangrava. É do que me lembro sobre o modo e o motivo de estar lá naquela posição e naquela hora. Assim fiquei. A parte da frente do pé dentro do sapato, o calcanhar para fora, meia abaixada, estanquei ali, pregado, madrugada já bem entrada, com os braços apoiados nos joelhos, a cabeça entre as mãos. Esperava o nada e, enquanto ele não vinha, invocava uma atitude, um aceno dos céus, um pretexto qualquer para ficar ou sair, para ter algum querer, afinal. Nada me acudia. A mola que me faria levantar dali e sair andando rumo a um destino lucidamente escolhido já tinha se perdido fazia tempo, e eu rodopiava ao redor da sua ausência, vácuo confundido com eixo. Quanto tempo passei lá, não sei. Quanto tempo estava naquela vida? Perto de dois anos, cálculo aproximado. Na pensão de Sofia agora eu só aparecia de vez em quando, porque a gringa até que me deixava entrar, apesar do calote, mas só se estivesse sóbrio. Se chegasse cambaleando ou falando arrastado, eu recebia a porta na cara. Aliás, mesmo que fosse capaz de ficar numa perna só sem cair, ela não dava colher de chá: aproximava o nariz do meu rosto e fungava, fungava até se convencer. Por isso, se me sentia encardido, precisado de banho, dispensava a bebida e aparecia lá, sorriso nos lábios, nada de muita conversa, que a ucraniana não era de rapapé. Então minha entrada era concedida. Tomava banho, vinha uma sopa sempre idêntica, eu dormia uma noite em algum canto, pois sempre havia como, nem que fosse em colchonete desenfurnado do alto de um armário. O que aconteceria na manhã seguinte era coisa que eu nunca sabia quando fechava os olhos. Mensalidade eu já não podia pagar. A cada noite concedida na pensão, eu oferecia a Sofia uns trocados que ela às vezes aceitava com certa relutância, passando a impressão de estar me dando abrigo por caridade. Quando não ia lá, a sorte me premiava com algum expediente: um albergue aqui, um favor do Parreira ali, mas sei que cheguei a me abrigar embaixo de marquises e até nos baixos do Minhocão. Por sinal, era o Parreira que me arranjava algum dinheiro, quando eu o ajudava na marretagem. Minha função era segurar na lábia algum motorista enquanto ele transacionava com outro. Mas a condição era a mesma de Sofia: sobriedade. No caso dele, também banho e roupa limpa. Então o ciclo se completava: depois de uma noite na pensão, manhã na marretagem, noite na casa de Parreira, uma ou outra noite na rua... até que de novo pensão, depois marretagem... Porque o dinheiro que o Parreira me dava tinha sempre destino contrário ao que ele me aconselhava.

Naquela noite, naquela calçada, eu estava sujo e bêbado. Precisava de banho, mas não podia aparecer trôpego na pensão, depois da lição da última vez, quando tinha desconsiderado a norma e ido bater à porta: Sofia abriu, olhou para a minha cara, nem precisei dizer nada, já começou a me esculhambar, afirmando que minha mãe ia se envergonhar de mim lá no céu, pois onde já viu homem feito andar naquele estado, e ela não dava pensão a bêbado, ou melhor, bêbado não passava por aquela porta. Que ela em seguida bateu no meu nariz. Não adiantou insistir, estava irada. Portanto, desta vez, nem pensar em pensão, que, aliás, ficava a poucas quadras de onde eu me sentava arriado, de calcanhar esfolado. Estava bêbado, como disse, não mais nem menos que noutros dias, mas sei que muito mordido pelo desejo de morte, que vinha se agigantando nos últimos tempos. Mais ou menos um mês antes eu havia encontrado um dos policiais, o mais interessado em me ajudar, e ele tinha falado das suas investigações no Ministério do Trabalho, pois em algum lugar Cibele haveria de estar empregada. Nenhum resultado. No fim, concluiu que ela talvez já não estivesse no estado de São Paulo, nem talvez no país. Recomendou esquecer. Arrematou com a frase: deixa pra lá, parte pra outra. É o conselho mais letal que pode dar qualquer amigo cheio de boas intenções. Respondi que não seria de espantar que ela tivesse viajado para a Alemanha, os pais adotivos moravam lá desde algum tempo. Disfarçava assim o desespero que quase me cortava a voz. Agradeci com um abraço, que era só o que eu podia dar. Mas a consciência clara de que ela nunca tinha gostado de mim nem a metade do que eu gostava dela, de que ela fazia questão de me saber longe, tinha causado aquela derrocada. Fiquei sem nenhum ponto de apoio, e meu declínio se verticalizou de vez. Uma noite, estava parado na calçada da Rio Branco, esperando para atravessar, tive a ideia de me atirar debaixo do primeiro carro que aparecesse. Despontou um caminhão. Esperei que estivesse a uns vinte metros de mim, dei um passo à frente e logo em seguida um atrás. Recuei por quê? Não sei. Só sei que, enquanto ele passava, minha lembrança percorria antigas imagens de vida eterna, julgamento pós-morte, juízo final, coisas incutidas na infância pelo sumo representante de Deus na terra: meu avô. Temi que nada terminasse ali, debaixo daquelas rodas. Mas eu acreditava mesmo naqueles dogmas religiosos? Não sei o que me intimidava mais, se essas lembranças apinhadas como um quadro barroco, ou se a possibilidade do negrume do nada que eu tanto achava desejar. Ou posso ter simplesmente me acovardado diante da dor de morrer estraçalhado.

Portanto, várias noites depois, eu continuava por aqui mesmo, sentado num meio-fio, torturado por uma bolha no calcanhar, eu, que tinha pensado em me atirar sob as rodas de um caminhão.

Fazia um bom tempo que estava lá, quando se tornou visível na esquina um grupo que já vinha se anunciando por uma mistura de cantoria, batuque em tamborim, risadas e vozaria. Eram quatro sujeitos, novos todos. Enquanto chegavam, eu olhava para o lado oposto com duas intenções: ver se na rua havia mais gente e mostrar que não queria conversa. A rua estava erma, sobradões todos apagados, prédios desertados pelos burocratas diurnos. Os quatro pararam do outro lado, quase à minha frente, e se sentaram todos juntos, também no meio-fio.

Estou sozinho, numa rua deserta, frente a frente com quatro indivíduos desconhecidos. A mesma sensação de comer sozinho em restaurante, cara a cara com o comensal da frente. Minha vontade é levantar e sair dali, mas não tenho coragem, com medo de ser traído pela andadura ébria e sabendo que todo sujeito sozinho e fraco numa hora dessas pode virar saco de pancada. Fico para não sair trôpego, mas sabendo que ali, obstinadamente grudado, também vou ser adivinhado como bêbado ou chapado. Nesse impasse fico, enquanto eles parecem querer se limitar a continuar na zoeira que vinham fazendo desde longe, mas agora sem o batuque do tamborim, que está depositado na calçada. Não demora muito, sinto um cheiro característico, olho, vejo que circula entre eles um baseado. Pela primeira vez, há algum silêncio. Talvez justamente por causa do silêncio um deles se lembra de olhar para mim: é o que faz, demoradamente, depois desvia o olhar e cochicha alguma coisa para o camarada do lado. Deduzo que chegou a hora de ir andando. Levanto, dou dois passos, ouço atrás de mim alguém dizendo a palavra jaqueta... Amaldiçoo a luminosidade do poste que me entrega, que revela o primor de jaqueta de camurça havana, comprada na viagem à Argentina com Cibele, peça que me transformava naquela noite num estranho híbrido de luxo e farrapos, que eu só usava naqueles dias porque não me sobrava mais nada capaz de abrigar do frio ao relento. Enfim, atravessam a rua e me encostam à parede, me acuam. Chegam gozando da minha cara, perguntando onde é que eu tinha abafado aquele luxo, e rapidinho, como num truque ensaiado, num vapt-vupt, me arrancam do corpo a preciosidade. Já têm a jaqueta, mas parecem pretender continuar com a azucrinação. Fico parado ali, estupidificado, quando o milagre acontece. Um deles grita qualquer coisa e, num segundo, os quatro saem correndo: uma Veraneio, brotada pela mesma esquina de onde eles tinham surgido, freia barulhenta quase à minha frente, trazendo um homem debruçado à janela. A fuga dos quatro é espertamente orquestrada na mão contrária à da Veraneio, de modo que eles somem atrás da mesma esquina. A jaqueta fica no chão. Na calçada de lá, fazendo contraponto, o tamborim.

Reconheço na Veraneio uma ronda com chapa fria. O homem da janela desce do carro, recolhe a jaqueta, examina e diz:

– Coisa fina. Camurça legítima. Argentina.

Olha para os outros, depois para mim. Na certa vão achar que roubei a jaqueta, imagino. Mais uma vez corro o risco de ficar sem ela.

Com aquela movimentação toda, a bebedeira parece até curada, e eu olho o homem e elucubro essas coisas, encostado ainda à parede, quando ouço alguém dizer perto de mim:

– Não é possível. Será ele mesmo?

Olho para a frente e dou com um rosto conhecido, que esmiúça intrigado minha figura: Tomás.

TOMÁS NÃO FAZ PERGUNTAS porque o estilo dele é adivinhar. Sempre teve orgulho da própria sagacidade, de saber deduzir de indícios a natureza, as intenções e o passado de um indivíduo. Só crava em mim o olhar pontudo e sentencia "está numa pior!", manda entrar no carro e, sentado ao meu lado, enquanto dão a partida, comenta baixinho "deve ter acontecido alguma coisa bem grave para você estar desse jeito".

Não respondo, não é hora de confidências, e ele não tem jeito de quem precisa de explicação. Pede ao motorista que o deixe em casa e para lá o carro se dirige depois de duas ou três incumbências cumpridas. Fazemos todo o trajeto calados no banco de trás, só as vozes dos dois homens sentados na frente estão soando, enquanto percorremos o Minhocão. A manhã já pinta tímida, o carro roda sem pressa, a pista acinzentada à frente, vazia. Os prédios vêm transitando no contrapé, trazendo janela, mais janela, mais janela... enquadradas todas em branco-preto-cinza, num que noutro vidro rebrilhando o ensaio de alvorada, desfile ermo de ventres recolhidos, avessos à invasão, reverso da imagem que minha alma trazia dos dias plenos em que se chegava de trem a Nazaré, vindo da direção de Amargosa e Santo Antônio de Jesus rumo a São Roque, percorrendo depois da estação a passagem do mulherio, corredor estreito que abraçava o comboio com duas fileiras de sobradinhos grudados, escancarados, tubo tépido, mais tépido que três recôncavos somados, janelas a desfilarem mulheres, mulheres, mulheres expostas em tecnicolor, brancas, negras, mulatas, cafuzas, de vermelho, de amarelo, de roxo, de laranja, com sorriso ou sem sorriso, flutuando na descortinada harmonia da vida sobre fundo de céu azul, no embrulho de um burburinho que brotava de dentro e de fora... e o trem ia passando envolvido, espremido, acariciado, precisando fazer força para deslizar do abraço, parece que fazendo hora para não chegar aonde era esperado logo ali à frente, porto dos saveiros, lugar de parar, descarregar-se...

Descemos da Veraneio na frente de um sobrado do Sumaré, implantado no exato ponto de convergência de dois fortes declives, como num poço. Tomás gira a chave, a porta se abre, na sala deparo com uma mulher mirrada e branquela, que mastiga em pé, na soleira de uma porta interna: é a mãe, acaba o café da manhã e, enquanto troca um beijo chocho com o filho, me olha intrigada. Sou apresentado como um amigo recém-chegado da mata (no momento, não entendo a palavra, imagino um trocadilho com o verbo matar), amigo que precisa de café e banho. A mulher sai da sala e pouco depois volta trazendo as maiores roupas que encontrou no quarto do filho, mais uma toalha de banho e outra de rosto. Tudo cheirando a sabão e alvejante. Tomo banho, faço a barba, tomo café com leite, pão e manteiga. Tomás também. Depois, sou levado por ele a um quartinho dos fundos, onde há uma cama e um armário. Quando me deito, tenho a sensação de que o colchão me recolhe como as mãos em concha de uma aparadeira.

Depois daquele dia dormi lá vários outros, naquele quarto pensei muito, ou não pensei, ou só acho que pensei, confundindo desfile de sensações com reflexão. Quando me deitei naquela manhã, Tomás se sentou na beira da cama para conversar. Eu tinha sono, as paredes eram amareladas, e a janela pequena tinha vidros opacos e cortina de renda que não ajudavam a iluminar o ambiente. Uma das paredes, embolorada por umidade subterrânea, clandestina, contribuía para o cheiro de aconchego de mulher velha. Por algum motivo que me escapa, naquele momento gostei.

Tomás finalmente pergunta o que havia sido de mim naqueles anos. Apesar do sono, acho que a educação me obriga a responder. Resumo os fatos, que ele ouve em silêncio, sem demonstrar sentimentos nem interesse especial, como é seu costume. Depois se retira também em silêncio, percebendo que minha voz se arrasta, e eu já não atino muito bem para o rumo de minhas palavras, que umas vezes desembestam anárquicas e outras se perdem no poço escuro da ausência de mim.

Volta no dia seguinte e me faz um pedido: não devo sair de casa sem seu conhecimento. Na verdade, é uma ordem. Conversamos todos os dias. Dias que vou passando em recolhimento. Nas conversas que temos, fico sabendo que ele acaba de chegar do Araguaia. Conta com franqueza o que aconteceu por lá, fala das execuções sumárias de prisioneiros como se falasse de animais imolados no altar da pátria. Acontecimentos que são absoluta novidade para mim.

— Rapaz, como é que você pode estar tão por fora assim? — é a humilhante pergunta.

Eu me sinto um idiota. Argumento que, se os jornais não trouxeram, não tenho obrigação de saber.

— Se tivesse ficado por aqui, saberia — diz ele.

E mais:

— Se não tivesse se enfiado debaixo de saia de mulher que não te merece, saberia.

Fujo desse assunto e volto ao Araguaia, questionando (ingenuidade!) a legitimidade de esconder aqueles acontecimentos do restante do país. Ele quase se exalta:

— Você tem muito que aprender. No começo, seria burrice divulgar as derrotas das forças do governo e depois também as vitórias, porque essas coisas não devem servir de exemplo a ninguém. De mais a mais, para que divulgar? Esse não é assunto para gringo nenhum ficar metendo o bedelho. É coisa nossa, interna, que deve ser resolvida à nossa maneira.

Não discuto. Entendo, aprendi a conhecer aquela lógica de generais. Quando saí de São Paulo e fui para Angra, ainda me acontecia

Ivone Benedetti 229

comparar a coerência interna do pensamento da direita e da esquerda, conjugar argumentos, cotejar teses. Confesso que em muitos pontos os dois lados ainda me desconcertavam, e eu os via como as únicas duas opções de pensar o mundo. Depois da volta, estou embotado, desinteressado, não há raciocínio que me cative. Penso nisso enquanto Tomás arrazoa na minha frente, andando de um lado para o outro, parece que pressentindo minha apatia por trás do sorriso de falso interesse. Anda de lá para cá entre minha cama e a janela de cortina rendada: eu bem visível para ele, ele apenas recortado para mim. Atitude de advogado diante de júri, a única intenção dele é convencer, cooptar. Talvez ache que me perdi, que estou guinando para o outro lado, talvez confunda desinteresse com desacordo. Tudo isso eu percebo claramente. E, quando arrisco um comentário, no fundo é só para adiar o momento de voltar a entrar em ação, coisa que ele espera de mim e eu sei que não vou ter forças de recusar.

Ele argumenta, portanto, e sempre muito bem. Demonstra tudo por A mais B, como costuma dizer: vou te demonstrar por A mais B que... e prossegue. Eu ouço.

Segundo ele, o país finalmente prospera, o governo tem forte apoio popular, as vozes discordantes são de uma minoria e não podem empanar nossas melhores conquistas.

– Aliás, todos os inimigos foram calados, os que eram capazes de te liquidar já foram liquidados – diz, para me encorajar a andar por aí sem disfarces nem escrúpulos.

Nem é necessário dizer, pois eu sei.

Argumenta, argumenta, e, por debaixo de seu vaivém, luzem os tacos encerados da casa do Sumaré. Eu ouço, ouço, deixo Tomás falar.

De noite e de dia conversamos. Suas ausências são frequentes, mas não longas. De vez em quando voltamos ao campo pessoal, ele sempre aborda com pessimismo a relação entre homens e mulheres. Nestas não confia. De Cibele nunca fala de maneira direta, mas diz muito por vias indiretas. Quanto ao coronel Venturoso, diz que reagiu como homem, ou eu queria o quê? Dar um soco e receber um afago?

— Você precisa pensar que, se viveu aquele idílio (e faz um gesto circular com a mão levantada ao dizer essa palavra), foi graças à bondade dele, que se preocupou com você. Até demais, aliás, quando tentou te afastar do perigo. Se fosse outro, teria deixado você se virar sozinho para escapar da vingança dos terroristas, até porque seria mais fácil encontrar alguém já qualificado para cuidar da cozinha da pousada. Por que te pagaria um curso se não tivesse estima por você?

Esse argumento me convence. Pela primeira vez me envergonho do que fiz ao coronel. Um dia aparece dizendo que ligou para ele:

— Ele foi muito educado, como sempre. Está disposto a aceitar as desculpas. Claro, tem lá suas reservas. Não vai te dar mais colher de chá, não. Mas não quer revide. Disse que passou uma esponja no episódio. Está acima dessas coisas, é um sujeito generoso. Aliás, puxei assunto, e ele disse que não arranjou outro emprego para a moça, não, que na época ela preferiu seguir a vida sozinha, e ele não soube mais dela.

Dá essa última informação assim, de passagem, enquanto meu coração dá um salto. Sabe da minha desconfiança de que o coronel a acoberta, não permitindo que eu me aproxime. Na hora, não sei se devo ser grato ao Tomás por se preocupar comigo e conseguir a informação ou se o objetivo dele é apenas me aproximar do coronel.

O assunto predileto de Tomás era e sempre foi um só: a destruição do inimigo.

Um dia, conversa vai, conversa vem, acho que nem cheguei a questionar abertamente a atitude de aniquilar pessoas sem chance de defesa, nem sei o que falei nesse sentido, nada categórico, só por falar, porque era preciso também dizer alguma coisa..., ele se levantou muito enfezado (estava sentado na beira da cama), e começou a argumentar sem parar, me ofendendo até, insinuando que eu continuava duplo, mas agora a serviço do outro lado.

— Não ficou sabendo, não, o que os terroristas fizeram com os nossos? Por acaso deram chance de defesa a Boilesen?

Eu respondi que concordava com ele, só me referia à repercussão internacional. Então ele me perguntou:

– Num mundo dividido em dois campos ou se é de um ou de outro. De qual você é?

Não voltou a se sentar. Olhava cabreiro e direto nos meus olhos. Respondi que do lado da ordem, achei que era essa a resposta certa para encerrar o assunto.

Ele disse quase gritando:

– É pouco. Você deveria dizer: do lado do Ocidente, dos valores ocidentais. Estamos numa guerra. Estamos numa das pontas de um cabo de guerra e não podemos permitir a presença de traidores, porque, se um fraqueja, todos são derrubados juntos. E tem mais: a gente precisa se alinhar com um dos dois blocos, e a nossa situação geopolítica nem sequer permite que seja com o Leste. E não só por isso, mas também porque é fácil ver qual dos dois lados tem mais força, mais fôlego, qual dos dois está com o direito.

E perdeu um tempo danado explicando por quê.

Tomás era um fanático. Mas não um místico. Não tinha nada em comum com os carolas que mordem de boca fechada, tantos e tantos que conheci na juventude. Como um professor de latim em Salvador que, no imediato pós-64, criou um ritual: todo começo de aula, um minuto de silêncio, depois um pai-nosso, depois graças a Deus por Ele nos ter livrado do comunismo. Só aí todos se sentavam, e a aula começava, um infindo desfiar de *hic, haec, hoc,* que ele despejava dos lábios vagarosos e lúbricos em todos os casos. Que sono eu tinha naquelas aulas. Quando, por trás de dois fundos de garrafa, os olhinhos dele me pareciam distraídos, eu puxava de baixo da carteira o gibi pornográfico em branco e preto que estivesse em meu poder no momento, daqueles que circulavam por quase todo o contingente masculino da escola a intervalos mais ou menos regulares, e, enquanto me entretinha a pressentir o que de verdade latejava nas formas representadas por aqueles traços de seios, coxas, bundas, sem conseguir ainda um nexo realista entre eles e as cores todas do mulherio da passagem do trem, algum *quibuscumque* de maior volume se intrometia entre duas pernas abertas numa página qualquer, e eu enfiava o gibi de volta na carteira, adiando, mas só adiando, o gozo.

Mas, voltando ao Tomás, ele era – como direi? – um fanático que, se religião tinha, disfarçava bem e só atribuía à nossa própria ação enérgica o socorro contra a tentação das doutrinas exóticas.

De qualquer modo, a partir daquele momento de maior exaltação tomei o cuidado de não questionar coisa nenhuma. Até porque não questionava de verdade. Estava me lixando. O que às vezes me irritava eram as contradições óbvias que ele não via, a lógica manca que ele usava. Aliás, aquelas conversas me cansavam. Quando ele saía, eu não tinha o que fazer, e não ter o que fazer me cansava também. As revistas que me dava não me entusiasmavam, tevê não havia. Havia um Transglobe no criado-mudo que eu sintonizava a esmo, não sem pensar na ironia de ser aquele o rádio preferido de todos os meus ex- -amigos de esquerda, pois nele dava para ouvir Moscou ou, quando não, as notícias daqui que aqui não circulavam. Com oito dias de estada naquele quarto eu sentia falta do álcool e do cigarro. Fumar não podia, a mãe era alérgica.

Comecei a dar uma saidinha de vez em quando, com o consentimento dele, mas que não fosse para beber. E eu obedecia. Talvez, inconscientemente, sentisse necessidade de alguém mais forte para me pôr na linha. Uma autoridade. E assim, aos poucos, o hábito de obedecer ao Tomás foi apagando em mim a compulsão de buscar alívio no álcool.

Certa manhã resolvi aparecer no quintal e encontrei lá a mãe, cuidando de uns vasos de ervas que ficavam debaixo da janela. Estranhei nunca ter sentido do quarto o cheiro de nenhuma delas: hortelã, anis, malva, alecrim, manjericão. E a mãe se deu o trabalho de depositar em meus ouvidos os nomes e as virtudes medicinais de cada uma, assunto que tinha sido empolgante nos lábios de Cibele e naquela boca mirrada era um tédio só.

Tédio! Quantas tardes passei simplesmente deitado, virado para a parede, de costas para o Transglobe, como que vistoriando aquela velha textura pintada de amarelo, procurando na sua inexpressividade absoluta um caminho para o vazio, porque nunca aprendi a chegar ao nada sem uma ponte concreta. O fervor de Tomás, para mim, dizia menos que aquela parede de antanho.

Passei ao todo quinze dias com ele. Fui convidado a acompanhá-lo de volta à "mata", onde, dizia, o trabalho ainda não estava acabado. Recusei educadamente, alegando que não tinha condições físicas de enfrentar aquele ambiente difícil. Evitei a palavra hostil. Ele reconheceu que eu tinha razão.

Uns dias depois apareceu dizendo que, por decisão superior, não voltaria à mata, que o trabalho na investigação de intelectuais e artistas estava exigindo alguém com preparo para um serviço de inteligência, coisas que expôs quase sem conseguir controlar o movimento ascendente dos cantos dos lábios, que insistiam em sorrir. Então me convidou a trabalhar, dizendo que muita gente da elite, encantada com o falso brilho das ideias subversivas, traía sua origem, em vez de se alinhar com a outra parte da elite que ajudava a financiar a defesa da sociedade.

Não me interessei pelos argumentos, mas aceitei o convite. Era o que restava a quem se sentia desterrado para sempre das cores todas de Cibele. Aceitei voltar àquele mundo em branco e preto. Dessa vez, em alto contraste.

DESDE QUE VOMITEI no colo de Mariquinha é a primeira vez que a ouço cantar. O padre é frequentador assíduo desta casa. Costuma dizer com fala mansa palavras que pelo menos não parecem decoradas. Isso é bom, é simpático, não cansa, não causa repulsa, não enche o saco. Não vem me lembrar de pecados e omissões. Tem do divino uma visão descarregada, rósea, risonha até. Não comove, mas desopila. Liga a tevê e muitas vezes fica vendo algum jogo de futebol comigo. Diz que é palmeirense. Não sabe qual é meu time, nem lhe interessa pelo jeito. Da última vez que vimos futebol, torceu pelo Inter de Milão contra o Bayern de Munique. Mariquinha se ausentou, aproveitou para ir à cabeleireira. Não sei como devo interpretar, não sei se está sendo apenas discreta ou se a intenção é nos deixar a sós para que o padre tenha mais liberdade de me doutrinar. Pura perda de tempo, as intenções dele não se casam com as dela. Santo homem. Estava quase no fim o jogo, Mariquinha voltou. Entrou chorando e anunciou:

— Parreira morreu.

PARREIRA...

Meses depois do meu retorno ao trabalho com Tomás, fui incumbido de entregar a um músico a intimação para comparecer à rua Tutoia: queriam saber por que ele estava ensinando violino a filhos de operários. Parreira quis ir comigo. Deixei. Na casa do músico, puxou conversa, contou que tocava bumbo na banda de Alegrete, sua terra, fez perguntas, deu palpites, cantarolou alguma coisa que já não lembro, enfim, tranquilizou o moço, que de início pareceu bem preocupado. A despedida foi com tapinhas nas costas, Parreira garantindo que, se os homens tinham mandado a gente convidá-lo, era porque só queriam mesmo fazer umas perguntinhas.

Durante a conversa dos dois, eu passeava pela sala, observando tudo, levantando papéis, abrindo livros, lendo nomes de compositores nas partituras: Villa-Lobos, Scarlatti, Guarnieri, lembro que anotei tudo para transmitir ao Tomás. Discos havia vários, nada comprometedor, conforme registrei em relatório, com o cuidado de esclarecer que o músico havia dito que Stravinski era russo, mas morava na França,

Folheando um livro, uma figura me chamou a atenção. Era o desenho de uma pessoa tocando duas flautas juntas. Não só por isso me interessou, mas também porque vi na legenda o nome Cibele. Li o texto: aquele era um antigo instrumento, chamado flauta frígia dupla. Eram duas flautas tocadas ao mesmo tempo por meio de um bocal ou dois. Vinham então os detalhes técnicos do instrumento, que não registrei porque não entendi. No fim, dizia-se que ele tinha sido criado na Frígia, por isso seu nome, e era usado especialmente em teatro, funerais, sacrifícios etc. Era o instrumento típico do culto a Cibele, executado por sacerdotes eunucos. Isso guardei bem, mas só para mim. Fiquei parado um bom tempo, olhando a figura. Irônica figura que me resumia, implacável figura que me reescrevia, me reeditava, me mostrava numa teia que eu não entendia, como letra de um texto escrito no invisível. Fui tirado do devaneio pelo som agudo de uma flauta (desta vez não frígia), em algum aposento próximo. Entrei por um pequeno corredor, abri uma das portas: uma moça de cabelos encaracolados parou de tocar e arregalou os olhos para mim, deixando os lábios pousados sobre o tubo transversal luzidio, de um jeito que lembrava um beijo. Saí pedindo desculpas, me sentindo um elefante.

Naquele dia almoçamos com o Tomás. No restaurante, fui convidado a ir com ele ao prédio da rua Tutoia, ele queria me apresentar ao delegado Fleury. Perguntou ao Parreira se queria ir também. Meu amigo recusou. Achei, na hora, que o convite era pró-forma, e que meu amigo recusava porque tinha identificado seu verdadeiro caráter, ou seja, Parreira se mancava. Só a primeira parte da minha conclusão estava certa. Tive também vontade de recusar, mas, apanhado de surpresa, não me ocorreu nenhuma desculpa convincente. Ao contrário do Parreira, eu precisava de desculpas. Não sei bem por quê, não tinha vontade de ir. Talvez estivesse cansado. Aliás, agora me ocorre que tinha voltado a morar na pensão de Sofia. Mas isso não vem ao caso. Estávamos já fora do restaurante, Parreira disse que queria tomar um café espresso com chantili na galeria que ficava ali a três metros. Antes tinha recusado o café do restaurante, confidenciando que aquilo não era café de macho. Tomás também recusara, mas porque não gostava de café. Entramos na galeria, Tomás disse que ia olhar umas vitrines enquanto isso. Parreira me segurava pelo braço, parecia que para me conduzir. Quando ficamos a sós, junto ao balcão, ele me aconselhou:

— Esse sujeito, o Fleury, é um vampiro. Dizem que o prazer dele é beber sangue. Não vai, rapaz, que a barra é pesada. Eu me dou com os homens, mas tudo tem limite. Você sabe do que eu estou falando, né? Eu sabia.

Parreira... Senti de verdade a morte dele. Infarto fulminante, disse Mariquinha. Poucos dias antes, tinha estado aqui, comendo biscoitos. No fundo, apesar de se achar tão esperto, não passava de uma alma cândida: ajudar quem quer que fosse a fazer qualquer coisa era o que lhe bastava para se sentir beato. O que fazia e por que fazia eram coisas sem importância para ele. Bastava alguém dizer: Parreira, preciso de um grande favor seu, e ele se derretia, ele se desdobrava.

Na galeria, quando ia responder, senti um tapinha nas costas: era Tomás dizendo que tinha hora marcada. Minha xícara estava vazia. Fui com ele, deixei Parreira na porta da galeria, acenando. Essa imagem ficou congelada em minha retina até hoje. Não foi apagada por nenhum dos Parreiras posteriores, nem pela sua última fase, de olhos dependurados e expressão azeda. Nada aboliu de minha memória o homem que acenou para mim naquele dia.

Relatos e relatórios, era só o que eu fazia, sobre coisas que me pareciam bobagens, como pareciam bobagens as coisas que fazia para o coronel nos tempos da indústria química sem saber para que seriam usadas, e se. E, sendo, por quem ou contra quem. No que fazia enxergava umas vezes algum interesse, outras nenhum. Cumprindo ordens que nem sempre entendia, registrei em folhas manuscritas ou datilografadas tudo o que captei ou achei captar sobre pessoas, lugares ou acontecimentos previamente indicados. Muito do que escrevi se perdeu, mas ainda hoje, quando algum daqueles bilhetes emerge das entranhas de um arquivo secreto qualquer, puxado por alguma investigação, nos jornais sempre aparecem artigos sobre a sua meticulosidade burra, suas conclusões delirantes. Então me sinto como o autor que contempla do túmulo as obras que renegou, publicadas por herdeiros

238 Cabo de guerra

desleais. A verdade é que, para bem cumprir ordens, eu aguçava os sentidos e me esmerava em enxergar indícios onde a maioria das pessoas não veria nada. Seguia os ensinamentos de Tomás, para quem, num caso desses, pecar pelo excesso não é pecar. E, por via das dúvidas, registrava o que via e o que achava que via, umas vezes com certeza de ter visto, outras nem tanto.

Das minhas atividades também fazia parte ir à Tutoia entregar relatórios. Coisa burocrática, em geral. Cheguei a presenciar uns dois interrogatórios, nada muito pesado (já se estava na época em que o governo pressionava pelo fim das torturas), mas uma experiência ficou gravada na minha memória, não tanto pelo desfecho quanto pela revelação de meus próprios sentimentos insuspeitados, coisa que hoje ainda me revolve por dentro, como quando se levanta um torrão para botar embaixo alguma semente e se descobre um formigueiro. Devolver a terra ao lugar e deixar lá o formigueiro é a melhor solução.

Um dia, vou com o Tomás às vísceras do prédio da rua Tutoia. Sala de torturas no alto de uma escadaria. Se alguém me perguntasse "quer assistir a uma sessão de tortura?", é certo que eu responderia não, mas em geral as perguntas não são explícitas, as decisões raramente também.

O interrogado está de cuecas, no pau de arara e não apanhou o suficiente para falar ou parar de falar, ao que tudo indica. Logo que entramos, os dois interrogadores suspendem a pancadaria e olham para Tomás; um deles olha com ar bem maldoso, digamos como um açougueiro olharia um bailarino. Papelada na mão, Tomás está metido em calça bege impecável, camisa branca, sapato e cinto marrons de couro lustroso. A intenção dele é tentar a persuasão pela exibição de provas irrefutáveis e arrancar confissões numa boa. As ordens de cima agora são nesse sentido. E ele, mesmo não concordando em princípio, é um sujeito disciplinado. Disse no caminho, pelo corredor:

— Tudo agora tem de ser feito com eficiência e rapidez, o general já disse que a tortura precisa parar, mas é claro que ninguém aqui vai sair de campo sem deixar o terreno limpo.

Agora cochicha com um dos interrogadores, e ouço o sussurro dos dois misturado aos gemidos abafados do prisioneiro que, após ordem dada em voz alta pelo Tomás, teve pernas e braços liberados pelo homem que não participa da conversa, sendo deitado de lado no chão, de costas para mim. Terminado o cochicho, Tomás, com uma passada larga, pula por cima do corpo do rapaz, se agacha de frente para ele e começa a falar manso, mostrando fotos, fotos, fotos, um leque de fotos, que vai apontando com o indicador branco e fino, dizendo: este é fulano, este é sicrano, sei que você conhece, já foram vistos juntos, eu posso te poupar esse sofrimento, diga onde estão eles etc. Não há resposta. Então espera um pouco, puxa um papel datilografado e, com aplicação caxias, passa a ler uma lista dos atos do preso nos tempos recentes, tudo bem catalogado com hora e local (algumas coisas até saíram dias antes da minha caneta, eu identifico, já presumindo quem é aquele de costas, tão machucado, eu não reconheci), enquanto os outros dois observam a cena, na certa achando que a coisa já anda monótona, e de fato a voz de Tomás não se altera, não sei como alguém consegue ter o mesmo tom de voz em todas as situações da vida, é o que penso, quando ele amacia um pouco mais o tom e propõe com franqueza uma delação em troca da liberdade. Faz uns cinco minutos que começou a lengalenga, os dois sujeitos conversam num canto, como se estivessem numa esquina, alheios ao que acontece na sala; não falam alto, mas um deles tem uma voz de tuba que se faria ouvir até de dentro de um *bunker*. Aquilo me irrita, eu não quero perder uma possível resposta do prisioneiro. Resposta que não vem, e Tomás, com aquela voz monotônica, como que falando pacientemente a um surdo, retoma as mesmas palavras, faz a mesma proposta, mas desta vez enriquecida do convite de trabalho "aqui para nós" (e faz um largo gesto circular, que abrange a todos ali presentes e talvez o prédio, mais a instituição policial como um todo e até o presidente da República, sei como funciona a cabeça dele), mas, quando abre a boca para dizer mais alguma coisa, a frase mal começa, ele corta a palavra e diz:

– Repita.

240   Cabo de guerra

Não ouvi a voz do rapaz, mas ele disse mesmo alguma coisa. Os outros dois continuam conversando, aquilo me atrapalha, eu dou um passo à frente, o rapaz repete algo como "não vou falar, seu veado". A voz débil me deixa um pouco em dúvida quanto ao começo da frase, mas o "seu veado" soa claro.

Tomás se levanta devagar, puxa um lenço e, limpando o suor da testa, faz um sinal aos outros sem dizer palavra. Estes, que não esperam outra coisa, se atiram de novo àquilo que mais sabem fazer na vida, enquanto o lenço é enfiado com calma no bolso.

Ficamos lá. O rapaz é amarrado à cadeira do dragão, agora totalmente nu, enquanto um dos dois homens produz corrente elétrica sem parar, girando furiosamente uma manivela, e o outro joga água no preso. O da manivela grita coisas: bandido filho da puta, terrorista desgraçado, comuna da porra, como se aquilo lhe alimentasse a força do bíceps, enquanto o rapaz berra em contorções de dor e espasmos, e à água do chão se misturam o mijo e a merda que aquele corpo sem dono expele de si, porque suas fibras vão perdendo uma partícula de alma a cada estremecimento.

Tudo tem um limite, tinha dito Parreira, e é verdade. Naquela hora é de se acreditar que todos ali esperassem o limite do sofrimento que faria o homem falar. Não era bem assim. Na realidade, ninguém ali parecia querer encontrar um limite para o que fazia ou pensava. Ali o que se esperava era que a natureza impusesse o seu, que é a morte. E era verdade que todos a queriam: os dois homens por inércia, Tomás por ódio, o prisioneiro por desespero, eu por despeito.

O que sinto então é coisa nova, tem a força de permanência que os primeiros sentimentos costumam ter. Despeito, porque olho de cima aquele frangalho humano e ao mesmo tempo me enxergo embaixo. Isso é despeito. Mas não é só. Há ainda outra coisa, numa camada mais funda, que não consigo distinguir direito. Não conhecendo o nome daquele sentimento, posso inventar vários. Ou dizer que é algo no limiar, na encruzilhada da inveja e da misericórdia. De qualquer modo, é inverossímil. O resultado físico dessa cruza é um engulho traduzido em berro, não o berro do torturador nem o do torturado, mas o grito oco do nó na garganta, nó de tripas, só o que pareço capaz de oferecer ao mundo, como o homem do porto dos saveiros, o ejetado de si. Abro a boca mudamente e olho para Tomás: a dele se crispa, tudo ali sai pelos olhos. E o limite se dá. Os homens não param, nem há ali quem queira que parem. Não param nem quando as feições do rapaz se enrijecem, os olhos se dilatam, a língua arroxeia, os gritos sufocam e um gargarejo animal é o último som que sai daquele corpo antes de um estrebucho e da imobilidade. Só então a manivela para, e a voz de tuba se cala. Tomás se aproxima do rapaz, põe a ponta do dedo branco na sua jugular, levanta-lhe a pálpebra esquerda, examina o olho e sentencia:

– Dá pra ressuscitar. Chama o médico.

MINHA IRMÃ está cantando na cozinha. Canta alto. Olho o relógio: 14:31. Acabo de ser acordado por um hino que faz tempo já tinha escorregado da minha memória. Com que intenção Mariquinha canta tão alto? Se com a de me acordar, sucesso total.

Empunhando o nosso saber
Chega o mestre trazendo a instrução

Entro no pátio, o professor organiza a fila, estou atrasado, alguém me encaixa quase no fim, a ordem é de altura, movo os lábios nas sílabas da estrofe em que estão os outros, mas de minha garganta engripada não sai som (cantavam o quê mesmo? o hino da escola? o "Hino à Bandeira"? quase certeza que era o hino da escola, mas hoje não posso jurar), o menino da frente vira a cabeça de propósito para me olhar (do olhar não esqueço, olho gázeo, disse vovô: quem te pisou foi aquele do olho gázeo?), olha para trás, me encara, recua um passo e finca o salto (com ferrinho) no meu pé, certeiro no dedinho, eu, cego de dor, lhe dou um empurrão, ele cai por cima do menino da frente com propositada languidez, o da frente se desequilibra, empurra o mais à frente e assim por diante até o primeiro da fila ou pelo menos até que a fila se desarranje, o hino seja interrompido, o professor fique irritado querendo saber quem começou, todos riam, todos saibam que fui eu, eu seja apartado da turma e posto de castigo, injustiçado como no dia em que Samira resolveu cheirar pó no banheiro e me sujar camisa e reputação.

Agora me lembro: Mariquinha ontem já cantarolava o hino, baixinho demais para que reconhecesse. Como era mesmo o nome do dono do olho gázeo? Talvez minha irmã se lembre. Quero perguntar: Mariquinha, como se chamava mesmo o tal do olho gázeo? O único que tinha caneta-tinteiro, daquelas que eu gostava de ver deslizar macio no papel, deixando no rastro um filete brilhante, gordo, fácil, um caudal de ventura... não me cansava de olhar, os dedos dele rodeando aquele corpo prateado, haste gravada caprichosamente com o nome Parker, que eu admirava encantado, imaginando como pedir a meu avô que me arranjasse uma daquelas... aí o sujeito levantou o olhar gázeo e perguntou: nunca viu?

O barulho do balde me diz que ela está lavando o chão.

Com coragem, saber e amor
Tu serás homem forte na li...

O baticum do balde comeu a última sílaba, mas o verso ecoa completo no meu cérebro:

Tu serás homem forte na lida

Minha irmã canta afinado um hino feito para meninos.

Não ocorreu ao autor incluir as meninas com quem ele na certa esbarrava nos corredores, no pátio, nas calçadas.

DEPOIS DOS ACONTECIMENTOS todos em torno da morte de Herzog e de Manuel Fiel Filho, as coisas começaram a mudar. Tomás sentiu as reverberações, portanto eu também: ele foi afastado, passou para um setor burocrático qualquer, e eu perdi um bom bico. Não que ele estivesse diretamente envolvido naquelas mortes, se bem que não sei se sei tudo, mas acredito que não. É que as coisas de fato mudavam. Com isso, voltei a desandar um pouco. Quando minhas missões começaram a rarear, quando minhas incumbências ficaram mais espaçadas, senti muita insegurança, fui ter uma conversa com Tomás. Recebi promessas ou menos, talvez votos, como resposta: as coisas voltariam a ser como antes, a linha moderada não haveria de entregar tudo de bandeja aos civis, não era para isso que tínhamos batalhado tanto.

A verdade é que fiquei de mãos abanando. A solidão batia duro, mais duro naqueles dias, e eu acabei me abrindo um pouco, falando sobre aquele velho assunto que ele já conhecia:

– Cibele... lembra?

– Sim, claro, lembro, mas não tenho muito o que dizer.

Ele não conseguia pensar nesse tipo de coisa, parece que por pouco não me disse que se lixava para as minhas emoções, e sei que por pouco eu não disse que não dava a linhas duras ou brandas um décimo da importância que ele dava. Tomás não saberia respirar quando faltasse o combustível daquele embate de dois extremos opostos, essa era minha nítida impressão.

Voltei a ser garçom. Quem me arranjou emprego foi Samira, de novo. Num grande bufê, seu preferido. Assim, eu passava noites servindo vinho à alta sociedade paulistana.

COM MEIA DÚZIA DE TAÇAS de vinho na bandeja, chego perto do grupo em pé no meio da sala (é a casa de Samira, uma festa): dois empresários, um cineasta e o filho de um general, rapaz de uns vinte e poucos anos. Este, com os joelhos ligeiramente dobrados, gira as ancas cantando um sucesso de uns cinco anos antes. Os outros riem. Enquanto cada um pega uma taça, um homem se aproxima, atraído pelo gestual e pelos risos. O moço explica: é daquele jeito que certo cantor dançou no cassetete quando foi preso. A música que acompanha a dança é de autoria do referido. O outro ri amarelo, pede licença e se afasta. Quando faço meia-volta, o moço diz: não achou graça. E todos riem de quem não riu.

Dou com Samira, e ela, depositando um copo vazio na bandeja, segreda:

– Ele se acha o máximo.

E me dá as costas: longo azul e sandálias prateadas, salto altíssimo, plataforma. Atravesso o salão, vou para a cozinha reabastecer a bandeja. Estou lá distraído, sinto que um corpo feminino se encosta em mim, viro a cabeça com a rapidez da surpresa, é ela. Acho tremenda imprudência uma dama, em sua própria casa, abordar assim um garçom na cozinha:

– Benzinho, quer fazer um favor pra mim?

Já no nosso reencontro, faz alguns meses, Samira me pareceu decadente, perdido o pingo de sensatez que tinha, sumida boa parte da beleza. A tremura está mais acentuada, agora também nas mãos. A tristeza, mais funda. Envelhecida.

– Vai lá em cima, segunda porta do corredor, entra, tem uma cômoda à esquerda, a primeira gaveta, a chave aqui, pega lá um papelote e traz pra mim aqui na cozinha, vai logo, vai, benzinho, que eu estou com fissura e não posso subir sem dar na vista do Paolo.

Não me dá tempo de reagir, sai.

Entrego o papelote uns quinze minutos depois: ela quase me beija ali na cozinha. Para evitar o acinte, preciso esticar o pescoço para trás. Vejo que outro garçom olha com jeito maroto. Logo depois, quando passo por ele, ouço:

– Mulher de mafioso é isso, meu chapa.

Antes de nosso reencontro, nunca soube desse vício em Samira. Até hoje não consegui decifrar se antes o desespero era menor e o vício também, ou se não existia mesmo.

Samira atravessa o ambiente, requebrando aqui para um homem, cochichando ali no ouvido de uma mulher. Todos sempre exibem aquela contração dos músculos da face que os bem-nascidos congelam em sociedade com o nome de sorriso. Paro de olhar para servir, me distraio, quando meu olhar a busca, dá com seu sumiço. O marido conversa não muito longe dali.

Um bocado de tempo depois, Samira reaparece na sala, me faz um sinal e some por uma arcada. Sirvo mais umas três ou quatro pessoas e vou até lá. É a entrada de um corredor, ela me espera diante de uma das portas. Paro, olho, é um banheiro, e ela, me puxando para dentro, diz:

– Reparou? Reparou? Ele só quer saber dela, só dela, ontem falou que vai me deixar, me mandou embora. Estou na rua da amargura.

Treme, o olhar é desvairado, parece não me ver. Transpira. A última coisa que me convém naquela hora é servir de muleta a uma mulher drogada. Tento cair fora, ela se adianta, fecha a porta, se agarra a mim, se encosta no meu peito, falando, falando. Meu maior medo é sair dali de camisa manchada, e ela esfrega o rosto maquiado e pintado bem no peitilho de fustão, na parte que não fica coberta pelo paletó. Tenho a ideia de deslizar a bandeja vazia entre meu peito e o rosto dela e assim vou recuando até a porta, ela vindo junto, falando cada vez mais alto, sempre no refrão da rua da amargura. Estico a mão para girar a maçaneta, mas a porta se abre, e contra a luz fraca do corredor emerge um vulto que de início eu não distingo bem: Paolo. Não pergunta o que está acontecendo, só vai entrando. Sem dizer nada, arranca a mulher daquele arremedo de abraço e ali, na minha frente, vira-lhe duas bofetadas, ato cumprido com maestria e garbo, sem muita força, para não machucar, que não haveria ela de aparecer com equimoses no salão (é o que logo intuo quando vejo a mão dele vindo no primeiro tapa e voltando rápida no revirão, dois gestos de precisão cirúrgica, enquanto com a outra mão agarra o braço direito dela). Não querendo esperar para ver o desfecho, viro-me e vou saindo de fininho, mas a voz dele soa de lá de dentro:

– Espera! Vem cá!

Volto e fico esperando com o rosto abaixado, para dar a impressão de reverência e também evitar o reconhecimento. Confiando no tempo, no corte diferente do cabelo, nos óculos que agora sempre uso em serviço (a vista já meio fraca poderia me trair, deixar passar sobrenadantes indesejáveis...), tenho esperança de que ele não se lembre de mim. Mas lembra.

– Eu te conheço... – diz intrigado e, chegando mais perto, repete com segurança: – Eu te conheço!

Conhece, mas não sei se reconhece. Será que se lembra de tudo o que cercou nosso único encontro? Com ele deve estar acontecendo o que ocorre a qualquer um quando sabe que já viu alguém em algum lugar, mas não se lembra de quando nem de onde: perdida a moldura, o quadro fica desnaturado, o objeto submerge no tempo. Por isso ensaio um gesto negativo da cabeça e olho para Samira, quem sabe algum socorro... Bobagem. Ela está sentada no vaso sanitário, com as pernas abertas, as pontas dos pés viradas para dentro, olhando o chão com expressão perdida, alheia, alienada, murmurando sei lá o quê. Então ele se aproxima de mim e diz entre dentes:

— Pega essa vagabunda e some com ela daqui, antes que eu ligue para a merda de bufê que te contratou.

E arranca minha gravata borboleta.

Protesto:

— Eu vim aqui atender, ela me pediu ajuda, vim saber o que queria, o senhor chegou. Isso não é justo.

Ele nem liga. Atira a gravata ao chão, mete a mão no bolso, puxa a carteira, abre e me estende várias notas graúdas.

— Se não sair por bem, vai sair por mal.

— O senhor está me usando para se livrar dela.

Ele me olha duro e diz:

— Então tá. Vou chamar os guardas.

E vai saindo. Samira agora está chorando. Aquilo vai virar um rebu. Digo ao gringo:

— Tudo bem, tudo bem. Eu levo embora. Eu levo. Mas fique claro que não fiz nada de errado aqui.

Pego Samira pelo braço e vou saindo devagar pelos fundos, quase arrastando aquele corpo que me parece frio demais para noite tão quente, como se a temperatura daqueles mamilos estranhos tivesse contaminado toda a sua pessoa. Demoro um bocadinho nesse trajeto. Quando saio pela porta da cozinha, já sou esperado lá fora por um dos guardas, que, depois de me entregar as chaves e o documento de um carro, me acompanha até a garagem. É um percurso de uns vinte metros, se muito, que me parecem duzentos, porque me sinto observado por meio mundo, colegas de trabalho, gente da cozinha que parou o que fazia só para olhar. Estou morrendo de vergonha, o que é que aquela gente pensa ou acha? Na certa imagina algum flagrante de adultério. Quero gritar, dizer que não aconteceu nada daquilo que estão pensando, que não mereço perder o emprego etc. Mas vou em frente mudo e mudo entro no carro e mudo dou a partida. Nem imagino para onde. Antes de chegar ao portão, numa curva da vereda, os faróis iluminam um alambrado, e entre as árvores avisto faisões. Estão dormindo.

Naquela época, eu voltava a me sentir desamparado. Fazia falta até mesmo o alento podre que Tomás me insuflava... Quanto mais aumentava a sensação de abandono, mais eu me enrijecia, mais me fechava na retranca, mais cuidava de não me desmanchar. Mantinha a coesão externa, mesmo tendo dificuldade em distinguir o que via do que não via.

Um acontecimento era motivo daquela depressão sem tamanho: tinha visto Cibele. Pior: tinha ou não tinha visto Cibele? A dor de ver Cibele era multiplicada pela dor de talvez não ter visto.

Foi no Mappin, piso térreo, eu parado junto à porta da Conselheiro Crispiniano, vejo Cibele conversando com uma vendedora. Olho bem, sentindo o corpo todo numa pulsação só, é ela sem dúvida, já indo para o elevador aberto, corro, não consigo alcançar, a porta se fecha. Volto, busco a vendedora com quem ela conversava, pergunto o que aquela mulher estava procurando, a resposta se faz esperar um tempo infindo até vir arredia (amedrontada?): seção de brinquedos. Subo enlouquecido pelas escadas, alcanço a seção de brinquedos, ela não está, vasculho todos os andares, descendo, subindo, monto plantão no térreo, ela há de aparecer. Não aparece. A tarde acaba, a noite começa, desisto, saio de lá abatido, vou me encostar à grade do viaduto do Chá, olho para baixo, a cidade é um zunido atordoante, levanto a cabeça para resistir à vertigem, viro para o outro lado, as luzes me cegam, escorrego até me sentar no chão, finalmente sinto algum conforto: o de parecer transparente para os transeuntes que me tomam por mais um pedinte. Para a miragem desejada não fechei os olhos para abrir de novo, mesmo assim ela sumiu...

Do Morumbi à subida da Rebouças Samira fica em silêncio: dormindo. Logo que saímos da mansão pergunto para onde ela quer ir, como quem diz: eu aqui não passo de motorista. Não responde. Repito a pergunta mais umas vezes em diversos tons, até que desisto. Resolvo rumar para a Major Sertório, mas em dúvida: não sei se ela tem a chave do apartamento. Chamo, cutuco, ela não responde. Decido ir para lá assim mesmo. Só no fim da subida da Rebouças ela dá sinal de vida. Acorda. Boceja. Pergunto:

— Você tem a chave do apartamento?

— Que apartamento, benzinho?

— Para de me chamar de benzinho — grito, à beira do descontrole.

Ela responde, intimidada (me parece):

— Não existe mais aquele apartamento.

— Vendeu?

— Vendeu, vendeu, não, não, não segue pela Consolação, entra na Paulista. Entra! — e puxa o volante para a direita.

— Não faz mais isso — grito de novo.

Entro na Paulista. Sei bem que olho para frente, vejo a reta da avenida e penso: "Mas que merda é que eu estou fazendo aqui?". Aquilo me revolta. Então ela desanda a falar, naquele tipo de falação de sua especialidade quando o tema é o marido. A fala dela me descontrola, me põe no olho de meu próprio furacão, da minha indignação por me achar num enredo tão absurdo. O que é mesmo que estou fazendo com aquela mulher alheia num carro que não é meu? Samira precisa desandar a falar para me dar a consciência nítida de que já sou, irremediavelmente, um cara amargo, um sujeito velho, a caminho do fim. Quanto a ela, uma ruína. A vibração tão irresistível do passado mudou de natureza, é tremor que toma conta do corpo todo, quase Parkinson. Ruína ali é tudo: eu, ela, a avenida, o país. É tudo um ranço que só não contamina o Galaxie que, este, tem cheiro de novo.

Samira fala. O que fala Samira? Não sei. Sei que do marido. Lamúrias. As frases não saem articuladas como antes, o jorro de palavras já não tem a definição do passado, sai num tom turvo, envolto em insensatez. Interrompo a ladainha:

252 Cabo de guerra

— Onde é que eu te deixo?

Ela não responde. Em vez disso deita a cabeça no banco e com voz entrecortada começa:

— *Chiquita ba-ca-na lá da Mar-ti-nica...*

Aquilo ela canta! Eu digo:

— Decadência, hem! Era isso que você cantava na noite?

Paro o carro, ela olha para mim e completa baixinho:

— *Se veste c'uma casca de banana nanica...*

— Desce.

— Não desço, o carro não é teu.

— Não é teu, não é teu... E teu, é? – respondo, infantil.

Um sujeito atrás buzina. Dou a partida e pergunto, saindo do meio-fio:

— Você tem algum parente onde eu possa te deixar?

— Ninguém, ninguém, ninguém – balança a cabeça de um lado para o outro.

Então penso seriamente em deixar o carro ali, com ela dentro, sair a pé, dar no pé, mas me lembro:

— O coronel. Te deixo na casa dele.

— Não vai acordar o coronel a essa hora, benzinho... Vai querer apanhar? Ele dorme cedo porque a coluna, coitado, vai de mal a pior... o coronel está ficando velho...

— Então a gente entra num bar, pede um café forte, você se recupera, te dou o carro, você volta pra casa e pede perdão ao teu marido.

— Do quê?

O tom da pergunta me cala.

Aí ela me faz um pedido surpreendente:

— Eu vou te pedir uma coisa, não diga não, por favor, não diga não. – Com as mãos juntas, como se fizesse uma prece, tomba-se para o meu lado, estamos parados num farol.

— Diz logo o que quer.

Ainda sou capaz de sentir pena dessa mulher!

— Quero ir para a via Anchieta.

Ivone Benedetti 253

— Fazer o que lá? (Faço a pergunta olhando o marcador de gasolina. O tanque está quase cheio.) — A gasolina não vai dar.

— Você pensa que eu sou boba?

Não respondo. Ela:

— É o último pedido que te faço. Nunca mais você vai me ver, juro que você nunca mais vai me ver. Mas eu preciso de ar. Eu preciso de ar fresco. Estou sufocando — e apertava a garganta, soltando as palavras com voz esganiçada.

Não sei se choro ou se rio. Não tenho mais nada a perder naquelas alturas. Talvez um pouco de ar também me faça bem.

— Tudo bem, tudo bem. Nós vamos para a via Anchieta, mas na volta você cuida da sua vida, certo? Dorme num hotel ou vai para a casa do coronel. Combinado?

Ela não responde.

— Combinado?

— Combinado, combinado, pô.

E recomeça a cantar a mesma "Chiquita bacana". Canta mais um bocadinho; quando estou a ponto de estourar, percebo que o ânimo arrefece; espero, aos poucos ela para, recosta a cabeça no banco e dali a pouco está dormindo. Pego a estrada em silêncio. O carro roda manso, eu penso na vida.

Algum tempo depois ela geme. Acorda. Tenho a impressão de que me olha. Sim, me olha, com a cabeça encostada na janela, balangando ao sabor dos leves solavancos daquela máquina de luxo.

— Do que você vai viver agora? — pergunto.

Ela demora um pouco e diz:

— Querendo ou não, ele vai me dar pensão.

Pelo tom da voz, acho que está começando a ficar sóbria. Pergunta até o que eu fiz naqueles anos todos, mas respondo umas meias verdades curtas, porque — percebo num relance — a resposta não interessa, a intenção é preencher o vazio, o silêncio incomoda. Mas não fala enquanto respondo. Depois, ainda com voz calma, diz que vai procurar o coronel o mais depressa possível e pedir duas coisas: advogado e emprego.

254 Cabo de guerra

– Então aproveite e conte a ele o que de fato aconteceu esta noite, não quero ficar de barra suja com ele. Entendeu? Conte, ele te ouve. Senão teu marido vai dizer o que lhe der na telha. Entendeu?

Ela faz que sim com a cabeça. Depois pergunto:

– Emprego de quê?

Ela não sabe. De cantar já não é capaz, Paolo cometeu o pecado de lhe roubar a voz. Diz que faria qualquer coisa, até lavar banheiro se preciso, voltaria à humildade de antes, à modéstia e simplicidade da mãe, que tinha sido empregada doméstica até cair doente, a única pessoa que sabia das coisas, da verdade infinita da vida. Assim, patética agora, Samira diz que sente saudade da mãe, daqueles tempos de vida pobre e livre, leve, sem culpa.

– Culpa de quê? – pergunto.

E ela diz que é culpa de tudo e de nada, acúmulo de pequenas coisas, não importa, sentimento que faz acordar de madrugada com a boca crispada, os músculos do rosto contraídos, culpa que vai matando aos poucos, indefinida, difusa, culpa do medo, culpa do ódio, culpa da culpa. Culpa que envelhece a gente porque envenena e endurece a cara, que vira carranca. Tudo isso vai dizendo Samira e, se não diz, quase diz. E completa:

– Quem procura um cirurgião plástico deveria dizer: doutor, quero operar minhas culpas. E todo cirurgião deveria ler as rugas do rosto como as ciganas leem as linhas das mãos.

Estou para comentar que gostei da frase, ela desata a chorar. Não, ela não está sóbria. Eu me enganei. E, quando para de chorar, volta a falar desembestadamente. Pela milésima vez amaldiçoa aquela festa para as duas filhas, que ele mandou virem dos Estados Unidos: ele só tem olhos para elas... não, não só para elas, mas também para a vagabunda que agora dorme com ele. Pergunta se notei. Não, eu não notei. Então diz quem é: uma mulher de vestido vermelho, assim, assado... Logo me lembro, mas continuo afirmando que não me lembro, porque Samira não é páreo para ela, e tenho medo de deixar transparecer essa mensagem nas minhas palavras de consolo, se é que eu pretendo dizer alguma. Prefiro que ela solte o verbo livremente e me deixe dirigir em paz. E volta a chorar mais algumas vezes, lembrando que é espezinhada diante de todos, agora também das filhas dele.

Etc. etc.

E assim vamos o caminho inteiro, ela chorando e deschorando, numa verdadeira maré regida por não sei quais luas. Nos refluxos, dita caminhos, vire aqui, vire ali, agora vai reto. Já saímos da via Anchieta, andamos por lugares que nunca imaginei, estradinhas estreitas, umas com pedras, outras com asfalto escalavrado, outras sem nada. Aquilo me preocupa. A certa altura pergunto se ela sabe onde estamos, responde que sim, que sabe perfeitamente, que vamos para um lugarzinho sossegado.

Então eu digo que não quero ir para lugar sossegado nenhum naquele descampado, que vou voltar para a via Anchieta, que ela está me metendo em outra encrenca. Ela manda parar. Paro. Os faróis iluminam um caminho que não sei onde vai dar. Ela diz:

— Vamos descer.

— Não, aqui não desço. Vou voltar.

E engato a primeira para começar a manobra. Ela começa a xingar e abre a porta. Eu paro, ela continua me xingando e me xinga tão rudemente que acabo mandando para o brejo todas as minhas boas intenções de antes. Grito:

— Pare com isso. Desse jeito você vai ficar mais enrugada do que já está e não está pouco.

Ela se cala. Olha um tempinho para mim, depois sai para a escuridão.

— Aonde vai? – pergunto.

— Por aí.

— Está louca! Nesse escuro?

Bate a porta do carro, dá dois passos e volta. Abre a porta de trás, pega uma blusa, dizendo:

— Esfriou.

E sai de novo, batucando os saltos num calçamento desconjuntado. Olhando pelo vidro da frente, vejo o vulto dela desaparecendo na escuridão adensada pela neblina, seus saltos agora batendo silenciosos, ressoando só na minha memória. Hesito uns minutos, perco um tempo precioso ali parado, insultando aquela mulher em palavras e pensamentos, até que decido ligar o carro e seguir atrás dela. Mas ela já não está visível. Como sumiu tão depressa? Avanço alguns metros, concluo que ela saiu da estrada. Então paro. Acendo os faróis altos: não servem de nada naquela neblina, não descubro muita coisa daquele caminho de boiada. Abro o vidro da direita, só enxergo a massa densa da vegetação metida no escuro: nenhuma trilha por onde ela possa ter entrado. De todos os lados, solidão. Acho perigoso ficar lá parado, naquele carro de luxo, mas não posso ir embora e deixar aquela maluca ali. Ali, ali onde? Sinto frio. Visto o paletó, apago os faróis, fecho os vidros e fico esperando que ela volte. Silêncio.

O relógio estala de minuto em minuto. É o que ouço, além da minha respiração. Os ponteiros do relógio dividem o espaço do seu passo: ponteiro menor bem além do 2, o maior quase chegando ao 10. Pouco para as três da madrugada, num ponto ignoto do planeta em dia qualquer de 1976, me sinto odiando com todas as rugas do meu ser aquela mulherzinha complicada. Abro a porta, grito o nome dela vezes e vezes. Nada. O vento me despenteia, o chuvisco me pinica a testa, as orelhas, a nuca, ela não responde. Entro de novo no carro e buzino, mas a barulheira é inútil. Paro de buzinar e fico lá torcendo pelo aparecimento de algum ser vivo. Ninguém aparece. Só sei que a certa altura deito a cabeça no banco e fico olhando o escuro para além do vidro, procurando alguma solução, e acabo pegando no sono.

Acordo de boca aberta, engasgado pela saliva e com dor no pescoço. A primeira coisa que faço depois de entender onde estou é olhar o relógio: dormi umas duas horas. Ela não voltou. Quero sair dali, chego a manobrar e a rodar uns metros, mas paro, porque não me atrevo a ir embora e deixar aquela doida desamparada, caso volte. Ou não volte. Alguma coisa muito grave deve ter acontecido. Ela pode ter levado um tombo, talvez quebrado uma perna, quem sabe desmaiado, sem falar na hipótese de ter sido atacada por algum animal. Imagino Samira enroscada na vegetação densa que cresce à beira da rua, sem condições de andar, perdidas as duas sandálias impraticáveis. Acabo concluindo que o melhor mesmo é sair daquele labirinto, procurar um telefone, ligar para a polícia. Mas antes quero descer e fazer uma busca a pé, já que clareia, apesar da neblina ainda densa.

Ando uns cinquenta metros na direção do sumiço dela, percebo que a vegetação fica mais baixa e já é possível avistar ali adiante à direita, num espaço que a bruma não me permite definir, uma imensa massa acinzentada que me dá a impressão de ser um paredão. Vou naquela direção. Sigo pisando a vegetação rasteira, descendo uma pequena ribanceira e aos poucos meus pés começam a afundar em terreno molhado. Estou à beira de um grande lago: o que me parecia paredão é uma grande extensão de água.

Quantas vezes me gabei da minha ignorância sobre a geografia de São Paulo. Sentia orgulho de conhecer pouco de uma terra que desprezava. Trazia de cor e salteado o mapa do Recôncavo Baiano, tinha palmilhado cada centímetro dos arredores de Nazaré, e isso me parecia suficiente. Guardar na memória outras paragens, outros rios, outras montanhas, outros vales, outras praias, para mim, era armazenar coisa supérflua. Aquele foi um dos momentos em que senti mais funda a verdade intuída fazia algum tempo: eu me fechava para São Paulo. Não fazia a menor ideia de onde estava. Por mais que me esforçasse não atinava com o possível nome do lugar.

Nada que estivesse além de uns poucos metros era perfeitamente avistável. Não querendo me molhar, não avanço. Grito Samira algumas vezes, já sem ânimo, como se a intenção fosse depois poder dizer que tinha feito de tudo para encontrá-la, e o eco me volta também tão desencorajado, que depois de uns minutos resolvo ir embora. Subo devagar a ribanceira e, chegando à beira da estrada, olho de novo para a água: a névoa já está bem menos densa, falta pouco para as seis, o sol já esverdeia a vegetação, é quase possível distinguir a linha do horizonte.

Então retorno à beira da água, não mais em busca de Samira, mas atraído por aquela massa que agora sinto vontade de ver de perto, me perguntando: como é que não conheço esse treco tão grande?

Com a luz do sol reverberando ligeiramente na água, as pequenas ondas começam a emitir reflexos de prata e cinza. Finalmente é dia, a névoa agora só desfoca o horizonte. Fico um tempo ali à beira da imensidão, percebendo a manhã clarear aos poucos, cismando, maturando não sei em quê, calculando talvez um modo de reaver o emprego, imaginando quem sabe o que dizer na cidade, ao chegar sem Samira, cogitando ir diretamente ao coronel, temendo a possibilidade de ser acusado do assassinato daquela mulher que eu já não tenho esperança de rever, e é então que enxergo, a uns cinquenta metros de onde estou, Samira boiando, cabelos espalhados em leque ao redor da cabeça, vestido azul a se desvanecer no prateado da água, pés flutuando sem sandálias, olhos fechados, mãos abandonadas e frágeis como dois remos quebrados.

Mais tarde, quando o padre Bento me fez ler *Hamlet*, achei que naquela manhã eu tinha antevisto o que viria a conhecer um dia sobre a morte de Ofélia. Assim insano se tornou o tempo a certa altura da minha vida, ou, quem sabe, ele nunca foi razoável, e eu só percebi isso na época em que já não havia mais nada que me chamasse a atenção além da passagem das coisas, porque elas tinham ficado insuportavelmente estagnadas. Naquela manhã não há grinaldas nem argênteas folhas de salgueiro naquelas águas, mas sei que Samira e a água são uma unidade, e as reverberações do sol fazem seu corpo cintilar em mil gotículas.

Entro em pânico. Volto correndo, dou a partida no carro, manobro e desabalo pela estradinha, hesito na primeira bifurcação, escolho o lado errado, caio em ruelas de terra, vou dar em aglomerados de casas metidas na floresta: sem saída. Manobro sob olhares de suspeita às janelas, volto perdido e perdido continuo até criar coragem: parar e perguntar a um sujeito que segue solitário, com um saco nas costas, como sair para a via Anchieta:

– Logo ali, na segunda à direita etc. e tal – indica fácil, apontando com o indicador e o médio, entre os quais um cigarro.

Sigo as indicações, alcanço a rodovia com a intenção de parar no primeiro posto policial, aparece primeiro a saída com uma placa: São Bernardo. Entro na cidade e paro no primeiro telefone público que encontro. Ofegante, ligo para o coronel.

QUANDO, NO DOMINGO SEGUINTE, o coronel ligou para a pensão lá pelas dez da manhã, Parreira estava lá, em seu exercício favorito: fazer o levantamento de todos os grandes crimes e escândalos da cidade, mais especialmente os da alta sociedade, se houvesse. O assunto tinha sido provocado por aquilo que mais nos preocupava então: o sumiço de Samira (o corpo ainda não tinha sido achado). A imprensa se mantinha discreta, e isso ouriçava meu amigo, que inventariava mil outros casos de igual comportamento, porque para esse tipo de estatística ele tinha uma memória de elefante. Do inventário não escapou, claro, o caso do atropelamento do filho da afogada, e – dizia ele – a coisa se repetia agora, no caso dela, porque os jornais só tinham dado uma noticiazinha no primeiro dia, assim mesmo só com o primeiro nome, sem foto nem nada. Estávamos na sala, Sofia ao lado, e Parreira, para colorir a tese, dizia com um misto de indignação e deferência, que, se o sumiço fosse dela, Sofia, por exemplo, já teriam divulgado nome, endereço, RG e fotografia. Enquanto isso, o telefone tocava, e a mencionada atendia: o coronel me chama à sua casa.

Vou, pressuroso.

Uma empregada me atende, me leva até uma sala, sai e fecha a porta. Sozinho lá dentro, fico sentado, ouvindo as vozes que me chegam do interior da casa e também uma algazarra animada do lado de fora, convívio que me exclui: eu não teria sido convidado para festejar em casa do coronel o que quer que fosse num domingo. A certa altura, curioso, me levanto da poltrona, vou espiar pela janela e, por entre os recortes da folhagem densa de um jardim, consigo enxergar uma parte mínima de movimentada piscina: na água, cabeças brotando, pés afundando; fora, pernas nuas indo e vindo. Cheiro de churrasco, passa já das onze e meia.

Volto para a poltrona convencido de que estou esquecido, mas, sem coragem de abrir a porta e procurar alguém, pego de cima da mesinha de centro uma revista sobre a Suíça. Um primor em belo papel acetinado, só vendo, com tudo o que aquele país exótico poderia oferecer. O que me chama a atenção mesmo são os Alpes, aqueles picos me encantam, minha vontade de mergulhar entre eles só se compara à necessidade de fuga que senti na noite da Vila Prudente. A semana foi infernal. Crescem as suspeitas de que sou autor do sumiço de Samira, e só não estou preso graças à interferência do Tomás. Por vontade do italiano, eu já estaria atrás das grades. O que o coronel pensa não sei, e isso me preocupa muito. O corpo ainda não foi encontrado, os bombeiros continuam escarafunchando a represa. Para aumentar o peso da suspeita alheia, o meu sentimento de culpa: por que deixei aquela biruta sozinha, mesmo sabendo que ela estava sob efeito de droga e álcool? E mesmo na manhã do sumiço, se liguei para o coronel, e não para a polícia, foi porque minha consciência esperava um deixa-disso proferido por voz respeitável. O que não aconteceu, aliás. Liguei desesperado, dizendo que Samira estava afogada num lago perto de São Bernardo. A conversa foi confusa, o coronel perguntava "que lago?, que lago?", eu não sabia o que responder, olhava para os lados, dizia o nome da rua (a placa em frente ao telefone), o nome da cidade, mas que nem imaginava onde estava, meu nervosismo me impedia de articular bem os pensamentos, eu embolava as frases, atropelava informações, ele se irritava. De nítido só me soava a pergunta dele: "avisou a polícia?" Eu dizia que não. E ele: "por que não?, por que não?". Eu tentava explicar, não conseguia. Por fim, me disse que ficasse onde estava, que ele chegaria o mais depressa possível, e desligou. Pela distância, imaginei que o mais-depressa-possível não ficaria por menos de uma hora. Quinze minutos depois chegou a polícia, avisada por ele. Então o pesadelo começou. Cara dele mesmo não vi desde então. Na delegacia, precisei encarar o pessoal que ria da minha cara:

– Que lago, hem? É a represa Billings, rapaz!

Eu, que já não andava bem, comecei a afundar. Não sei quando foi o início da degringolada final, tudo foi tão insidioso, a minha retranca, o medo de falar para não abrir a jaula dos fantasmas, aquilo tudo de repente começou a derreter. Os acontecimentos daquela semana acabaram jogando uma colher de cal por cima do pouco juízo que me restava. Eu não dormia. Comecei a me sentir atordoado, sem saber às vezes onde estava nem o que fazia. Lembro que no pior momento da semana, uma tarde, na delegacia, me estranhei, tive a nítida impressão de ser dois e de não saber quem era o outro, o que é o mesmo de se achar inexistindo. O delegado me fez uma pergunta, fiquei olhando embasbacado, porque já não sabia quem era ele, então lembro que fechei os olhos e tentei falar. Devo ter balbuciado coisas sem sentido, não me lembro de mais nada, sei que, quando dei conta de mim, estava deitado numa cela, bom tempo depois. Por mais que os amigos da pensão tentassem me tranquilizar, eu pressentia um sismo. Quando não era obrigado a ir à polícia, ficava trancado no quarto.

Naquela manhã, graças aos esforços de Sofia (que incluíram chá de hortelã todas as noites da semana), eu tinha levantado bem mais calmo, mas, durante a conversa, ela me fez uma pergunta que me pôs nervoso:

– Você tem certeza, santinho, que viu a moça afogada?

Enquanto olho a revista da Suíça, me distraio imaginando uma vida escondida entre as pregas de alguma daquelas montanhas, vida ignorante do mundo e até de si mesma. Já me vejo subsistindo da coleta, da caça e da pesca, como um neandertal qualquer, vivendo com o essencial num ermo gelado...

Jogo de volta a revista sobre a mesa, e ela se abre numa propaganda da Swissair que pega meia página: *Aproveite bem a Suíça*. Debaixo da revista, um jornal, que tenho tempo de folhear à vontade, acho que estou naquela sala há bem uma hora. Leio meio artigo sobre um general argentino lamentando a crueldade do terror, fico informado de que a Nuclebras acha a energia nuclear mais barata que a das hidrelétricas, e que o Brasil e a Europa Ocidental estão agora ligados pelo DDD. A ilusão da fuga é mesmo ridícula. Não tendo mais o que ler, já de saco bem cheio, resolvo voltar aos Alpes, mas a porta se abre. O coronel entra, percebo que alguém, vindo atrás dele, ficou do lado de fora, hesitante, segurando a porta e deixando à mostra só a ponta dos dedos. Já no meio da sala, o coronel se volta e diz:

– Pode entrar.

A porta se abre. É Samira, de cabelos molhados, embrulhada num roupão.

– Oi – diz.

Desmoralizado. Assim me sinto. Intuo uma armadilha. Estou sendo profundamente engambelado. Aquela mulher de cabelos molhados, de sorrizinho amarelo humilhante, não saiu da piscina dali de trás da casa, não; acaba é de emergir da Billings, onde ficou a semana inteira, invisível para todos, visível só para mim. A teia que aquela aranha enrolou no meu pescoço faz de mim uma presa aturdida, e aquilo que sempre achei ser o mundo eu já não sei onde é nem se ainda existe.

Alguma coisa desencadeia em mim uma reação brutal. Talvez o sarcasmo do coronel, que ali do lado me espia: sua presença mais pressinto que vejo, as intenções intuo. Na verdade só olho para ela. Mas ouço a voz dele, escarnecendo:

– Um fantasma!

Samira sorri. Agarro a garganta dela e não largo.

ALGUM TEMPO DEPOIS, não sei quanto, acordo na minha cama da pensão e a primeira coisa que vejo são os olhos azuis do Parreira fixos em mim, os olhos azuis de sempre, orlados de conjuntiva avermelhada, com aquela expressão apalermada. Não o reconheço logo ou não quero reconhecer. Mas, como ele insiste na pergunta "Você concorda?", sinto a urgência de saber com quem estou tratando, para concluir se devo ou não concordar. Não lembro logo o nome, mas identifico a mensagem da figura, que me chega numa aura amistosa, espécie de bruma bafejada de outro país. Sendo assim, só posso concordar. Não falo, faço que sim com a cabeça, ele me estende um comprimido e um copo quase cheio de água. Fico olhando inerte. Ele diz:

– Você disse que concordava. Agora não vai dar pra trás.

Portanto, concluo que concordei em tomar o remédio. Não me lembro, mas acredito, pego o comprimido e bebo a água toda como quem está morrendo de sede, embora não esteja. Devolvo o copo ao Parreira quando a porta do quarto se abre e entra o professor Cruz, que, ao contrário do que seria de esperar, reconheço na hora. Olha para mim e diz:

– Melhor? Mais tranquilo?

Não deve esperar resposta, porque logo se senta na cama e começa a dizer alguma coisa ao Parreira. Continuo imóvel, olhando para os dois, quando Sofia aparece querendo saber como andam as coisas. Assim se forma um trio que, diante de mim, faz comentários sobre minha pessoa e minha melhora, sem que eu atine muito bem sobre quem estão falando. Perguntam se quero um prato de sopa, digo que não, mas Sofia sai e pouco depois volta com a sopa. Imagino que meu estado seja grave a ponto de levar à cabeceira e aos pés da minha cama, juntos e no mesmo instante, o punhado de amigos que consegui colecionar em todos os meus anos de São Paulo. Mas não me sinto com vontade de falar. Querer detalhes sobre o acontecido exige esforço para a pergunta e coragem para a resposta. Continuo imerso naquela espécie de consolo que sentia nas horas de febre da infância, quando minha mãe se aproximava com a palma da mão estendida para a minha testa. Aceito comer, mais pela ação de um breve instante de beatitude do que propriamente por fome. Enquanto estou comendo, Parreira, alegrinho com o progresso, comenta que há vários dias recuso comida, Sofia solta um "delirava", que os outros parecem querer omitir, e de tudo o que é dito percebo que nas minhas respostas e reações a qualquer abordagem de quem quer que fosse eu não vinha agindo com o nexo próprio das pessoas consideradas normais, e que fazia uns dias eu estava trancado no quarto a poder de tranquilizantes receitados por um médico.

Isso acontece num momento em que me mantenho alerta. Depois caio de novo no sono, mas antes tenho tempo de ouvir da boca de Sofia que todos estão muito preocupados comigo, e que vem chegando de Nazaré, chamada por eles, minha parente viva mais próxima: a mana Mariquinha.

Durmo de novo e, talvez por isso, esqueço essa informação.

Não presenciei a chegada de Mariquinha, ou, se presenciei, também esqueci. Minhas lembranças do período são retalhos. Não consigo atinar com aquele meu estado mental, não imagino de que modo eu era visto pelos outros, não sei de que modo os via ou tratava. Sei o que me foi contado depois. Por exemplo, que, ao saber dos detalhes de meu estado, Mariquinha aprontou a trouxa e se mandou para

São Paulo. Nunca teve na vida o ônus de carregar família atrás de si, sempre só teve as amarras do emprego de professora em escola pública de Salvador, que a prendia à cidade, mas conseguiu um afastamento para vir me acudir. Deve ter acreditado, tenho certeza, que, disfarçado em meus achaques, estava o chamado do Altíssimo para que ela desse testemunho de caridade. Chegando aqui, aboletou-se no meu quarto da pensão e com Sofia acertou minhas contas passadas e as suas futuras. Lá mesmo assumiu meu tratamento, depois passou muito tempo saindo em busca de algum médico competente e gratuito que entendesse do meu mal. Não é de espantar, portanto, que não tenha achado ninguém com tantas qualidades juntas, que tenha percorrido em vão hospitais públicos, perdido horas preciosas de pé em filas, batido em portas que não se abriram. Não achando lugar onde pudéssemos morar com um mínimo de conforto, propôs a volta a Salvador. Eu não quis. Finquei pé com a força de que só são capazes os dementes. Por que não quis, se era aquilo o que mais queria? A resposta não é fácil, mas acho que eu não podia voltar à origem se só levava de mim mesmo o corpo esfolado no atrito com este asfalto. Mariquinha desistiu. Pôs para alugar a casa de Nazaré e começou a lutar por uma transferência do trabalho para São Paulo. Também imaginou algum tipo ideal de internação para mim, mas logo ficou sabendo que era sonho: internação só em caso de perigosa agressividade, conforme lhe informaram numa espécie de posto de atendimento no Bom Retiro, de onde saiu compadecida e indignada com o que viu, gente sem eira nem beira a escorregar de si, sem ter a quem recorrer. Falou vezes sem conta da menina de quatorze anos que só fez chorar na hora e meia em que ela esteve lá, e que fazia o mesmo noite e dia, dia e noite, conforme declaração da mãe que ali estava qual estaca bamba, a quem a filha se agarrava para não despencar. Mariquinha, portanto, depois do que viu, saiu de lá achando que meu caso era ameno, e se conformou. Foi assim que aceitou com resignação os tratamentos psiquiátricos que ofereciam: uma boa dopagem e visitas esporádicas a algum médico que se encarregaria de atualizar a prescrição.

Meus delírios foram sendo controlados. Destes lembro pouco, e sobre o pouco que lembro não vale a pena jogar o estrume das palavras. Pouco diferiam das visões verídicas ou fictícias que a vida sempre me ofertou. Portanto, uma vez que a lembrança deles não me causava espanto nem tristeza, depois de algum tempo o esquecimento os devorou, como acontece com toda insignificância.

O aluguel de Nazaré era metade do necessário para pagar qualquer espelunca em São Paulo. Mariquinha recorreu ao primo de Guarulhos, mas ele, em vias de casar a filha mais nova, disse que não podia dispor de dinheiro naquele momento. A mana já pensava em retomar as velhas trouxas e voltar comigo ou sem mim para Nazaré, quando um dia, por um golpe de sorte que ela atribuiu à interferência divina, numa das intermináveis filas da assistência pública, ficou conhecendo a sobrinha, também baiana, de um padre que talvez tivesse sido colega de seminário de nosso avô. As ligações eram conjecturais, mas a simpatia foi real e imediata: Mariquinha contou nossas agruras, e ela, condoída, ofereceu moradia pelo aluguel equivalente ao de Nazaré nos fundos de uma casa de sua propriedade na Vila Sônia. Para lá fomos. A casa, pequena (quarto, sala e cozinha: eu dormia no quarto; Mariquinha, na sala), tinha uma entrada lateral independente, corredorzinho de chão cimentado. Com o aluguel acessível e o sustento garantido pelas aulas que ela passou a dar, vivemos lá alguns anos. Graças ao sossego e às atenções de certo padre, o padre Bento, que ela também conheceu naqueles vaivéns, passei a depender cada vez menos dos remédios. Ele nos visitava com frequência, a ele me liguei de maneira inesperada. Mesmo assim, eu continuava calado e macambúzio. Não me preocupava com a aparência nem me olhava no espelho, e em poucos meses meus cabelos cresceram, formando uma grenha crespa.

Calculando-se tudo o que minha irmã fez por mim, como explicar que o saldo seja zero? Depois que lhe vomitei no colo, ela definiu a causa de meu desarranjo apenas como uma macacoa. Assim bondosa

268 Cabo de guerra

é minha irmã. Com ela cometo a mais injusta das equidades: eu, que não tenho voz, pouco lhe dou palavras. No entanto, Mariquinha vive cercada delas. Tem amigas, vai à igreja, lê, reza, vê tevê e pilota um computador. Manda e recebe mensagens, sabe o que é um aplicativo, sabe pesquisar no Google e até quis ganhar palavras novas em folha: foi estudar inglês. Ganhou uma bíblia nessa língua. De vez em quando, precisando vigiar meus horários de remédios, senta-se ali, com ela sobre a perna direita; na esquerda, põe sua contrapartida em português. E fica cotejando. Tão entretida às vezes que esquece o tempo e pula ora o ansiolítico, ora o colírio para o glaucoma...

Na verdade, quase só lhe dou as palavras que ela lê, as que não são suas. Omito tantas outras. De má-fé. Mariquinha cuida de mim de um jeito especial. Ultimamente, depois de nossa última crise, tem sido mais calada, discreta e singela. Conseguiu até me devolver certo humor. Somos um incesto virtuoso. Quem mais seria capaz de me levantar da cama e me pôr sentado na cadeira furada? Quem, de sentir o cheiro da minha merda sem franzir o nariz? Para quem soube do meu destempero, a minha situação atual é atenuante decisivo no julgamento.

Não deveríamos ter ficado em São Paulo. Mariquinha se desterrou espontaneamente e, depois de minha melhora, poderia ter voltado sozinha ou comigo, mas voltaria, conforme previsto. Não foi o que fez. Eu, que em tantos momentos difíceis tentei voltar, acabei ficando. Nunca conversamos a respeito porque nunca conversamos mais que o essencial, mas nós dois sabemos que fomos retidos por uma única pessoa que nunca nos obrigou a ficar: padre Bento.

Padre Bento minha irmã conheceu não sei onde nem como, na minha pior fase. Era pároco nos confins da Zona Leste, mas pôs na cabeça que ia me curar e, uma vez a cada quinze dias, ia de ônibus até a Vila Sônia. Ainda usava batina. Chegava na tarde do sábado, jantava conosco e me olhava com compaixão. Da minha vida sabia que desde a infância eu tinha visões intermitentes, com intervalos de produtiva normalidade, que eu sempre me pautara pela lógica nas conversas e nos atos, mas que, em dado momento, caluniado em público injustamente e assediado por uma mulher sem caráter, perdi o rumo e me tornei alvo fácil de antigo e misterioso desequilíbrio, sendo vítima de um simulacro que me desmoralizou perante os outros e desencadeou em mim um atroz sentimento de baixa autoestima, de falta de autoconfiança e de suspeita em relação a tudo o que me rodeava etc. Essa interpretação me foi dada por ele mesmo numa de nossas conversas no quintal da Vila Sônia, num dia qualquer de 1976 ou 77. Achei interessante. Não incluía o demônio.

Ocorre que, no físico, o padre Bento lembrava nosso avô. Era uma semelhança incrível, como se finalmente o avô nos fosse devolvido com a forma que sempre desejamos: a de santo. Mariquinha começou a viver em função das vindas dele. Os sábados de visita eram marcados por enorme entusiasmo de minha irmã. Na sexta, ela voltava da feira com duas sacolas abarrotadas de frutas, verduras, legumes, cheiros-verdes e flores. Corada e incansável, enfiava-se na cozinha. Lá passava a tarde, mais a manhã do sábado, produzindo uma profusão de cheiros e ruídos. Na tarde do sábado, um mundaréu de coisas ia surgindo das entranhas da geladeira, dos recessos do forno, de esconderijos inimagináveis em armários. A mesa passava o tempo todo cheia, e sobravam travessas. Padre Bento olhava enternecido, mas não comia muito.

Eu de certa forma também aprendi a viver em função dele. Padre Bento me levava livros e discos. Um dia apareceu com um toca-discos portátil, novinho em folha, alaranjado-cheguei. Funcionava bem. Nele ouvi muitos LPs. Eu gostava de uns, de outros não, mas ouvia todos. Mariquinha deve tê-los guardado. Se sim, agora eles não passam de depósitos de sons virtuais que não podem realizar-se, sumidos que estão os toca-discos. Padre Bento dizia que eram empréstimos, mas nunca pediu nada de volta. Deixava tudo, me aconselhando a ouvir quando bem entendesse. Além dos discos, chegavam livros. Era parte de minha terapia. A outra parte se dava por meio de conversas amigáveis e bem dirigidas, que iam me abrindo aos poucos.

Quando comecei a sair daquela espécie de autismo mais renitente, padre Bento deu expansão a outro tipo de discurso. Falava de religião, sim, mas também de filosofia, percebendo que eu me interessava. Padre Bento gostava de literatura. Uma vez perguntei como ele podia lidar com o sacrilégio, o sexo irreverente e outras coisas tão pouco santas que se encontram em literatura. Ele sorriu e falou dessa arte como nunca eu tinha ouvido ninguém falar. Aprendi a gostar também.

O estranho padre Bento era muito mais chegado aos gregos que aos cristãos. Por ele fiquei sabendo bem mais do que imaginaria um dia saber sobre Platão e Aristóteles. Foi das mãos dele que recebi Machado de Assis, Shakespeare, Victor Hugo, Dostoievski, Tolstoi, Graciliano Ramos e tantos outros que nem lembro. Até Confúcio fiquei conhecendo por meio dele. Tudo vinha de cambulhada, sem método aparente.

Nem tudo deu certo. Ou, se deu, foi por vias tortas. Quando me levou uma tradução de *Hamlet* e li a descrição da morte de Ofélia, revivi minha visão da falsa morte de Samira e entrei em crise. Cheguei a fugir de casa. Mariquinha chamou padre Bento, que se abalou da Zona Leste em plena semana. Quando me acharam, era noite, eu estava agachado junto ao muro de uma chácara das imediações, com a cabeça enfiada no meio das pernas. Não queria sair de lá. Então, ele se agachou também e assim se pôs a conversar comigo. Ficou falando sozinho um bom tempo, até que me voltei para ele de repente e perguntei:

– O que é que a gente está fazendo aqui, afinal?

Padre Bento olhou para o céu – começava um chuvisco fino de fim de inverno – e disse:

– Sim, é melhor mesmo ir para casa.

Levantou-se e me puxou pela mão. Fui, dócil, mesmo não tendo padre Bento entendido a minha pergunta. Em casa, sentado no sofá--cama da salinha, tomando um chocolate quente e ouvindo a conversa animada dele com minha irmã, fiquei matutando naquele mal-entendido. Teria sido apenas fruto do contexto, ou seja, da hora em que a pergunta foi feita? Ou será que ela não fazia parte do repertório de padre Bento?

De qualquer modo, o chocolate e o aconchego já a tornavam sem sentido.

Depois que saí da crise, entrei numa fase de alguma moderada carolice, breve instante em meio à minha existência irreligiosa. Confessei-me com ele (e com quem mais seria?), e foi assim que ele ficou a par de coisas que eu nunca disse nem direi a ninguém mais. Só não falei da ojeriza que sempre senti por minha pobre e dedicada irmã. Não chegou a tanto minha coragem. Padre Bento se referia a Mariquinha com unção, como se falasse de uma santa. Eu era até capaz de ouvir nele o timbre e o tom com que meu avô falava dela.

Quando Tomás me visitou, em 1979, padre Bento já tinha me modificado.

Um domingo de manhã, em vez de padre Bento vir até nós, fomos nós até ele. Queríamos assistir à missa que ele oficiava. Entramos na igreja, Mariquinha, mal se persignou, já foi se adiantando para os bancos da frente, eu fiquei no último. Assisti a boa parte da missa com o rosto banhado de lágrimas. Tudo isso ele foi capaz de operar em mim.

Moramos na Vila Sônia até 1980. Depois nos mudamos para cá e ficamos um pouco menos distantes dele, e Mariquinha começou até a ir confessar-se com ele, lá na Penha.

Padre Bento morreu atropelado na Rangel Pestana certa manhã chuvosa de 1983 (como choveu naquele ano!). A notícia nos chegou poucas horas depois. Minha irmã desabou. Nunca mais foi a mesma. Com o tempo, conseguiu se resignar cristamente diante do fato consumado, mas no começo achei que ela morreria de inanição. Ficou sem comer uns dez dias. Chorava baixinho quase o dia todo, mas, quando recebia a visita de alguma amiga, soltava no abraço demorado um mar de lágrimas, acompanhado por uma sonoplastia de soluços que sempre me encabulou. Quando ele ainda nos visitava, eu chegara a achar que a alegria dela tinha um quê de entusiasmo erótico. Imaginava que uma noiva à espera do futuro esposo não teria outro comportamento. Temi até a repetição do caso amoroso de meu avô, mas padre Bento parecia imune a encantos femininos, ou talvez Mariquinha não os tivesse no mesmo grau de minha avó, ou talvez simplesmente não os tivesse.

Em mim, o efeito da morte dele também foi devastador. Não mergulhei de novo na crise, já tinha até voltado a trabalhar, mas fiquei abalado um bom tempo, cheguei a perder o emprego (por sorte me recuperei e arranjei outro depois). Mas descri. Rompi de vez com a religião. Não tanto por revolta, talvez mais por ser eu o segundo caso da parábola do semeador (não me identifico com nenhum dos outros). De todas as sementes que padre Bento lançou, a da erudição foi a que deitou mais raízes: uns cabelos finos, mas capazes de me estabilizar um bocadinho, talvez por ter percebido um mundo de coisas entrelaçadas, em lugar de um mundo que antes me parecia espatifado. Ou terei sido mudado pelos infortúnios que, acumulados, em certo momento me fizeram dar um salto para o melhor?

ATÉ QUE EM CERTO DIA DE 1979 Tomás resolve me visitar na Vila Sônia. Eu, sentado no degrau do portãozinho de casa, olhando a vizinhança passar, vejo um carro estacionar na frente, fico observando as rodas se movimentar no chão, se encaixar entre duas entradas de garagem, nem desconfio quem é, ele desce e se posta na minha frente. Olho de baixo para cima, ele está ali, recortando o céu. Reconhecendo, me levanto e estendo a mão. Ele me abraça.

É devidamente apresentado a Mariquinha, que trata de providenciar um café, enquanto levo duas cadeiras ao quintal; ali vamos conversar. O quintal é mais íntimo que a sala, onde fica o sofá-cama que serve de cama à minha irmã e de sofá apenas às visitas dela. A mim pouca gente visita, afora o padre Bento. Parreira também vai me ver, mas é muito raro… Enfim, é tão costumeiro receber visitas no quintal que Mariquinha já deixou lá uma mesinha de plástico para a ocasião… As cadeiras costumam vir de dentro, na quantidade necessária. No verão e no inverno moderado, alego que ali se respira melhor. Em dias de chuva ninguém visita ninguém, e tudo se resolve. Só o inverno brabo me deixa sem opção. O próprio padre Bento gosta do quintal; se não me engano foi ele o criador do costume. É um espaço pequeno de cimento rústico no chão, uns trinta metros quadrados no máximo, encaixotados pelas casas em volta. O muro que nos separa da casa da frente é bastante alto. De pintura, só lembrança. Atrás, um telheiro com tanque embaixo. Varais. Os varais balangam por cima de nossa cabeça como pautas das nossas conversas. Quando a visita é inesperada e neles há roupa, eu a empurro da extremidade da frente para a de trás, os pregadores vão deslizando sob a força da minha mão até onde a quantidade de roupa permita, terminando tudo amarfanhado na outra ponta. Mariquinha se zanga. Quando Tomás aparece de supetão naquela tarde, por sorte minha irmã não lavou roupa.

Ele fala:

— Fiquei sabendo que você passou por um momento difícil, estava lá em Rondônia quando tudo aconteceu. Assim que voltei fui me informar sobre esse seu surto... Enfim, correu o boato de que você tinha ficado biruta. Desculpe, estou sendo sincero. Depois, pensando bem, percebi que não foi bem assim, que você teve uma espécie de estafa, imagino. Desde o caso daquela mulher em Angra você nunca mais foi o mesmo. Fiquei sabendo que quem tinha acompanhado sua crise de perto era o coronel Venturoso. Fui falar com ele. Ele me contou o acontecido... naquela noite, na Billings... Safadeza dela, das grandes...

A conversa me irrita. No duro, no duro, não quero ouvir nada, lá no portão estava até planejando entrar e pôr na vitrolinha um dos discos de padre Bento, mas não tenho coragem de negar gentilezas a Tomás, de dizer que sua pessoa neste quintal não é a mais desejada do mundo.

Ele não espera respostas. Fala, parece que de si para si, com os braços cruzados, as pernas esticadas, cruzadas também, nos tornozelos, costas empurrando o espaldar da cadeira mais bamba que temos – descuido meu ter dado essa cadeira a ele –, espaldar que pende e ameaça arriar. Minha irmã, da porta da sala, o olha de trás. Teme também pela estabilidade da cadeira?

— ...da tal mulher do ricaço se enfiar no barraco...

— Que barraco?

— Não está sabendo, não?

— Que barraco?

— Pelo que sei, nas imediações de onde vocês estavam, existia um barraco de uma tia dela. A família dela dizem que é pobre, pobre,

pobre. Ficava bem ali perto o barraco. Você não viu nenhum barraco no pedaço?

Faço que não com a cabeça.

– Pois é... (ri). A intenção dela era te convidar para ir lá também, ficar lá aquela noite. Queria pedir arrego à tia até definir o que devia fazer da vida... Mas parece que ficou bronqueada com você. Você chamou ela de velha?

Faço que não, ele ignora.

– Foi por isso. Não gostou de ser chamada de velha e te ignorou lá fora. Disse que de lá de dentro ouviu você gritar o nome dela, ouviu a buzina, mas fez de conta que não ouviu.

Antes que Tomás continue digo, com um lampejo de imbecil esperança:

– Aí, de madrugada, ela, para se vingar, foi flutuar na água para eu achar que estava morta...

– Não, não! Mas ia ser engraçado. Para isso ela ia precisar ter muita imaginação, coisa que não tem. Ou tem, sei lá. Ou, quem sabe, se estivesse menos frio... Você acha mesmo que viu ela na água? Acha? Acha que viu, mas ela estava dormindo na caminha. – Solta uma gargalhada e fica balançando a cabeça.

– Do que está rindo?

– É que você viu o que não existia e não viu o que existia. O barraco, quero dizer, não viu, estava lá. Pelo que consta, meio escondido pelo mato, mas estava.

Esta última explicação vem sem jeito, como se ele tentasse se redimir do exagero da risada. Coisa hilariante, para ele. Já mudou de posição, a cadeira range. Faz força para parar de rir, mas ainda ri quando digo:

– Então não preciso saber de mais nada. Que novidade há no caso?

– Bom, é isso. A novidade talvez seja a ironia de você ter contribuído para as pazes do casal. Fez parte do abafamento do escândalo a volta dela para casa. Parece que anda por lá até hoje. Agora, é bom não aparecer na frente daquele italiano, ele queria te matar.

276 Cabo de guerra

— Mas ele queria se livrar dela.

— Tá, queria, mas não com um escândalo de assassinato da mulher por um garçom num lugar daqueles.

— Eu não me interesso mais por essas coisas.

— Mas o mais interessante (deixa contar só isso) é que, enquanto os mergulhadores faziam as buscas, ela zanzava no pedaço. Até que um dia alguém disse que estavam procurando a mulher de um ricaço afogada por lá. Ela desconfiou. Veja que não é tão burra. Catou um telefone e ligou para o Venturoso: na mosca. Já se tinha passado uma semana.

Abaixa a cabeça. Parece tentar abafar o riso.

Eu olho sério. Até que ele se endireita na cadeira rangente e diz:

— Mas não vim aqui para falar disso.

Fico esperando. Ele pergunta:

— Você agora está bem?

— Estou.

— Parece mais sereno. Teu olhar mudou, sabia? Mas essa barba, esse cabelão… Virou hippie não, né?

— Não.

— Tá parecendo muito paz-e-amor… Tem andado a par da política?

— Não tenho lido jornais.

Nessa hora Tomás se volta e olha para minha irmã. Dá a impressão de que está para se levantar e ir embora. Mas não é o que faz. Continua sentado, pigarreia, olha a ponta do sapato. Mariquinha entra. Então Tomás me diz:

— Vida difícil. Não está trabalhando, não?

Faço que não com a cabeça. E ele:

— Quer voltar a trabalhar comigo?

Fico imóvel. Ele continua:

— Coisa bem mais clandestina, de maior responsabilidade. Mais ação, entende? Não é aquela coisa de ficar colhendo informação. Esse tempo já passou. Com essa barba e esse cabelo… pensando bem, pode até ajudar…

Continuo quieto. Ele aproxima a cadeira.

Ivone Benedetti 277

– Seguinte: a gente não pode permitir que os canalhas voltem.

– Canalhas.

– É, os comunas assassinos que foram embora em troca de embaixadores. Agora vão voltar. Estão querendo empurrar essa gente toda pela nossa garganta. Nós precisamos tomar medidas, forçar o governo a endurecer, achando que o clima é perigoso.

– É?

– É.

– É perigoso, quero dizer?

– Por enquanto não, graças a nós, às nossas ações do passado – aponta para ele e para mim, para mim e para ele. – Mas agora eles querem abrir, a gente não pode deixar. Senão vai ficar tudo como antes, entendeu? Aquela subversão. A sua ajuda vai ser muito importante para o que a gente está pensando.

– Pensando...

– É... É o seguinte: o plano é plantar atos violentos...

– Plantar?

– Porra, cara, vê se entende. É pra pensarem que foram eles...

Não respondo. Não sei se sinto alguma coisa na hora. Talvez sim. Não chega a indignação. É mais uma ponta de algum sentido moral que começo a distinguir nas coisas. Mas não sei se isso é o mais importante. O que mais me interessa no momento é saber onde exatamente assentam meus pés. O que faz esse homem aí na minha frente?

– Topa? – pergunta.

– Não sei do que está falando.

– Vou ser claro: a gente tem alguns alvos... Atentados. Por exemplo, nós deixamos umas bombas em lugares bem escolhidos.

– Nós...

– É, nós. A intenção é...

– Não estou a fim, não...

– ...

– Desculpe, não estou a fim. Talvez esteja na hora de parar, deixar como está. A verdade...

Não sei o que vou dizer. A frase me foge da cabeça. Paro na palavra verdade. Ou talvez o que vou dizer seja uma banalidade e desisto. Fico dizendo "a verdade, a verdade", até que Tomás me atalha:
— A verdade é uma só.

Espero a continuação. Acho que ele vai dizer algo como "a verdade é uma só: essa gente não pode voltar", ou "a verdade é uma só: você é um imbecil", mas ele não continua. Quando se levanta e muda a frase, dizendo: "só há uma verdade", percebo que Tomás filosofa. Tal como na conversa com padre Bento, quando minha inquietação existencial não foi entendida, nesse dia demoro a perceber que Tomás está filosofando. De desentendimentos assim é feita a comunicação.

Também me levanto. Então ele olha bem para mim, olha fixo durante bastante tempo e diz:
— Você não tem condições. Eu estava sonhando. Você está doente.

Já deu uns passos em direção ao corredor, volta para se despedir de Mariquinha. Minha irmã então, inesperadamente, diz:
— Há verdades como estrelas...

Tomás não presta atenção. Estende-lhe a mão para se despedir. Ela ainda sorri quando ele puxa um cartão do bolsinho da camisa. Ali está seu novo endereço:
— Se precisar de mim, pode ligar.

Tomás precisava de ajuda para algum plano. Não era homem de perder tempo largando uma bomba aqui, outra ali em bancas de jornais. Sei que teria em mente alguma ação de grande envergadura. Nos anos que se seguiram, dos atentados que chegaram ao conhecimento público, não sei se ele participou. Pode ser que sim, pode ser que não. Em todo caso, sei que não faltariam Tomases para isso. Com minha ajuda braçal ele percebeu que era bobagem contar, que estava iludido sobre as minhas capacidades. Só errou no diagnóstico do meu estado mental. Para aquelas ações, ele precisava de um fanático ou de um irresponsável. Ao primeiro gênero nunca pertenci.

Ao segundo já tinha deixado de pertencer. Agora fazia parte de outra malta: a dos doidos mansos.

O carro dele se afasta, eu fico parado na calçada com aquela verdade atravessada na garganta. Tomás tem a capacidade de fazer a verdade dele caber na minha goela. Na vida toda tive conhecimento mais ou menos superficial de várias verdades: a de minha irmã, a de meu avô, a de padre Bento, até a do coronel. Mas a de Tomás é diferente. Ele a quer una e incorporada em tudo. Quando entro, pergunto a Mariquinha:
– Que história era aquela de verdades como estrelas?
Imagino que o significado seja: há tantas verdades quantas são as estrelas, ou seja, infinitas. Mas não é esse o sentido. Ela responde:
– Há verdades como estrelas, só no céu.
Fico decepcionado. Mas, afinal, é um ditado que combina com minha irmã.

POUCO TEMPO DEPOIS cortei barba e cabelo. Arranjei emprego no centro da cidade. Fui ser garçom de um restaurante chique, frequentado por executivos e advogados. Cumpria as funções com método. Não chegava a eficiência, ficava na disciplina. Minha mudez era interpretada como discrição, minha tristeza como seriedade. Debaixo da camisa, usava o escapulário presenteado pelo padre Bento. Devia rezar, mas não rezava, ou rezava pouco pela saúde do meu cérebro e, quem sabe, da minha alma. Tinha ainda alguma esperança de encontrar minha verdade, mas a esperava como quem conta topar com a mulher ideal numa esquina qualquer.

Sempre que rezei foi com a ligeira impressão de não conseguir acertar um alvo. Achava que as rezas haveriam de ser endereçadas ao Altíssimo. Era o que diziam meu avô e padre Bento. No entanto, para uma pessoa como eu, que só sabe o que vê e nem sempre vê o que existe, sempre foi frustrante não conseguir imaginá-Lo. Queria que Ele tivesse alguma face, nem que fosse a face horrenda de algumas das minhas alucinações. Nunca tive jeito de perguntar ao padre Bento ou à minha irmã para que face eles rezavam.

O encontro com a verdade, portanto, continuava adiado. Foi graças àquele emprego que nos mudamos para o Bixiga. Voltei a percorrer velhos caminhos. De manhã ia a pé para o trabalho e só voltava tarde da noite, qualquer que fosse o meu turno. Velhos caminhos, modo de dizer. Os trilhos já não estavam no chão fazia tempo, a casa de Jandira, demolida, a cidade toda no desmanche. Insuportáveis eram as noites, principalmente as de folga. Minha aridez desde o sumiço de Cibele não tinha vocação para o conserto. Tive outras mulheres, todas transparentes, como convinha e eu queria.

Uma vez me esqueci numa cama de hotel, arriado de canseira depois de um dia de trabalho seguido por um coito daqueles que só fazem se somar a outros nunca mais lembrados. Acordei às seis da manhã com o sol me atravessando as pálpebras e alguém batendo na porta do quarto. Era um local de curta permanência, minha sorte foi ser meio de semana, fim de mês, e não ter aparecido ninguém exigindo vaga. Assim me explicava uma mulher que não vi quando entrei na noite anterior. Sonolento, tentava entender. Senti a vergonha que deve sentir a sentinela surpreendida num cochilo. Mas não só isso. Uma mulher ali na minha frente me cobrava por um cubículo onde havia sido praticado um ato a dois, e o pedaço de cama ao meu lado estava vazio. Amanhecia vazio. Minha parceira tinha ido embora sozinha, sem me acordar. Eu já estava acostumado à falta de carinho ou até à falta de entusiasmo na transa daquelas mulheres, mas meia cama vazia me parecia o suprassumo do vexame, por mais transparência que eu desejasse nas minhas amantes eventuais.

Depois de pagar, saí para a calçada banhada de sol. Lá, debaixo daquele holofote, me senti abraçado de chofre por um torniquete estranho: era um vazio que apertava de fora para dentro como se o espaço infinito do mundo me refugasse, me despachasse, me vomitasse para um ponto negro fora dele.

O dia era de folga. Vaguei pelo centro até me cansar e sentar num banco da praça da República. Lá peguei no sono. Acordei para mais de meio-dia, com os gritos de dois sujeitos discutindo. Levantei e saí com a consciência da irresponsabilidade. Se algum freguês ou empregado do restaurante me visse dormindo em banco de praça...

Sempre que chegava em casa à noite encontrava minha irmã diante da tevê e, se sentisse fome, entrava na cozinha, tomava um copo de leite, quem sabe comia umas bolachas e ia dormir. Nem um boa-noite às vezes nos dávamos.

Da alguma tranquilidade conseguida eu cuidava como se cuida de muda transplantada. Uma praga a ameaçava: a lembrança dos mortos que eu tinha deixado pelo caminho. Pensando no padre Bento e em suas conversas, ensaiei incluir nas rezas o pedido de ser esquecido por eles.

Mortos no meu caminho foram de dois tipos: os que derrubei enquanto passava e os que caíram à minha revelia. Os primeiros são os que não me largam, os que grudam em mim como crosta de ferida. Os outros se dissiparam, me deixando no vapor da solidão que tudo esconde, mais que muralha. A estes pertencem os que amei. E não amei tantos. Se bem que, acostumado a carregar aqueles que por minha ação morreram, acabo metendo no mesmo saco os que não são da minha lavra, como se na morte daquele que eu queria vivo residisse a culpa mínima de não ser eu o morto, como se só pela força do contraste com os que ficam é que os que se vão passam a se chamar mortos.

Meu pai.

EU TINHA UM TIO-AVÔ que, segundo seu próprio irmão, meu avô, na dança das cadeiras (que era a vida, dizia ele), havia ficado sem assento. A metáfora era útil para desculpar o irmão, porque, se sempre falta uma cadeira, alguém estará predestinado a ficar em pé. Não só o desculpava com a metáfora, como também se apiedava no tom, que era o de quem lamenta um aleijão de nascença. Meu pai, nem tão piedoso, discordava, dizendo que sempre há cadeiras para todos, e quem não senta na sua acaba deixando um assento a mais para os competentes. E ainda trocadilhava, tachando o tio de vagabundo, que se limitava a esperar alguma cadeira vagar, justamente vagando e nada mais. Duas visões de mundo. Eu não tinha idade então para distinguir o mérito da questão discutida entre os dois patriarcas, mas no fundo achava que meu pai tinha razão porque meu tio-avô de fato parecia estar sempre vagando. Andava pela cidade só indo, indo, feito cão sem dono, desacomodado e banzeiro, olhos sem mira, mãos abanando, passos sem meta. Seu alvo era de circunstância, coisa de míope: se tropeçava em algum amigo numa mesa de jogo, ali ficava, decidindo participar da companhia a poucos palmos da cadeira. Dominó ou dama era o que jogava, quando fazia alguma coisa. Em geral depois do almoço (e da sesta), até o fim da tarde. Anoitecendo, se retirava. Para onde?

Do casarão da família à beira do rio, em trecho assoreado palmilhável por saracuras, já não restava nada quando eu tinha dezessete anos.

Nele, depois da saída de meu avô, tinham ficado os pais, os irmãos e as saracuras; depois, os irmãos e as saracuras; por fim só o prédio e as saracuras, após a crise dos anos 1930. Quando estive por lá na última vez, nem estas, nem nada, mal e mal o rio. Feito um inventário que arrolava mais dívidas que bens, esse meu tio-avô, caçula da irmandade e desempregado de carteirinha, foi morar com outro irmão, comerciante casado com uma magrela dentuça, mulher faladeira como o diabo, que não saía à rua se não fosse com os lábios rebocados de um vermelho fortíssimo que sempre contagiava os incisivos. Filha de cacaueiros falidos. Havia mais duas irmãs, que não quiseram saber dele em casa, por várias alegadas razões. Sempre que muitas, as razões são nenhuma.

Quando ele nasceu, a opulência já era história, e esquecida; pai e mãe se defendiam como podiam, o irmão mais velho estava no seminário, o segundo (futuro comerciante) saía da escola para começar a trabalhar, as duas irmãs ainda nem eram as prendas domésticas que virariam depois. Adolescente ele, o pai estava rendido a um reumatismo carrasco, a mãe, morta, o irmão mais velho sem batina e fora de casa, as duas irmãs em casa, cuidando dele e do pai. Ao que a vida ia tirando ou dando ele parece nunca ter feito caso. Por algum mecanismo obscuro, de todos os irmãos era ele que tinha os modos mais aristocráticos, apesar de ter vivido o período miserável da família. Não sei de mulheres na vida dele.

Andava pela cidade com ar de viúvo. Viúvo talvez de um estilo de vida que não transparecia na qualidade da roupa e dos sapatos, mas na delicadeza das maneiras, como quem traz no dedo a aliança de ouro do cônjuge morto. Não se levantava antes das nove. A barba podia estar malfeita, mas a espinha era sempre reta. Nunca deixou de usar paletó na rua: sempre o mesmo, como, aliás, também as calças.

Quando o irmão que o abrigava morreu, a viúva, incomodada com a presença de um varão que não lhe dizia respeito e pressionada pelos filhos, resolveu convidá-lo a sair. Nessas alturas ele estava pelos cinquenta e algo e, como sempre, sem nenhum tostão no bolso. Foi procurar meu avô.

Esse tio-avô nunca teve importância para mim até o dia em que sua simples existência foi responsável por uma tragédia. A partir daí esse parente meio distante começou a me parecer uma espécie de prefiguração do meu destino, assim como o tocador de flauta frígia, mas em outro nível.

Tudo isso aconteceu em 1962, mas é agora.

O tio-avô procura o irmão ex-padre para pedir que ele interceda junto ao filho, meu pai, que trabalha na prefeitura: talvez ele possa conseguir a doação de algum terreno e a construção de algum teto que o abrigue na velhice. E por que ele quer essa regalia? Talvez por ser representante de uma casta ilustre no passado da cidade; afinal, existe até uma rua com o nome de certo ancestral nosso que em fins do século dezenove, início da era republicana, tinha significado alguma coisa na política local.

Meu avô intercede. Meu pai não cede. Inflexível em matéria de honestidade em geral e irredutível na antipatia ao parente em particular, meu pai não cede. Diz que não vai se locupletar com o cargo que ocupa nem ajudar na conquista de nenhum privilégio para parente algum, muito menos para aquele. Não sabe, não quer e despreza quem só saiba mendigar sinecuras. Mas – argumenta meu avô – trata-se de uma retribuição, uma compensação. Pelo quê? – pergunta meu pai, que alega a pura verdade: o tio é um vagabundo que anda pela cidade como se estivesse fazendo a todos o favor de existir. Se for para interceder por alguém, prefere tentar conseguir uma gleba para o pai de Débora, sujeito esforçado, que na falência do engenho tinha sido posto na rua com o restante da família, sem nenhuma indenização. Assim, uma lavoura de subsistência resolveria o problema de dez trabalhadores, ao passo que meu avô pede uma casa para resolver o problema de um preguiçoso.

O assunto se arrasta durante dias. Certa manhã a discussão azeda. Quando meu pai diz a palavra vagabundo, meu avô lhe lembra que aquele homem é seu tio. Meu pai responde que diria aquilo do próprio pai, se fosse verdade. Meu avô se zanga. Meu pai modula o tom e elogia a honestidade dele, seu pai, que sempre lutou para sustentar a família. Mas vovô continua zangado. A conversa começou cedo. É um domingo, os dois estão na cozinha, ainda à mesa do café que terminou faz tempo. Minha mãe não tem coragem de entrar lá para tirar a mesa. Refugia-se comigo na sala, território neutro de onde se ouve a conversa. Minha irmã não está em casa. Provavelmente na missa. Na mesa da cozinha, minha mãe sabe, há uma travessa de aipim cozido com manteiga e outra de banana da terra com canela. Lá estão e lá iriam ficar pelo resto do dia. Vou encontrá-las no mesmo lugar no fim da tarde, na volta para casa, quando já esquecidas, peças insignificantes na economia geral da existência e até destes fatos que revivo agora. Mas, no fim da tarde, ao regressar à cozinha, quando deparo com a mesa ainda posta, tal como deixada pela manhã, elas ganham o imenso peso do símbolo, me invadem e passam a ocupar o lugar de quem as tocou por último e já não está lá. E justamente por não estar é que estão elas ainda ali. Estão elas, as duas travessas, ao lado de duas xícaras vazias, resto de leite ressequido no fundo, sobre a toalha que ainda ostenta o repuxo enrugado, formado pela passagem de um corpo apressado, no arrasto de se retirar. No caso, o corpo ainda vivo de meu pai. As coisas que ficam largadas, tarefas decepadas pelo facão da tragédia, acabam emergindo como o lembrete do que poderia ter continuado sendo, do que era ainda agorinha e nunca mais será; são sempre um modo de nos pôr na garganta o apertão da solidão inelutável, da saudade maligna.

Da sala ouvimos, minha mãe e eu. Ela, apreensiva. Eu, ao lado do rádio, desligado a pedido dela. A certa altura meu pai se levanta, dizendo que precisa subir ao telhado, consertar a goteira que o infernizou a noite toda da sexta-feira. Diz isso mesmo: infernizou. Por que essa palavra forte, se ele em geral evita palavras fortes? Diz infernizou em tom exasperado, quase desesperado, como que atribuindo à goteira a autoria de uma irritação que na verdade é daquela conversa. Meu avô deve ter entendido e ordena, com voz alterada, que não desconverse, pois precisam resolver o assunto. E, enquanto meu pai vai saindo, ele afirma que não admite deixar um irmão desamparado, na rua, que essa seria sua suprema vergonha, que, se meu pai não fizer alguma coisa, ele vai trazer o irmão para morar conosco. Meu pai para na porta e responde que no dia em que aquele vagabundo entrar em casa ele sai, e que meu avô deveria ter vergonha de ajudar alguém que sempre desprezou sua mulher, minha avó, como negra pobretona, palavras que ele mesmo ouviu da boca do tio, ditas no meio de um jogo de damas. E já vai saindo para o quintal, enquanto meu avô diz sua última frase da discussão:

— Para isso criei meu filho: para ser mandado por ele como moleque e não ter direito de trazer meu irmão para minha própria casa. Pois se você me obriga a escolher, fico com ele, saio daqui e vou morar com ele, que não tem onde cair morto, enquanto você não passa de apaniguado de político.

Por que meu avô diz que o filho é apaniguado de político, contrariando o que sempre afirmou sobre ele? Quando a gente tem dezessete anos, não sabe entender esse tipo de contradição. Mas não vem ao caso agora tentar interpretar. Uma vida toda se passou, e a cada dia me convenço mais de que devo me contentar com a ordem, já que o sentido se perdeu. Se é que ordenar as coisas ainda tem sentido.

Do que aconteceu entre a ida de meu pai para o quintal e o grito de minha mãe não me lembro. Lembro o grito, que me faz sair desabalado em sua direção. Então deparo com o quadro que resume e define o que para mim foi e virá a ser para sempre a existência, um verdadeiro ícone, como se o universo inteiro estivesse ali comprimido, apresentando-me a pior das imagens que me entraria pelos olhos.

É o trapiche, como meu avô chama, e em espanhol. Uma engenhoca que está em nosso quintal faz anos, morrendo um pouco a cada dia durante décadas. Uma moenda de três cilindros verticais algo mais alto que um homem alto, com dois braços para o manejo por escravos, saindo de um eixo central em cuja ponta um aguilhão enferrujado é resquício de algum mecanismo desmontado, rompido ou arrancado. Está desde sempre lá a alguns metros da casa, atrás da parede externa da cozinha. E por que está? Porque meu avô quis. Tem valor afetivo

288 Cabo de guerra

e basta. No desmonte do engenho ele foi até o local perguntar o que seria feito daquele velho trambolho do tempo em que a família ainda safrejava. Disseram que nada. Então ele o quis. Vivia falando no projeto de um museu do açúcar, que nunca saiu de sua cabeça. Só ele o queria, ninguém mais. Aquele engenho não deveria estar lá, é um estorvo. Mas está. E meu pai caiu do telhado em cima dele.

O grito! Saio correndo e vejo: meu pai, dobrado na cintura sobre o eixo do trapiche, tem a cabeça e os braços pendentes de um lado da geringonça, e as pernas, do outro. Já está morto quando chego e talvez tenha caído morto de lá de cima. Um ataque cardíaco não seria descartado pelo médico, mas nunca haveria como confirmar essa hipótese consoladora. Caiu com uma precisão digna de um filme de terror, de uma obra de ficção, como se cuidadosamente depositado pelas mãos de algum demônio caprichoso. Penso imediatamente no aguilhão, que deve estar cravado em seu abdome, como de fato está. O sangue escorre pelo eixo do trapiche e pinga das pontas de seus dedos. Só uma fatalidade meticulosa seria capaz de planejar encaixe tão perfeito, só o acaso poderia ter cumprido esse plano.

Papai, dobrado, uma metade para cada lado da engenhoca. De cada um dos flancos daquela geringonça sai um braço de madeira manejado antes por escravos, dois braços de um monstro de pesadelo. Um eixo insidioso, um homem dividido, dois lados simétricos.

Olho, calado, em choque, para a fixidez dos olhos dele, abertos na morte, cabeça pendente, um filete de sangue escorrendo da boca e rodeando o nariz, entrando pelas narinas.

Tenho a vaga impressão de ouvir, naqueles segundos eternos, o choro de minha mãe atrás de mim, mas não posso jurar. Sou arrancado do assombro paralisado pelo grito de Mariquinha, chegada não sei quando, mas já lá, articulando uma frase de voz esganiçada pelo terror, sim, mas uma frase com sentido:

— Ninguém vai tirar meu pai daí?

Só então olho para o lado e vejo meu avô, amparando-se na mangueira, procurando apoio para não cair, vomitando. Meu pai fica lá até que cheguem uns vizinhos para retirá-lo. Nenhum de nós dois consegue.

Meu pai, o homem impoluto e rígido, reduzido a uma curva por alguma mão madrasta e aplicada. À parábola de nossa existência. Espécie de U invertido. U de culpa, que passou a batucar feito um bumbo nos ouvidos noturnos de meu avô pelo resto de sua, agora curta, vida.

PORTANTO, OS MORTOS. Um a um. Todos doem, por um motivo ou por outro. Carlos, Alfredo, Maria do Carmo, Carmen, os tios dela, o homem dos olhos de cortina e mais uma infinidade de desconhecidos, não há um que não desfile nem deixará de desfilar por aqui de dia ou de noite, enquanto houver uma janela que me permita enxergar sol ou nuvens.

Rodolfo nunca apareceu.

Até uma tarde de 1984.

Dezembro de 1984.

Olho um bom tempo para o céu, encostado ao balaústre do viaduto do Chá. Azul-turquesa. Estou chegando finalmente a gostar desta cidade. Naquela tarde, no viaduto do Chá, pelos olhos me entra a luz de uma vida inteira, a passada, a presente e a futura, coisa que eu nunca tinha presenciado antes. Eu, que sempre me gabei de ver tudo, percebo então que posso ver mais.

O número de pedestres é maior em direção à praça do Patriarca. A concentração na Sé está para começar. Sigo junto com a maioria. Vou, em parte, atraído pelos ecos dos comentários em torno das Diretas Já, comentários de cada colega que assistiu a comícios, a shows!... Até Mariquinha, já ressuscitada da morte de padre Bento, anda comentando os noticiários... Já se sabe que não haverá eleições diretas. As manifestações agora são por uma espécie de prêmio de consolação: que Tancredo Neves ganhe no Colégio Eleitoral. No pouco que conversei sobre o assunto, disse com todas as letras que não acredito nessa vitória. Falo como bom aluno de Tomás. Ou acho. Enfim, vou seguindo a direção da maioria. Em parte por curiosidade. Também porque estou de folga. Mas principalmente porque estou feliz. Digo feliz, não alegre. Junto ao balaústre, o que tenho é um sentimento de comunhão.

A movimentação no viaduto não deixa de me lembrar um pouco as agitações de dezesseis anos antes. O movimento humano é parecido com o do passado; o da natureza não tem nada em comum. Na verdade, eu mesmo mudei, embora conserve de mim o substancial: a ausência de paixão. Dezesseis anos antes eu ia com a multidão. Ia indo. Nessa tarde, vou indo, como bola colhida e arremessada por um gandula invisível.

Todos seguimos. Uns com encontro marcado; outros só de passagem. Faço de conta que passo, e vou. Tenho um destino, que nesse momento vai sendo definido, e não sei. No trajeto para a praça do Patriarca, debaixo de tanto céu, paro e, entre o azul lá em cima e o verde do jardim do Anhangabaú lá embaixo, eu seria capaz de enfiar o dourado de um futuro, se soubesse antever.

Patriotismo sincero, só na multidão que engrossa debaixo do sol já quase ameno. Invejável patriotismo. Shows, promessas e propaganda, o combustível. À força de comícios, acredita-se vencer o poder de ferro, fogo e chumbo. A unanimidade que se vê na imprensa convence que algum maná vai cair do céu com os sortilégios do povo. Mesmo que a realidade seja o deserto. Ali, sonho. É assim que penso.

Sei que chego leve à rua Direita. O que era movimento no viaduto ali vira apinhamento. Passa um pouco das quatro. Paro numa loja, fico no limiar, de costas para dentro, apreciando a rua. Uma centopeia, a rua Direita. Olho de novo o céu, vejo uma fita azul que os prédios debruam.

Vi Cibele quinze dias antes. Vi Cibele com a vista, e não com a visão. Vi que vinha vindo, passando e indo, sem me ver. Entretida com um homem e uma menina, ia Cibele de calça jeans e blusa vermelha. Cabelos curtos agora, cara amatronada, um pouco menos de frescor, um pouco mais de resignação. Marido e filha, deduzi. Veio, passou e foi como transeunte qualquer pela calçada do restaurante onde eu trabalhava. Vi tudo pela vidraça. Consegui ir até a porta: quando cheguei, a família já quase virava a esquina. Cibele. Então precisei de um canto para voltar a respirar. Ou pelo menos lavar a cara na pia da privada. Não pude. Já me chamavam. Engoli em seco mais aquele sapo e levei uma semana para voltar à tona. Foi uma iniciação. Saí outro. Quinze dias depois, estou lá, a caminho da Sé, achando alegria num céu cor de berço. Catarse feita, estou purgado.

E enganado.

Na praça, a multidão não é tão grande quanto previsto. Fico em pé não muito longe do palanque durante um bom tempo, num ponto onde a sombra projetada pela catedral resguarda do sol declinante. Início demorado... espero com impaciência. Fiz bobagem. Não devia ter vindo. Muito chato, eu ali parado, olhando uma multidão rala no chão e um aglomerado compacto em cima do palanque. É então que meu congraçamento com o cosmos começa a desmoronar. Lá de baixo, consigo reconhecer umas poucas celebridades no meio de um magote de anônimos. Todas as bocas se movem, produzindo uma voz única e sem sentido, que se espalha pela praça. Entre os anônimos do palanque, uma belezoca passeia o olhar pela multidão cá embaixo como quem procura um conhecido ou um novo conhecimento. Em outros tempos eu teria a pretensão de atrair o olhar dela sobre mim, mas já larguei mão dessas bobagens. Uns vinte minutos depois de chegar, decido ir embora. Mas aí começam os discursos, acabo ficando. Muitos aplausos, muitos sorrisos. Tudo em paz, sem medo de repressão, a praça finalmente é júbilo. Começa a era das manifestações enquadradas. Os ditadores não poderiam prever final mais feliz.

Não sei se a multidão adensa ou se as pessoas só se juntam mais na frente do palanque. Alguma coisa começa a me incomodar, a se agitar naquele aposento da alma que em geral não é varrido. Sinto a necessidade urgente de sair de lá. Começo a me afastar. Começo a fugir da sombra projetada da Catedral, começo a fugir da sombra da igreja nas Perdizes, da sombra de Maria do Carmo, de Carlos, do sobrado da Vila Prudente, de todo o cortejo que vem tentando se agarrar à minha garganta na penumbra das madrugadas dos últimos tempos. Fico tonto. Olho para o palanque: celebridades e anônimos continuam lá, mas agora fora de foco, em segundo plano. Porque em primeiro plano vejo a imagem nítida de uma dezena de mortos dependurados no parapeito, dobrados na cintura, em forma de u invertido, com os braços pendentes para a praça, fios de sangue transfundindo-se para o asfalto. Afasto os pés para aumentar o equilíbrio, fecho os olhos, com uma das mãos seguro o cotovelo oposto para poder amparar a testa suada. Em volta, a multidão grita, tenho medo de cair. Muda Brasil, muda Brasil, dizem. Levo uma cotovelada, um homem me pede desculpas, abro os olhos, olho o palanque, os vivos voltaram ao primeiro plano, os mortos foram engolidos pela realidade. Minha felicidade foi pelo ralo. Estou atordoado, o empurra-empurra me alija dos poucos centímetros quadrados ocupados pelos meus pés, sou enxotado dali pelos vivos, que se reintegram na posse do meu espaço. Começo a abrir caminho em meio à felicidade cívica. Saio do apinhamento mais denso e entro numa farmácia. Um empregado de braços cruzados junto ao balcão olha distraído para a praça. Vou pedir... não sei mais. Desisto. Saio da farmácia, começo a percorrer a calçada, ouço que me chamam. Olho. É Tomás.

Tomás está encostado a um poste, com as mãos nos bolsos. Fico parado uns segundos na frente dele, abestado, sem dizer nada, ele diz: não conhece mais? Chego mais perto, estendo a mão, ele também, perguntando:

– Agora deu pra frequentar comícios?

– Estava de passagem...

– Tudo bem com você? (E me olha intrigado.)

– Tudo bem, por quê?

– Nada, não, está meio pálido.

Depois desse diálogo, nos calamos. Uns minutos depois pergunto:

— E você? O que é que está fazendo aqui?

Ele sorri.

— O que é que você acha que eu estou fazendo aqui?

Ficamos lá, os dois, parados, lado a lado, Tomás de braços cruzados. Discursos, aplausos, slogans. Eu preciso ir embora. É o que digo, parece. Sei que estendo a mão para me despedir. Ele, em vez de estender a sua, diz:

— Vamos dar um pulo num bar ali da Senador Feijó, estou com fome, não almocei.

Pede bife com fritas para dois. Agradeço ao garçom, quando traz a travessa. O rapaz mal deu as costas, Tomás ri, dizendo que garçom não se agradece. Essa asneira, e não passa mesmo de asneira, me azeda. Mas, como é do meu feitio, não digo nada. Emburro. Poderia falar dos clientes que sempre me agradeceram, dos doutores que até puxam conversa comigo, porque sou um profissional que conhece o modo correto de servir, sou discreto e solícito, sei exatamente até que grau dobrar a espinha para me mostrar expedito sem parecer capacho, coisas que ele não sabe, nem imagina que ser garçom é dominar a arte difícil de dar atenção sem ser subserviente, porque de subserviência ninguém gosta, mas certa dose de incenso não faz mal a ninguém... Não digo nada. Então ele percebe a mancada e procura emendar:

— Desculpe, esqueci que você é garçom.

E começa a cortar o bife. Empurro meu prato. Ele não percebe, concentrado que está na fome ou em sei lá que algum outro pensamento. Penso em dizer que não vou comer, que não me sinto bem, que um pouquinho antes de topar com ele já não estava bem, estava querendo mesmo ir embora... Mas não digo. Não tenho vontade, talvez. Não valeria a pena, é certeza. E ele nem está me olhando mesmo... Além disso, em certos momentos é ridículo substituir um gesto integral por meias palavras. O gesto integral teria sido me levantar e ir embora. Tomás acharia banal o motivo. Sorriria dos meus melindres, coisa de mocinha, diria.

Por fim levanta os olhos e pergunta se não vou comer. Não sei se percebeu minha bronca, porque faz uma coisa que não é bem seu costume: justifica-se.

– Pisei na bola, cara, desculpa, aquela história do garçom. Falei bobagem. Come aí! Não vai me fazer essa desfeita.

Enfio o garfo num bife e o puxo para meu prato. Aos poucos meu ânimo amaina. Daí a pouco conversamos normalmente como dois amigos que se reencontram, contando o modo como a vida transcorreu nos últimos anos. Fico sabendo que as atividades dele continuam as mesmas: ele estava na praça observando. Não teria ido lá para matar o tempo nem para aplaudir. Cumpro ordens superiores – diz a certa altura. Eu, que perguntei se ele já está aceitando a abertura com mais boa vontade, fico sem entender se ele cumpre ordens superiores aceitando a abertura política ou se cumpre ordens superiores indo espionar discursos. As duas opções podem ser verdadeiras. Seja como for, do bife dele falta mais da metade e do meu ainda restam dois terços. Então eu, para não deixar a conversa morrer de anemia – pois isso já vai acontecendo –, comento que com certeza aquelas manifestações são inúteis, pois o turco vai ser o escolhido no Colégio Eleitoral. Ele responde:

– Não. O presidente não gosta dele...

Para mim é um espanto. Comento:

– Devo estar muito por fora.

– Está. Mas poderia estar mais por dentro se tivesse aceitado minha oferta uns anos atrás.

Não respondo. Agora estou comendo. Ele continua:

– Ainda existe resistência dos mais... autên... aguerridos. Não é alguém chegar dizendo conciliação, conciliação, e pronto. As coisas nunca são muito simples. Há sempre condições... Afinal, tanta luta não pode ter sido para nada. Vai querer café? Sobremesa?

– Café, obrigado.

Então o Tomás chama o garçom, pede um café e emenda:

– Continuamos vigiando...

– Não vão entregar a rapadura assim de mão beijada...

Tomás não responde. Olha o ambiente, examinando, quem sabe; esperando o garçom, talvez. O rapaz chega com uma xícara de café para mim e, enquanto a deposita na minha frente, um sujeito, que está ali desde... – desde quando? –, lá sentado de costas para nós na mesa da frente, logo atrás do Tomás, se vira e faz o sinal, pedindo a conta. Reconheço o perfil: Rodolfo.

Então perco o fio da conversa. Deixo de ouvir o que Tomás diz. Na verdade, o assunto é o futuro dos ex-exilados que estão voltando desde o fim da década de 1970. A certa altura ele diz:

– ... mas eles se enquadram.

– Como?

– Não é isso o que você queria saber? O que eu acho dos ex-exilados? Vem cá, você está normal? Está com febre, alguma coisa assim?

Então desando a falar asneiras. Um monte delas, umas coisas com nexo, outras sem, só para encher o saco:

– Olha, esse cara que está aí atrás de você escapou uns anos atrás. Lembra de Santos? Daquela nossa ação em Santos? Pois é, caiu um monte de gente, mas esse cara aí atrás escapou. Morreu a irmã dele, morreu a tia, morreu o tio, morreu todo o mundo. Nós matamos essa gente toda na tortura. Mas ele escapou e está aí. Onde será que estava esse tempo todo? Não sei. Só sei que agora está aí. Olha só, atrás de você. Olha que ironia: você poderia se virar e... crau. Só que agora não dá. Agora você é um maneta político. Sabe aquele seu pretenso cabo de guerra? Então, agora vem uma lei de anistia que vai mandar as duas pontas largar o cabo e dar as mãos. Não vai haver catarse nessa bosta. Como é que esse circo sobrevive? Você vai ter de engolir esse cara aí. E esse cara vai precisar te engolir. Olha só no que nos metemos.

Digo coisas assim ao Tomás. E repito: pega ele, crau.

E o Tomás de fato se vira para olhar. Mas se vira discretamente. Enquanto minha fala se destrambelha, os gestos dele continuam comedidos.

E continuo repetindo: pega agora enquanto dá, pega, vai, pega, crau.

Digo essas coisas olhando para o Rodolfo, para a nuca do Rodolfo, para o cabelo curto agora, uns fios grisalhos desenhando arabescos na massa castanho-escura da cabeça. E, assim que o garçom chega com a conta na outra mesa, o Rodolfo paga e sai com o sujeito que está com ele.

Tomás me olha hostil.

Não demoramos a sair. A despedida é lá mesmo, na porta do bar.

Segui pelo viaduto Dona Paulina pensando em tudo aquilo que não deveria ter dito. Aquela imbecilidade tinha sido a manifestação da aflição de perceber que os grandes problemas para mim nunca alcançavam definição clara, a não ser as que os outros resolviam dar, atribuir, impingir. Manifestação do desespero de perceber que tinha chegado à maturidade desse jeito, quero dizer, do mesmo jeito que sempre tinha sido. Pensava essas coisas e também me perguntava, como se da resposta dependesse minha vida, quando diabos o Rodolfo tinha entrado no bar e se tinha me visto. Tomás e eu tínhamos chegado lá pelas cinco e meia e aquela mesa estava vazia quando nos sentamos na de trás. Ele só podia ter vindo depois de nós. Mas eu não tinha percebido. Aquela movimentação havia passado em branco, eu estava ressentido demais com a bobagem do Tomás sobre os garçons, absorto naquele melindre idiota e, enquanto a praça se esvaziava e o bar se enchia, eu não calculava o tamanho da multidão que se distribuía pelas mesas.

Durante a tarde meu humor vinha evoluindo em ondas. Da felicidade inexplicável eu tinha passado à angústia, voltado a uma normalidade medíocre e mergulhado em profundo desânimo. Assim me sentia no fim daquela refeição no bar. E disse um monte ao Tomás, tal como vomitaria anos depois no colo de minha irmã. Nos olhos dele eu lia a suspeita de que eu estivesse louco. Tomás desconversava como quem quer se livrar de um bêbado.

Depois que Rodolfo saiu ainda provoquei mais. Disse que já podíamos ir embora, sem perigo de sermos seguidos. Até ri, como se acreditasse mesmo que Tomás ia gostar da ironia, Tomás, imagine, que nunca tinha sido gente de gostar de ironias. Sem pressa, ele pediu a conta. Havia veneno no ar. Assim mesmo perguntei da mãe dele. Respondeu seco que ela tinha morrido. Reassumi a seriedade e lhe dei os pêsames. O troco não tinha chegado, perguntei como ele achava que seria o governo Tancredo Neves. Respondeu que não era profeta. Tomás estava zangado. E eu tinha me comportado com ele como nunca antes, sem nem saber se me importaria com as consequências.

Subo a Brigadeiro Luís Antônio matutando nos confrontos insolúveis, na angústia que eles me dão. Senti isso pela primeira vez quando meu avô leu para mim o trecho sobre a verdadeira descendência de Abraão. Afinal, quem era a verdadeira descendência de Abraão? O texto não me dava resposta alguma. "Somos a verdadeira descendência de Abraão e nunca servimos ninguém, como dizes sereis livres?", e meu avô lia com o indicador em riste a resposta de Jesus: "Procurais matar-me porque minha palavra não entra em vós. Eu falo do que vi junto do meu pai e vós fazeis o que também vistes junto de vosso pai... O vosso pai é o diabo e vós estais determinados a realizar os desejos de vosso pai". Era também o que Mariquinha lia ontem, me fazendo lembrar a mão de vovô pousada no meu ombro, lendo João 8 em tarde quase tempestuosa, lá em Nazaré, debaixo da mangueira.

A caminho de casa, dezembro de 1984, eu me percebo afundando num sumidouro. A depressão se desenha com contornos fundos, sentimentos turvos tomam as rédeas por mim. O olhar de Tomás me repete: "agora sei que você é louco", e a voz de meu avô diz: "... Então os judeus responderam: agora sabemos que tu és um possesso...".

Chego, está tudo deserto em minha casa, já então uma das poucas que servem de moradia. Tudo está fechado, a luz de fora acesa, as de dentro apagadas. Mariquinha foi a uma reunião de um grupo beneficente. Puxo a chave do bolso do paletó e a enfio na fechadura do portão. Então recebo uma pancada na nuca. Minha testa vai bater na grade de ferro, fico transtornado e sou agarrado pelos ombros: o agressor me faz dar meia-volta e ficar de frente para ele. É Rodolfo, que me agarra pelo pescoço, me aperta a garganta. Tenho o reflexo de lhe dar um chute no joelho, com o que me desvencilho e entro. Mas não dá para fechar o portão. Ele empurra de fora, eu de dentro, fica uma fresta aberta, a mão dele no meio, dou um tranco com a força de todo o corpo, o portão bate sobre a mão dele, ele geme de boca fechada, mas, com uma raiva bem mais forte que a dor, me xingando, se joga contra o portão, que cede, me empurrando.

Entramos. Subo as escadas, ele sobe atrás. Embora eu já esteja com a chave na mão, não há tempo de enfiá-la na fechadura, ele me agarra pelo braço. Está fora de si, não vai embora enquanto não me der uma surra, não me matar, sei lá o que ele quer. Não está armado, deduzo, a não ser de raiva. Raiva bruta e irremediável.

Ele me agarra o braço esquerdo, eu o dobro e lhe dou uma cotovelada no estômago. Ele cambaleia e desce uns dois degraus. Enquanto isso, me viro para a porta, na esperança de abrir, mas de novo não há tempo, ele volta e me pega por trás, numa chave de braço. Fico imobilizado. Ele aperta e, apertando, começa a falar, fala da irmã, da morte dela, da morte da tia, de todos os companheiros massacrados por minha culpa, e não para de me chamar de filho da puta. Sinto o bafo dele de café, o calor das palavras dele na minha nuca. A respiração está difícil, eu quase perco os sentidos, mas percebo que aquele apertão é dosado: o suficiente para me fazer ouvir, imóvel, o que ele tem para dizer. Pergunta se sei quanta gente foi destruída por minha culpa, se sei que acabei com a família dele, com gente inocente, gente que me abrigou numa hora de necessidade. À medida que fala, parece que se angustia mais e mais, até que começa a gritar:

– Sabe o que fizeram com a Carmen? Sabe o que fizeram com a Carmen, filho da puta, desgraçado?

Sim, eu sei. Sei do estupro, sei do mamilo arrancado, sei do cassetete na vagina, sei da tortura na frente da tia, sei de tudo. Então balbucio:

– Perdão.

300 Cabo de guerra

É um pedido de perdão esganiçado, voz se esguichando pela abertura estreita que o apertão dele deixa na minha garganta. Mas ele não ouve. Ele chora. Soluça, mas não afrouxa. Continua segurando, eu quase não consigo respirar, mas sei, sei sem saber como, que ele na verdade não deseja minha morte, que me quer vivo numa posição torturante, para me envenenar com meus próprios atos, enfiados na marra pelos meus ouvidos.

Assim estamos quando ouvimos uma voz. Vem de baixo. Parado junto ao portão, Tomás aponta um revólver.

— Levanta as mãos e vem pra cá.

Rodolfo me estrangula.

— Você está preso por agressão – diz Tomás.

Rodolfo me aperta.

— Desce as escadas – diz Tomás.

Rodolfo não larga. Responde:

— Atira, e quem vai pro brejo é o teu cupincha, esse pau-mandado...

— Solta – Tomás grita.

Tento me livrar. Cambaleamos. A certa altura escorrego, meu corpo desce, acho que Rodolfo se desequilibra um pouco, porque o apertão se afrouxa e tudo acontece naqueles segundos que a consciência quase não chega a captar, quando os reflexos comandam. É assim talvez que o tiro parte. Sinto o impacto atrás de mim, Rodolfo cai. Atordoado, no primeiro degrau, agora livre, olho para trás: o corpo no chão, ainda vivo. Tomás sobe as escadas. Vai acabar o serviço. Eu o empurro. Sei que empurro. O olhar dele, de novo, me julga, e, se antes me punha no rol dos dementes, agora põe também no dos traidores. Sai da frente – grita Tomás, o sem-culpa. O entrevero é curto, eu continuo empurrando. Então, outro tiro é disparado. Na trajetória da bala, a minha garganta.

Perco o chão no primeiro degrau e escorrego até o último. Caído de costas, ainda enxergo o céu noturno. Infinito com molduras: paredes imensas, amarelas, rodeando, rodeando. Então o céu negro vai ficando azul, depois azul-claro, depois branco, e as imagens começam a desfilar: Cibele de jeans e blusa vermelha, meu pai dobrado em cima do trapiche, Tomás me dando um cartão de visita, minha irmã falando de estrelas, padre Bento acocorado junto a um muro, a garganta afogada de Samira boiando na Billings, o moço torturado, a jaqueta em frente a um tamborim, o soco no coronel, um sujeito cantando "My Way", Carlos morrendo, as borbulhas da chuva no chão, Jandira erguendo os braços, uma surra, Maria do Carmo mijando no lavatório, Alfredo morto, o Dops, Samira gritando, a mão estendida a Rodolfo, o atropelado, estrelas, estrelas, estrelas, eu descendo na rodoviária de Santos e batendo palmas.

SOBRE A AUTORA

IVONE BENEDETTI nasceu em São Paulo de uma família de imigrantes italianos e espanhóis. Cursou Letras na Universidade de São Paulo, onde também defendeu tese de doutorado em literatura francesa, em torno da poesia medieval. Sua vida profissional dividiu-se durante muito tempo entre o magistério e a tradução (traduziu autores como Eco, Sartre, Voltaire, Foucault, Vargas Llosa, Padura, entre outros). Estreou como ficcionista com o romance *Immaculada* (WMF Martins Fontes, 2009) que, através de seus personagens, percorre a história do Brasil desde a década de 1920 até 1964. A obra foi finalista do Prêmio São Paulo de Literatura de 2010. No ano seguinte, Ivone lançou o livro de contos *Tenho um cavalo alfaraz* (WMF Martins Fontes, 2011). Tem várias obras publicadas na área de tradução, organização de dicionários e língua portuguesa.

Charge de Laerte Coutinho, 14 de setembro de 2015.

Publicado em maio de 2016, cerca de 50 anos depois dos acontecimentos que inspiraram esta ficção, num momento em que as instituições democráticas do Brasil são, mais uma vez, ameaçadas por um conluio de setores retrógrados do parlamento, do judiciário e do oligopólio midiático, este livro foi composto em Adobe Garamond Pro, corpo 11,5/15, e impresso em papel Avena 70 g/m² pela Intergraf, para a Boitempo, com tiragem de 1.500 exemplares.